ZAÏRE

LE FANATISME
OU MAHOMET LE PROPHÈTE

NANINE
OU L'HOMME SANS PRÉJUGÉ

LE CAFÉ
OU L'ÉCOSSAISE

Du même auteur
dans la même collection

Candide (édition avec dossier).
Dictionnaire philosophique.
Écrits autobiographiques.
Écrits satiriques (édition avec dossier).
Histoire de Charles XII.
L'Ingénu (édition avec dossier).
L'Ingénu. La Princesse de Babylone.
Lettres philosophiques.
Lettres philosophiques. Derniers écrits sur Dieu.
Micromégas. Zadig. Candide.
Le Philosophe ignorant.
Romans et Contes.
Traité sur la tolérance.

VOLTAIRE

ZAÏRE

LE FANATISME
OU MAHOMET LE PROPHÈTE

NANINE
OU L'HOMME SANS PRÉJUGÉ

LE CAFÉ
OU L'ÉCOSSAISE

Introduction, présentation des pièces,
notes, chronologie et bibliographie

de

Jean GOLDZINK

GF Flammarion

ISBN : 978-2-0814-7018-7.

INTRODUCTION

Ce volume propose quatre pièces de Voltaire, qui en a écrit plus de cinquante. Deux tragédies (sur vingt-sept), *Zaïre* et *Mahomet*, et deux comédies, *Nanine* et *L'Écossaise*. Comme *Le Café ou L'Écossaise* peut aussi bien passer pour un drame bourgeois, et même l'un des premiers, on aura compris le principe très simple qui gouverne cette édition, la seule à ce jour en livre de poche. Il s'agit de mettre enfin à la portée d'un large public (enseignants, lycéens et étudiants, gens de théâtre, lecteurs curieux), non pas un panorama, pas même un parcours, mais quelques échantillons d'un théâtre autrefois glorieux, et maintenant proprement englouti dans les eaux noires de l'oubli, quand ce n'est pas du mépris. Il convenait par conséquent – à travers quatre œuvres, trois genres et trois formes – de mêler le sourire et l'effroi, l'alexandrin, la prose et ce mètre si rare où Voltaire excelle, le décasyllabe, sans viser une érudition en l'occasion tout à fait déplacée, et en vérité dérisoire. Quand un homme se noie, il n'est pas certain qu'on l'aide en le recoiffant avant de sortir de l'eau. On veut ici servir le théâtre voltairien, plutôt que s'en servir. De quel service s'agit-il ? Non pas d'œuvrer à la gloire de Voltaire – il n'en a nul besoin –, mais à la culture de notre mémoire, à l'enrichissement de notre patrimoine vivant, si étrangement, si affreusement rabougri. Pour jouer du Voltaire, ce que je ne suis pas seul à désirer, encore faut-il pouvoir le lire dans des éditions commodes, qui font jusqu'ici défaut. Si l'on se souvient que nul auteur français du XVIIIe siècle n'est aujourd'hui davantage publié que « l'illustre brigand » de Ferney (Diderot), on mesure le désastre qui s'est abattu sur le dramaturge européen le plus joué, le plus loué, le plus traduit et adapté en son temps – le temps des Lumières.

COURBE D'UN DESTIN

Triomphes…

Immortalisé par la prose (philosophique, historique, narrative, pamphlétaire, épistolaire), Voltaire s'est d'abord et toujours rêvé poète. Mieux : grand poète dans les grands genres (épopée, tragédie, discours en vers). Le tout jeune Arouet, cadet malingre de robin, auteur de petits vers, de lettres charmantes, consacre son nouveau nom de plume, Voltaire, à l'occasion d'une première tragédie retentissante, *Œdipe* (1718). Il court ensuite, de Paris à Versailles, de la Bastille à Londres, de château en logis, pendant près de quinze ans, jusqu'à *Zaïre* (1732), derrière un succès aussi enivrant que son coup d'essai. À partir de *Zaïre*, malgré les déboires, les demi-réussites, les pièces refusées, retirées ou gardées sous le coude, et l'envie frénétique d'écrire et de se faire jouer jusqu'au bout en dépit de l'âge et des réticences croissantes du public (*Irène*, 1778), il domine incontestablement la scène française tragique. Ni Diderot, ni Rousseau, qui ne l'aiment pas d'amour tendre, ni le public, peu porté alors au respect fervent des maîtres et des acteurs, n'hésitent à le comparer, dans ses meilleures œuvres, à Corneille et Racine. La liste suivante, empruntée à une thèse encore inédite, dira bien mieux qu'un long récit ce que fut ce règne mouvementé, riche en anecdotes et péripéties, en joies et revers, du plus illustre et abondant auteur tragique de la Comédie-Française au siècle des Lumières. (Car, contrairement à Marivaux qui, entre 1720 et 1740, lui dame le pion en prosaïques brodequins comiques et draine lui aussi un large public, Voltaire n'a jamais daigné écrire la moindre comédie pour la troupe des Italiens, rappelés en 1716 après un exil de vingt ans.)

Si l'on estime avec J.-P. Perchellet (« L'Héritage classique : la tragédie entre 1680 et 1814 », thèse soutenue à l'université Paris III, 1998, t. I, p. 123-124) « que 25 représentations données en cinq ans d'exploitation consacrent un triomphe », 44 titres de tragédies sur 305 créations surnagent entre 1680 et 1814. Leur liste a la tristesse moins majestueuse que comique des vanités humaines, et nous rappelle combien l'art, comme l'humanité, compte plus de morts que de vivants. Le théâtre est d'abord une mémoire abolie.

Pradon, *Régulus* (1688) : 54
Campistron, *Alcibiade* (1685) : 53
Campistron, *Andronic* (1685) : 53
Campistron, *Tiridate* (1691) : 50
La Motte, *Inès de Castro* (1723) : 48
Voltaire, *Œdipe* (1718) : 48
Voltaire, *Mérope* (1743) : 48
Voltaire, *Zaïre* (1732) : 47
Péchantré, *Géta* (1687) : 43
Voltaire, *Tancrède* (1760) : 43
Voltaire, *L'Orphelin de la Chine* (1755) : 40
Maisonneuve, *Roxelane et Mustapha* (1785) : 39
Raynouard, *Les Templiers* (1805) : 39
Luce de Lancival, *Hector* (1809) : 38
Crébillon, *Rhadamiste et Zénobie* (1711) : 37
Legouvé, *La Mort d'Abel* (1792) : 37
Chénier, *Charles IX* (1789) : 36
Delrieu, *Artaxerce* (1808) : 36
La Touche, *Iphigénie en Tauride* (1757) : 35
Lemierre, *Hypermnestre* (1758) : 35
Belloy, *Zelmire* (1762) : 34
La Chapelle, *Cléopâtre* (1681) : 33

Voltaire, *Hérode et Mariamne* (1725) : 32
Mlle Bernard, *Brutus* (1690) : 31
Mme de Gomez, *Habis* (1714) : 31
La Fosse, *Polyxène* (1696) : 31
Boyer, *Agamemnon* (1680) : 30
La Fosse, *Thésée* (1700) : 30
Baour-Lormian, *Omasis* (1806) : 30
La Grange-Chancel, *Oreste et Pylade* (1697) : 29
Belloy, *Gabrielle de Vergy* (1777) : 29
Belloy, *Le Siège de Calais* (1765) : 29
Ducis, *Roméo et Juliette* (1772) : 28
La Fosse, *Manlius* (1698) : 28
Crébillon, *Électre* (1708) : 27
Ducis, *Le Roi Lear* (1783) : 27
Piron, *Gustave Vasa* (1733) : 27
Voltaire, *Alzire* (1736) : 27
Mlle Bernard, *Laodamie, reine d'Égypte* (1689) : 26
Crébillon, *Pyrrhus* (1726) : 26
La Harpe, *Philoctète* (1783) : 26
Brueys, *Gabinie* (1699) : 25
Danchet, *Nitétis* (1723) : 25
Saurin, *Beverlei* (1768) : 25

Voltaire ne vient donc qu'en sixième place, derrière Pradon (immortalisé par son corps à corps avec Racine autour de *Phèdre*) et Campistron, qui doit sa survie à Hugo (« Sur le Racine mort, le Campistron pullule »), mais il place sept pièces (sur vingt-sept) dans ce pittoresque palmarès des grands succès tragiques entre 1680 et 1814. En prenant d'ailleurs comme critère le nombre de spectateurs sur les cinq premières années d'exploitation (plus de 17 000 selon les calculs de J.-P. Perchellet, *op. cit.*, p. 125-126), sa position s'améliore nettement, puisque *Mérope*, 1743, *Zaïre*, 1732, *Tancrède*, 1760, *L'Orphelin de la Chine*, 1755, *Œdipe*, 1718, occupent respectivement les 1er, 4e, 5e, 6e et 9e rangs (de 46 000 à 34 000 places), et que trois autres de ses pièces figurent encore parmi les quarante-trois tragédies ayant rassemblé, à elles toutes, 1 172 000 spectateurs durant les cinq premières années de leur vie théâtrale (*Hérode et Mariamne*, 1725 ; *Alzire*, 1736 ; *Sémiramis*, 1748). La primauté de Voltaire, qui n'est en rien une exclusivité sidérante, encore moins un miracle du talent à contre-courant du cours des choses, prend place et sens dans la vogue persistante du genre tragique en son temple parisien : « Entre 1680 et 1814, les 106 tragédies ayant intégré le répertoire de la Comédie-Française ont attiré 3 321 891 spectateurs en 5 223 représentations (32 % du total des représentations tragiques et 33,8 % du total des spectateurs », J.-P. Perchellet, *op. cit.*, p. 132). C'est même dans une perspective à encore plus long terme, embrassant jusqu'à leur extinction, au XIXe siècle, toute la carrière des tragédies créées après 1680, que la réussite de Voltaire reçoit tout son relief : « Sur les 4 211 876 spectateurs qui se sont déplacés pour assister à la représentation d'une des cinquante-sept pièces restées au théâtre, 1 753 462 (41,6 %) sont allés applaudir une de ses treize tragédies. [...] à lui seul, il occupe même la moitié des places réservées aux dix-huit tragédies vues par plus de 100 000 spectateurs :

Voltaire, *Zaïre* : 272 145
Voltaire, *Tancrède* : 196 846
Voltaire, *Alzire* : 195 696
Voltaire, *Mérope* : 185 688
Voltaire, *Sémiramis* : 183 097
Voltaire, *Œdipe* : 159 196
Crébillon, *Rhadamiste* : 151 692
Voltaire, *Mahomet* : 141 041
La Motte, *Inès de Castro* : 136 675
Voltaire, *L'Orphelin de la Chine* : 133 777
Longepierre, *Médée* : 119 810
La Touche, *Iphigénie en Tauride* : 115 403
Campistron, *Andronic* : 105 575
Belloy, *Gaston et Bayard* : 105 294
La Fosse, *Manlius* : 105 139

Lemierre, *Hypermnestre* : 103 100
Voltaire, *Adélaïde du Guesclin* : 100 835
Crébillon, *Électre* : 100 831 »
(J.-P. Perchellet, *op. cit.*, p. 140).

On retiendra aussi de ces quelques chiffres et classements éloquents que les grands succès voltairiens, en termes de créations, s'étendent de 1718 à 1760. Mais peut-on s'étonner de la longévité et de la fécondité de Voltaire ? Et douter de sa fureur théâtrale, de son amour inentamé de la scène, lui que, increvable vieillard édenté et emperruqué tué par son triomphe, on couronna dans sa loge, puis en buste sur le plateau de la Comédie-Française, quelques semaines avant sa mort, lors d'une représentation d'*Irène* véritablement historique (1778) ? Geste inouï et délire public où s'annonce le culte moderne de l'artiste. À travers *Irène*, piètre tragédie, l'on applaudissait évidemment l'auteur, le philosophe, le bienfaiteur de l'humanité, bref, le héros des Lumières auréolé de génie, enfin autorisé à revenir dans la capitale après vingt-cinq ans de caprice monarchique. Il faudra à peine un siècle pour enterrer non pas l'écrivain, mais le dramaturge, le successeur reconnu de Corneille et de Racine, aujourd'hui disparu avec armes et bagages. Au compte de tous les exploits petits et grands, comiques et frappants, qui font la légende voltairienne – la bastonnade et la Bastille, Mme du Châtelet, Frédéric II, Cirey, Ferney, Calas et tant d'autres –, il faut absolument ajouter l'énorme blague, l'incroyable farce de son destin théâtral, sans guère d'équivalent à ce niveau de talent et de renommée. Voltaire gambade et frétille dans nos mémoires comme s'il n'avait pas été frappé d'hémiplégie sur toute une moitié du corps, la plus précieuse à ses yeux. Mais qui, de nos jours, s'imagine Voltaire en grand poète inspiré, comme le virent ses contemporains ?

Voltaire exporté

Cette gloire prodigieuse si vite effacée s'explique-t-elle par l'égocentrisme français au siècle des Lumières, sincèrement persuadé d'incarner, depuis Corneille, Molière et Racine, le bon goût universel en matière de théâtre ? On a vu plus haut, dans l'étonnant premier tableau des performances, que Shakespeare n'a pu pénétrer en France qu'à travers les adaptations implacablement classicisées, ou francisées, ou policées, d'un Ducis. Goldoni, installé jusqu'à sa mort à Paris, savait que ses pièces italiennes, dont il ne doutait pas de la qualité, n'avaient aucune chance de convenir aux goûts de son nouveau public. Il en ira tout à fait de même quand Benjamin Constant, fort bon connaisseur de la littérature allemande, se proposera, au début du XIXe siècle, d'adapter pour la scène le *Wallenstein* de Schiller. À se contenter d'une telle hypothèse, on se tromperait pourtant lourdement. Voltaire fut lu, joué, traduit, adapté, discuté dans toute l'Europe, en Russie et jusqu'à Boston et New York. Il ne servirait à rien d'entrer ici dans des détails oiseux, pays par pays, et pièce par pièce. C'est l'affaire, au demeurant instructive, des études érudites. Il suffira d'évoquer l'exemple de l'Angleterre, nation que ses traditions littéraires, sa puissance, son rayonnement intellectuel, et son patriotisme chatouilleux devaient apparemment dérober à l'emprise de l'idéal tragique voltairien, si résolument français.

Brutus (1731), sujet romain d'ailleurs ramené du séjour anglais, où Voltaire découvrit Shakespeare *in vivo*, c'est-à-dire sur scène, est adapté à Londres dès 1731, mais représenté seulement en 1734, non sans débats. A.M. Rousseau (*L'Angleterre et Voltaire*, Voltaire Foundation, 1976, p. 385) note un paradoxe amusant, et de fait inhérent au commerce culturel international. Voltaire se veut animé par l'énergie anglaise, liée pour lui aux libertés publiques, en politisant sa tragédie, où s'affrontent, à coups de fort beaux vers, républicains et monarchistes. Tandis que l'adaptateur londonien, s'adressant à des spectateurs peu privés de joutes politiques dans leur vie quotidienne, accentue le pathétique qu'ils recherchaient avant tout sur scène ! Et que Voltaire visera sciemment, de son côté, avec *Zaïre*. D'abord froidement reçue, une adaptation de *Zaïre* (1732) – *Zara* – obtient en 1736 un succès considérable, mais sans suite, avant que, quinze ans plus tard, le célèbre acteur Garrick ne relance la pièce en endossant le rôle, cher également à Voltaire, du vieux Lusignan. Pendant sa longue direction du théâtre de Drury Lane (29 ans), *Zara* vient ainsi, fait peu croyable et pourtant vrai, au troisième rang des pièces les plus jouées sur ce théâtre fameux, derrière *Hamlet* et *The Suspicious Husband* de Hoadly (23 saisons contre 29). Cet énorme succès, confirmé par la province et vingt éditions, conjugue deux facteurs qu'il serait imprudent d'oublier : 1. le talent de deux comédiens, Mlle Cibber (que la création du rôle de Zara rendit célèbre) et surtout Garrick ; 2. le travail d'adaptation, de Hill d'abord, de Garrick ensuite, en 1766, quand la Cibber se retira. Car Hill puis Garrick, n'étant pas tenus par l'idéal formel de la tragédie classique – alexandrin rimé, élégance, harmonie, décence, volume et hauteur du chant poétique –, ne se privent pas de faire jouer le ciseau (Garrick supprime 300 vers, découpe les tirades), de tirer l'incantation tragique, dont les draperies enveloppent les rapports dramatiques imaginés par Voltaire, vers la prose et ses brutalités, inconcevables sur la scène française. Même si Voltaire déclare se réjouir, en publiant *Zaïre*, que les Anglais se décident enfin à rejoindre le bon goût français, qui doit lui-même retouver les chemins de l'énergie dramatique, il est certain qu'on ne saurait tout à fait confondre *Zaïre* et *Zara*. Les Anglais bousculent les plis du cérémonial à la française, sans lequel l'idéal de la tragédie classique se défait, pour aller dénuder plus résolument le pathétique des situations.

Alzire (1736), bien qu'adaptée aussi par Hill, ne connut qu'un accueil honorable, tandis qu'il revint encore à Garrick d'assurer avec retard, à partir de 1765, le succès d'abord très compromis de *Mahomet* (24 saisons jusqu'en 1796, 13 éditions). *Mérope* (1743), quant à elle, ne mettait pas au départ tous les atouts dans son jeu en vue de séduire l'Angleterre, puisque Voltaire, en pleine guerre avec la perfide Albion et devenu poète officiel de la cour de France (*Poème sur Fontenoy*), déclarait dans la Préface les Anglais décidément ineptes en certaines branches de l'art, qu'il limitait cependant à la tragédie, à la musique, à la peinture ! La pièce, adaptée en 1745, fit pourtant une fort belle carrière, au point, selon A.M. Rousseau, d'influencer d'autres drames autochtones : « *Mérope*, directement ou indirectement, appartint au répertoire classique anglais pendant près d'un siècle » (*op. cit.*, p. 414). Si l'on songe que, malgré des campagnes antishakespeariennes de plus en plus violentes au fil de l'âge, au nom de Racine et de la raison en art, réfugiée à Ferney, les adaptations de *L'Orphelin de la Chine*, de *Nanine* (pièce la plus longtemps jouée au XIXe siècle chez nos voisins, dernière édition en 1864) et de *L'Écossaise* ont également rencontré un bon accueil, on est amené à cette conclusion aussi déconcertante qu'imparable : « Nul dramaturge français n'aura eu outre-Manche un succès comparable » ! (*ibid.*, p. 437). Il n'est évidemment pas question de transposer tel quel l'état de chose anglais en Allemagne ou en Italie. Mais il suffit pour mesurer l'ampleur du succès, et son aire temporelle : le XVIIIe siècle et le début du XIXe.

Il faut maintenant rentrer en France. Qu'est-il donc arrivé à Voltaire ? Comment et pourquoi a-t-il si dramatiquement disparu ? Comment, après un tel triomphe, comprendre un tel naufrage ?

La chute de la maison Voltaire

On fera appel à un tableau, qu'autorisent les statistiques de la Comédie-Française et l'extrême rareté des représentations de Voltaire hors de son théâtre attitré. Que constate-t-on ?

1. La spécialisation de Voltaire dans le grand genre tragique, malgré les beaux succès de *L'Enfant prodigue* (317), *Nanine* (291), *L'Écossaise* (134). Il est clair – ses lettres le confirment amplement – que pour lui la tragédie l'emporte de beaucoup en grandeur esthétique et en ivresse créatrice sur la comédie. Or l'Histoire, qui aime jouer dans le dos des hommes, a voulu n'élire, du XVIIIe siècle, que des pièces gaies.

2. Pendant un siècle, de 1731 à 1830, le Théâtre-Français fait jouer au moins dix de ses pièces sur dix ans (par décennie entre 1751 et 1800, respectivement 17, 23, 16, 17, 16 ; entre 1801 et 1850, 13, 12, 10, 9, 7).

3. En nombre de représentations, il dépasse Corneille dès la décennie 1730 (177 contre 165, avec 10 pièces) et l'emporte sur Corneille et Racine entre 1741 et 1800. Les contemporains n'étaient pas victimes d'un mirage, mais d'un incontestable triomphe public, qui se prolonge en fait jusqu'en 1830 (314 représentations entre 1821 et 1830, contre 147 pour Corneille, 306 pour Racine).

4. Le décrochage du théâtre voltairien s'opère à partir de 1831, soit très exactement cent ans après sa prise de pouvoir (314 représentations pour 10 pièces entre 1821-1830, 93 et 111 les deux décennies suivantes). Après 1850, la chute se fait brutale et apparemment fatale : 11 et 14 représentations entre 1851 et 1870, pour 4 puis 2 pièces.

5. Seule *Zaïre* traverse tout le XIXe, avant de s'effondrer dans son ultime reprise, en 1936, deux siècles après sa création.

REPRÉSENTATIONS DES PIÈCES DE VOLTAIRE À LA COMÉDIE-FRANÇAISE (1718-1966)

	1718-1720	1721-1740	1741-1760	1761-1780	1781-1800	1801-1820	1821-1840	1841-1860	1861-1880	1881-1900	1901-1920	1921-1940	1941-1960	1961-1966	Totaux
Œdipe (1718-1852)	42	42	51	39	19	71	56	20							340
Artémire (1720)	8														8
Mariamne (1724)		1													1
Hérode et Mariamne (1725-1817)		42	13	2		3									60
L'Indiscret (1725-1780)		10	3	10											23
Brutus (1730-1799)		15	33	33	29										110
Ériphile (1732)		12													12
Zaïre (1732-1936)		52	73	46	68	104	50	23	33	24	6	1			480
Adélaïde du Guesclin (1734-1850)		11		57	44	46	35	5							198
Alzire (1736-1830)		27	84	73	63	41	40								328

L'Enfant prodigue (1736-1819)		31	107	101	56	22									317
Zulime (1740-1762)		8	10												18
Mahomet (1742-1852)			38	61	66	40	47	21							273
Mérope (1743-1869)			93	72	44	50	46	22	13						340
La Mort de César (1743-1900)			8	5	27	2				4					46
Sémiramis (1748-1834)			57	67	51	72	16								263
Nanine (1749-1840)			43	94	54	67	33								291
Oreste (1750-1846)			9	19	15	2		7							52
Rome sauvée (1752-1800)			11	6	5										22
Amélie (1752)			23	4											27
L'Orphelin de la Chine (1755-1966)			45	48	44	37	16							18	208
L'Écossaise (1760-1793)			20	91	23										134

Tancrède (1760-1855)			13	99	74	106	68	24							384
L'Écueil du sage (1762)				8											8
Olympie (1764-1787)				10	6										16
Le Triumvirat (1764)				1											1
Les Scythes (1767-1770)				9											9
Sophonisbe (1774)				4											4
Irène (1778)				7											7
Agathocle (1779)				4											4
Le Droit du seigneur (1779)				6											6
Total	50	251	734	976	688	663	407	122	46	28	6	1		18	3 990
Corneille*	324	402	370	307	198	617	368	354	286	267	381	542			6 661
Racine*	423	665	434	351	339	976	548	494	524	351	479	545			8 388

* Chiffres jusqu'au 31 décembre 1964.

D'après S. Chevalley, *Voltaire en 1755*, Comédie-Française, 1965 (tableau modifié).

6. Voltaire n'aura donc joué dans la cour des grands classiques que jusqu'en 1850, avant de se faire brutalement expulser.

7. Il paraît dès lors plausible de rapporter le succès de Voltaire à celui du genre tragique français, actif sur plus de deux siècles. Le théâtre voltairien survit tant que ce genre vit d'une autre vie que la commémoration culturelle et les batailles d'interprétation ou de prestige, liées à l'invention, en fin de XIXe siècle, du metteur en scène.

8. Sa mission historique fut donc d'alimenter, en la modernisant, en l'actualisant, en la dramatisant, un tenace et très fort besoin public de tragédie, qui se satisfait depuis bien longtemps, en France, des seules reprises de Corneille et de Racine.

Tels sont les faits, assez aisés à établir dans leur nudité brutale et leur courbe impeccable. Reste à comprendre les raisons, ce qui est un peu plus difficile. L'étonnant destin du théâtre voltairien m'incite à une démarche qui n'aurait guère de sens, sinon érudit, pour Corneille, Racine, Marivaux ou Shakespeare. Il ne paraît pas tout à fait oiseux, pour une fois, d'interroger l'histoire de la critique, à travers deux moments caractéristiques. Comment a-t-on abordé le touffu, l'inégal répertoire voltairien à la fin des XVIIIe et XIXe siècles – du triomphe à la catastrophe, de la vie à l'oubli ?

Un adorateur de Zaïre sous la Révolution française

Il faut d'abord se tourner vers le *Cours de littérature* de La Harpe (1799). Parce qu'il fut beaucoup lu et réédité au XIXe, et surtout parce que La Harpe, critique littéraire, spectateur assidu et auteur dramatique, envisage Voltaire selon des catégories entre eux communes – celles qui, fort différentes des nôtres, orientent sur environ deux siècles, du théâtre aux salons et aux journaux, le public éclairé, les connaisseurs, les hommes de goût, et donc les dramaturges. Et par conséquent aussi, à travers la masse des spectacles et la production ininterrompue de tragédies, tout le public, si composite fût-il. Force est d'admettre, sauf à ne plus rien comprendre, que les salles ont partagé, intuitivement mais fortement, les valeurs esthétiques, les normes de goût, les attentes à l'œuvre dans le genre tragique français, où Voltaire a voulu pour l'essentiel s'illustrer.

En quinze sections, La Harpe passe en revue, une à une, dans l'ordre chronologique, les pièces de celui que, fort logiquement eu égard aux faits, il considère comme le successeur évident de Corneille et de Racine (« Si parmi nos trois tragiques français de premier ordre, Corneille, Racine et Voltaire, la prééminence est susceptible de contestation, suivant les différents rapports sous lesquels on les envisage, au moins la supériorité de ce dernier sur tous ses contemporains n'est pas contestable », t. VIII, p. 201, éd. 1813). On ne retiendra ici que l'analyse de *Zaïre*, qui nous fera entrer dans l'atelier de l'esprit classique, ou néo-classique.

La Harpe note qu'entre *Œdipe* (1718) et *Zaïre* (1732) Voltaire « avait échoué successivement dans *Artémire*, dans *Mariamne*, dans *Ériphile* », pour n'obtenir qu'un succès d'estime avec *Brutus* (1730), énergique sujet romain sous influence anglaise, dont il n'avait pas su tirer toutes les beautés, faute d'en maîtriser la construction (l'amour n'y a pas la force de balancer, aux yeux du spectateur, l'éclat viril de la politique). Mais avec *Zaïre* – les réactions « dans toutes les classes de spectateurs » en font foi « depuis plus de cinquante ans » –, Voltaire a écrit sinon la plus belle tragédie française (question indécidable), en tout cas « la plus touchante ». « À quoi tient ce prodigieux intérêt ? » (par *intérêt*, *intéressant*, termes essentiels et récurrents dans les jugements esthétiques du XVIIIe, il faut entendre la capacité non pas seulement d'éveiller la curiosité, mais d'émouvoir, de remuer les passions, d'attacher par le cœur aux personnes et personnages, aux situations). Il tient au fait, confirmé par toute expérience théâtrale, que l'amour bien traité est le ressort dramatique de loin le plus puissant, le plus à même de susciter, comme le voulait Aristote, la pitié. Corneille y avait réussi dans *Le Cid*, Racine s'en était fait une spécialité quasi exclusive et comme inaccessible, avec Hermione, Roxane, et surtout Phèdre.

Mais une telle analyse des passions – cœur de l'approche classique – demeure trop générale, sans prise directe sur les œuvres. « Il y a des degrés dans la pitié comme il y en a dans le malheur. » Le destin de Rodrigue et Chimène reste ouvert, et d'ailleurs nimbé de gloire ; nous plaignons Phèdre, Bérénice, Hermione, Roxane, sans pouvoir souhaiter de toute notre âme le succès de leur passion. La force exceptionnelle, unique, du sujet de *Zaïre*, c'est que l'amour, porté à son comble entre deux êtres pleins de charme et dignes l'un de l'autre, mis au diapason des grands accents raciniens qu'on croyait à jamais perdus, n'y succombe pas à des contraintes extérieures, mais aux blessures irrémédiables qu'il s'inflige à lui-même, alors que le spectateur rêve passionnément, dès le premier acte, à son bonheur. Il y rêve d'autant plus que la générosité d'Orosmane à l'égard des chrétiens et de Zaïre, loin de paraître invraisemblable et purement romanesque, se réclame évidemment du sultan Saladin, « comparable pour la grandeur d'âme et la supériorité des lumières à tout ce que l'Antiquité a eu de plus fameux ». Mais cet amour et cette grandeur sont aussi traversés, d'entrée de jeu, par une jalousie qui va servir de ressort à l'action, en se nourrissant des libertés que le jeune sultan accorde aux efforts de Zaïre en faveur des chrétiens vaincus.

Cette générosité, chargée d'attacher le spectateur au personnage d'Orosmane, et aussi, au plan de l'action, de conduire au drame par le malentendu, ne se retourne-t-elle pas contre la pièce, en sapant la vraisemblance des mœurs – autre critère du jugement classique sur la tragédie (du moins dans la critique experte), et qui a traversé imperturbablement les siècles jusqu'à nous, jusque dans les *Œuvres complètes* de Voltaire en cours d'édition à Oxford ? Il vaut la peine d'examiner ce que répond La Harpe, sévère défenseur de l'esthétique traditionnelle. Il est de fait, argumente-t-il, que tel trait (par exemple l'entrevue accordée entre Zaïre et Nérestan, pour ne rien dire du rejet par un sultan de l'institution du sérail) est contraire aux mœurs « orientales ». Ce n'en est pas pour autant incohérent, et donc *réellement* invraisemblable, au regard du caractère d'Orosmane tel qu'il a été d'emblée fortement posé par le dramaturge. Pour crier à une invraisemblance désastreuse, à même d'affaiblir la pièce en révélant ses ficelles et facilités, il faudrait qu'on refuse de croire, *au théâtre*, qu'une violente et juvénile passion puisse, chez un souverain tout-puissant, « faire violer des usages reçus ». Or l'Histoire prouve le contraire, puisque Soliman II, par exemple, contre une loi ottomane bien plus formelle et sacrée, épousa par amour une esclave en légitime mariage. Et La Harpe d'ajouter une remarque digne d'être méditée, qu'on retrouverait également chez un Diderot en proie aux mêmes objections agaçantes, parce qu'elle émane d'hommes du métier confrontés aux rigoureuses et de fait irréalisables contraintes d'un idéal classique pris trop au sérieux. « S'il fallait admettre ce principe outré et par conséquent faux [que toute dérogation, chez un personnage tel qu'Orosmane, au langage et aux principes d'un despote oriental, verse irrémédiablement l'action dans l'invraisemblance], combien resterait-il de tragédies qu'il ne renversât pas dans leurs fondements ? Non, il n'y a d'invraisemblable que ce que la raison ne saurait croire. » Or Voltaire nous conduit à croire, par la construction de sa pièce et de son héros, par une plausibilité générale des passions humaines et de la souveraineté politique, autrement dit par une logique à la fois esthétique et anthropologique à laquelle le spectateur consent et participe, à une exception dont l'Histoire donne, en Orient même, un exemple fameux, et par là suffisant. À trop faire l'ange, la critique risque la bêtise.

Dans le fil de cette chaleureuse défense et illustration, La Harpe soulève un problème que le parallèle entre *Zaïre* et *Othello* rendra obligé, virulent et parfois patriotique. Il s'agit de la jalousie d'Orosmane, qu'on s'imaginera souvent démarquée, directement mais en silence, de Shakespeare. Pour La Harpe, qui ne propose aucune comparaison avec la pièce anglaise, ni même aucune allusion, la jalousie n'est nullement, à la différence d'Othello, la passion constitutive d'Orosmane, sa « blessure habituelle ». Il y voit non pas une faiblesse de Voltaire, une légèreté étourdie, mais une invention originale et sans doute concertée, du plus heureux effet. « Orosmane n'est point d'un naturel ombrageux et jaloux », bien qu'Oriental. Et c'est précisément pourquoi, quand il est confronté à des preuves qu'il croit à bon droit irréfutables (la lettre, le rendez-vous secret, l'appel de Zaïre à Nérestan dans la nuit), sa douleur et notre pitié sont à la mesure des gages de bonne foi et d'amour qu'il a prodigués. Le pathétique, dans cette perspective, serait donc à l'exacte mesure d'un traitement de la jalousie tout à fait inhabituel, et en tout cas très éloigné du personnage shakespearien. L'effet de la pièce reposerait non pas sur le développement implacable d'une passion jalouse innée en lutte avec l'amour, mais sur le renversement du bonheur, espéré sans aucune réserve par les spectateurs, en malheur immérité pour les héros, en souffrance inédite, car intensément pure et cruelle, pour le public.

Pour la première fois de sa carrière, Voltaire aurait donc réussi à harmoniser efficacement le sujet, les caractères, les passions, les enjeux, l'action et sa distribution équilibrée sur les cinq actes. Les divers ressorts, l'amour, le heurt des religions, la politique au temps des croisades, la famille, la patrie, se combinent et se renforcent enfin dans un dessein unifié, qui dresse contre un bonheur amoureux à portée de main les sentiments en soi les plus nobles, les seuls capables de balancer un unisson passionnel rendu de manière aussi inhabituellement vibrante. Plus Voltaire est décidé, dans *Zaïre*, à jouer à fond la carte de l'amour pour enivrer le spectateur, et plus s'impose la nécessité qu'on dirait aujourd'hui structurale d'imaginer des forces, des « contre-poids » à la mesure du chant amoureux et de ses souffrances. C'est la fonction du cadre historique, des enjeux politiques et religieux, de la voix du sang avec ses reconnaissances, de la solennité attachée au serment et à l'âge, etc. La qualité de *Zaïre* tient par conséquent, selon La Harpe, à la cohérence de sa construction, et à l'intensité à ses yeux sans égale du pathétique (« l'intérêt »), soutenu par la poésie du vers. Diderot, quant à lui, appelle « chaleur » la marque propre du talent dramatique voltairien.

La Harpe remarque cependant que c'est devenu « une injustice assez commune de regarder le rôle de Zaïre comme fort peu de chose en comparaison de celui d'Orosmane. Les actrices ne le jouent qu'à regret ». Il en accuse la décadence de la déclamation, qui veut tirer le vers vers la prose, l'oubli de la différence des sexes, des rangs et des convenances au profit de la « familiarité triviale » et des gestuelles violentes, l'absence d'une grande actrice. Aussi nostalgiques et antirévolutionnaires soient-ils, ces propos d'un homme des Lumières égaré en Révolution méritent mieux qu'un sourire hautain. Car ils désignent un nœud toujours serré de notre difficile rapport aux tragédies classiques, sur scène comme dans la critique, et la tentation fatalement spontanée, irrésistiblement récurrente, des interprètes qu'on dira, au choix, les plus agités ou les plus énergiques. Voltaire n'est-il pas lui-même, avec *Zaïre*, le brillant initiateur de la dramatisation et de la pathétisation tragiques ? D'où l'idée, bien installée dès le XIXe, qu'il fait signe vers le drame romantique, voire le mélodrame.

Centenaire glorieux, théâtre défait

Si je m'adresse maintenant à É. Deschanel et son cours de 1884-1885 au Collège de France, publié en 1886 dans sa série sur « Le romantisme des classiques » (*Le Théâtre de Voltaire*, 442 p.), c'est parce que, peu après la solennelle consécration républicaine de Voltaire en 1878, à laquelle il participa aux côtés de Hugo, il enregistre sans état d'âme le rejet du dramaturge au profit du philosophe et du prosateur. En soi, les pièces voltairiennes l'indiffèrent, et il s'avoue incapable d'en inspirer le goût (p. 40). Ce qui le captive, en revanche, c'est leur inscription historique – l'histoire colorée des œuvres, l'histoire inoubliable de Voltaire, l'histoire plus large encore de la tension permanente entre romantisme et classicisme, si vive selon lui dans l'esthétique voltairienne. Par rapport à La Harpe, et en raison directe de la quasi-disparition de Voltaire sur scène, l'intérêt s'est donc entièrement déplacé. Le théâtre voltairien est devenu ce qu'il est encore, un pur objet d'étude, le chaînon déserté, mais amusant et pittoresque à survoler, entre tragédie des grands classiques et drame moderne. Car il y a deux hommes en Voltaire : le poète monarchiste et classique, bon élève des jésuites, admirateur éperdu de Racine, et le « novateur, révolutionnaire en littérature comme en politique », bon élève des Anglais (p. 41). Le premier s'affiche à visage découvert dans les tragédies, tandis que le second avance des idées de réforme plus hardies (plus « romantiques ») dans des drames et comédies à pseudonymes. Avec cette distinction, estime Deschanel, et en tenant compte de l'évolution de Voltaire et de ses oscillations autour du juste milieu auquel il tend par nature, on peut espérer surmonter la disparité de ses textes théoriques sur le théâtre, qui déconcertait déjà L.S. Mercier en 1773 (*Du théâtre*). De sorte que Deschanel consacre un chapitre aux préfaces de *L'Enfant prodigue*, de *Nanine*, de *L'Écossaise*, de *Socrate* et des *Guèbres*, pour en comparer les propositions à celles de Hugo dans la Préface de *Crom-*

well, dont la dette à l'égard du XVIIIe siècle français et allemand ne lui échappe pas (« La théorie romantique dans les préfaces de Voltaire », p. 311-327). Bien entendu, le rapport de Voltaire à Shakespeare ne peut manquer, dans cette perspective critique imposée par l'Histoire, de devenir un critère décisif des efforts voltairiens et de leur timidité. En somme, Voltaire dramaturge est venu ou trop tôt ou trop tard.

L'analyse de *Mahomet* donne idée du discrédit de Voltaire. Le « héros n'est guère plus vrai humainement qu'historiquement », puisque le dramaturge, en homme des Lumières, s'imagine qu'un prophète ouvertement et maladroitement imposteur soit en mesure d'entraîner les peuples et de les convertir. Ce n'est pas la fourberie, mais la foi, qui crée et enfante. Et « quel imbroglio romanesque ! Plus artificiel encore que celui de *Zaïre* » : un frère et une sœur qui s'aiment faute de se connaître, un Mahomet qui se prend pour Arnolphe, qui détient en secret les enfants de son ennemi pour pousser au parricide tout en jouant lui-même du poison... Quant au style, si longtemps admiré, il n'est que ridicule à force d'emphase et de périphrases ampoulées, de sentences distillées, de pastiches. La forme jure avec le sujet, comme la *Correspondance littéraire* de Grimm, malgré son admiration pour « le plus bel ouvrage du Théâtre-Français », l'a bien senti, en rêvant avec Diderot « que l'âpreté de la langue réponde à l'âpreté des mœurs » arabes ; qu'un « je ne sais quoi de sauvage, d'agreste et d'inculte » vienne, sans barbariser la langue, défier « notre petit goût léché, peigné, frisé » (1770, cité par Deschanel). En fait, au théâtre, Voltaire est mort de n'avoir pas su s'inventer un style.

Le verdict brutal et presque désinvolte d'un Deschanel l'a donc emporté, le XXe siècle en fait foi, sur les jugements beaucoup plus favorables de Goethe, Rousseau, Chateaubriand, Byron... Sauf rares, très rares exceptions, seuls la curiosité ou le devoir universitaires s'intéressent à la dramaturgie voltairienne, inconnue depuis longtemps même des agrégations de lettres, faute d'éditions. Il est évidemment exclu de s'aventurer ici dans un panorama critique aussi déplacé qu'impossible. On y verrait d'ailleurs, souvent, la persistance de très vieux débats (*Zaïre*, par exemple, est-elle une pièce antichrétienne, et par conséquent philosophique, militante ? Que doit-elle exactement à *Othello* ? N'y a-t-il pas un hiatus fâcheux entre la sentimentalisation d'Orosmane et le souhait d'offrir un tableau historique ? Faire reposer un dénouement mortel sur un malentendu, un quiproquo, ne compromet-il pas l'essence du tragique au profit de l'esprit du drame ? Dans son désir d'action, Voltaire n'engage-t-il pas la tragédie, sous couleur de la sauver, sur des voies mélodramatiques – reconnaissances, coups de théâtre, effets spectaculaires – dont il se refuse par ailleurs les moyens, dont par exemple la prose ?).

Ce qui pousse à se poser une question en quelque sorte préalable, mais hélas suspendue : l'interprétation littéraire d'œuvres théâtrales n'exige-t-elle pas, pour se renouveler, se nourrir, l'intercession de la scène, la succession et la différence des spectacles, qui ont charge de se confronter concrètement aux difficultés esthétiques ? Rappelons que *La Dispute* de Marivaux ne doit son éclat qu'aux mises en scène de P. Chéreau. Pour juger du théâtre de Voltaire, il faudrait le jouer. Commençons par le lire.

DÉFENSE ET ILLUSTRATION DE L'ART TRAGIQUE

La tragédie : réformer pour conserver

Si l'on veut bien s'en tenir à l'essentiel, sans se préoccuper (ce qui n'est pas facile avec Voltaire) des anecdotes, des dates et des incessantes inflexions circonstancielles, il est sans doute possible de résumer ses grandes idées sur la tragédie. Si l'on appelle tragédie classique, en France, l'art de présenter à des spectateurs, en un tout aussi unifié que possible, une combinaison chaque fois spécifique, en cinq actes et en alexandrins, d'actions, de passions, d'histoire et de politique, de malheurs et de poésie, on constate que Voltaire a réfléchi sur tous ces points.

1. L'art tragique est la forme d'art suprême, la plus difficile et la plus exaltante. La plus difficile, parce que portée en France à son comble de maîtrise et de virtuosité en raison des chefs-d'œuvre du XVIIe, qui interdisent tout relâchement dans l'application des règles génériques fondamentales et des exigences esthétiques ; en raison aussi de la versification française, bien moins favorable aux poètes que l'italienne ou l'anglaise. Mais la plus enivrante, et la plus incertaine, parce qu'elle confronte l'auteur à des spectateurs violemment émotifs, parce que l'effet de son texte dépend des réactions largement imprévues du public, du jeu et du zèle des acteurs, des conditions matérielles de la représentation (jusqu'en 1759, la scène de la Comédie-Française est envahie par des spectateurs huppés et indisciplinés, qui compromettent la crédibilité et le déploiement du spectacle tel que le rêve Voltaire). D'où une méthode originale de travail, qui consiste à écrire très vite le premier jet, sous le coup de l'inspiration, à le tester et le retravailler auprès d'amis experts, de comédiens et surtout des premières réactions du public. On s'est parfois étonné de la docilité de Voltaire aux avis extérieurs. C'est que l'art du théâtre est, pour lui, interactif et dépendant des goûts du public, qu'il est impossible de heurter de front. C'est aussi que la combinaison efficace des divers ingrédients tragiques ne va pas de soi. Le théâtre de Voltaire est un art expérimental, fait d'inspiration, de règles et de tâtonnements, d'essais et expériences, qu'on peut suivre à travers sa correspondance.

2. Il ne peut être question de renoncer, par lâche facilité, à l'emploi du vers, qui va de pair avec la noblesse de l'expression, en un mot avec la poésie, sans laquelle la tragédie se dégraderait en pur spectacle, en trivialité populaire assoiffée d'horreurs et d'effets visuels (comme à Londres, où l'on se délecte

selon lui de sang et de chevaux montés sur scène !). La tragédie est et doit demeurer, sauf à se corrompre et se dénaturer aux dépens des progrès de l'esprit humain, un poème, un chant, porté, transcendé par la déclamation propre et soutenue de l'acteur tragique conscient de son art. Tirades et récits, figures poétiques, élévation du vocabulaire, hauteur et intensité des sentiments, des idées, dignité des enjeux, grandeur des personnages appartiennent à l'essence du genre tragique, à la beauté sublime qu'il vise et qu'on attend. Que devrait attendre un public digne de la tragédie.

3. Il n'en découle nullement que le ton tragique doive demeurer uniforme tout au long des cinq actes ! Voltaire sait bien, comme tout dramaturge classique, que la tragédie peut parfois recouper le ton de la haute comédie, qu'elle doit jouer sur toute la gamme, étendue mais circonscrite, dont elle dispose (de la perception de ces registres dépend aussi le plaisir du spectateur, si l'acteur sait les rendre. Voltaire n'hésitait pas à conseiller les comédiens, et s'estimait un excellent acteur). Mais c'est à ses yeux retomber, contre tout le mouvement de la civilisation, dans les errements monstrueux des Anglais ou des Espagnols que d'admettre, comme Shakespeare, le mélange violent du tragique et du bouffon, du haut et du bas (également refusé par Diderot dans la théorie du drame bourgeois, au nom de l'unité de ton propre et nécessaire à chaque pièce). Au demeurant, Voltaire aurait-il par impossible admis le brassage baroque qu'il n'aurait eu strictement aucun moyen ni espoir de l'imposer en France. Une chose était l'opéra, royaume du merveilleux, pour lequel il a aussi écrit, autre chose la tragédie.

4. Que la tragédie soit un poème, que le poète l'emporte sur le décorateur, et l'oreille sur la vue ; que l'unité d'action, de lieu et de temps (une seule règle indécomposable selon Voltaire) soit un impératif indiscutable, lié à l'essence même du plaisir théâtral cultivé par le goût, tout cela ne signifie pas qu'il n'y ait

rien à réformer, ni rien à inventer. Bien au contraire. C'est précisément parce que la tragédie lui apparaît comme un genre éternel, consubstantiel au théâtre et à la poésie, tout juste remis depuis Corneille et Racine sur son droit chemin, que là où nous voyons en toute bonne foi, sur deux siècles, étroite uniformité, insipide mimétisme, Voltaire et ses contemporains espéraient d'infinies surprises et récompenses. Comme nous au cinéma dans le genre policier, malgré sa criante et congénitale invraisemblance, qui ne gêne personne…

Agiter les passions

5. Aux yeux de Voltaire (peu importent ici les étapes, les raisons et les occasions de cette prise de conscience), la tragédie française – ce modèle dont devrait s'inspirer l'étranger – souffre d'abord d'un double défaut : une carence d'action et une hypertrophie de galanterie doucereuse. Ces deux faiblesses se soutiennent, sans nullement remettre en cause l'essence de l'idéal classique.

Commençons par ce dernier point, qui touche au socle de l'art dramatique, les passions. Sous la pression des actrices et des spectatrices, et sans doute aussi dans le sillage du triomphe de Racine sur Corneille, l'amour, pratiquement absent de la tragédie grecque, aurait d'après lui envahi le théâtre français sous sa forme la plus fade, la moins adaptée aux violences et exigences tragiques. C'est pourquoi Voltaire n'oubliera jamais le choc, en 1716, de la première représentation publique d'*Athalie*, tragédie à grand spectacle et sans amour. Avant la découverte orale, en plein théâtre londonien, de Shakespeare et des Anglais, il y a eu *Athalie* et son temple, ses lévites, son terrible grand prêtre, sa reine hantée de songes. En choisissant Œdipe pour ses débuts, il se réclame aussi de la Grèce et des grands sujets sans passion amoureuse, même s'il se sent tenu d'imaginer que l'autre héros de sa pièce, Philoctète, destiné à occuper les trois premiers actes que l'œuvre de Sophocle ne permettait pas de remplir, a eu autrefois aimé Jocaste. Un tel fantôme d'amour n'est évidemment pas un ressort de la pièce, mais cette quasi-dissolution, sauf cas vraiment exceptionnels (*Mérope*, 1743), n'ouvre en réalité guère de perspective au XVIIIe. La tragédie française, en tant que genre, implique la passion amoureuse dans sa définition pratique, sinon théorique. Le tout est de savoir ce qu'on en fait, et le fait est que jusqu'à *Zaïre*, cette passion l'embarrasse, comme il le dit lui-même mieux que personne en 1732 : « *Zayre* est la première pièce de théâtre, dans laquelle j'aie osé m'abandonner à toute la sensibilité de mon cœur. C'est la seule tragédie tendre que j'aie faite. Je croyais même dans l'âge des passions les plus vives, que l'amour n'était point fait pour le théâtre tragique. Je ne regardais cette faiblesse que comme le défaut charmant qui avilissait l'art de Sophocle. Les connaisseurs qui se plaisent plus à la douceur élégante de Racine qu'à la force de Corneille me paraissent ressembler aux curieux qui préfèrent les nudités du Corrège au chaste et noble pinceau de Raphaël./Le public qui fréquente les spectacles, est aujourd'hui plus que jamais dans le goût du Corrège. Il faut de la tendresse et du sentiment » (*Lettre à M. de La Roque*).

Mais bien entendu, l'amour dans *Zaïre*, aussi tendre fût-il pour séduire enfin les femmes, qui ne furent pas seules à pleurer, n'obtint son effet détonant, enivrant, que par son rapport inédit à l'histoire nationale et à la différence religieuse, c'est-à-dire par l'invention d'un sujet personnel. La première véritable invention tragique de Voltaire, après quinze ans de carrière. S'il est donc juste de poser en règle générale que Voltaire vise en principe, comme il l'a dit, à faire de l'amour un ressort digne de la tension tragique, une passion violente et terrible, au diapason de la haine, de l'ambition, du fanatisme, etc., on voit aussitôt que chaque pièce se doit de le combiner et de le colorer à sa façon, comme partie ajustée d'une machine où toutes les passions doivent jouer entre elles comme les volumes, les plans et les couleurs d'un tableau. C'est pourquoi le mot amour est trompeur : il y a de multiples formes de l'amour, qui font en fait autant de passions différentes. *Zaïre* peint l'amour tendre opposé à d'autres pulsions, *Mahomet* une tout autre combinaison. Entrer dans l'art tragique classique, dont se réclame Voltaire, c'est pénétrer dans l'univers des passions, et dans l'art de leur composition contrastée à l'intérieur d'une création singulière unifiée, composition chaque fois différente mais toujours soigneusement réfléchie comme le point nodal d'une tragédie.

Le fait est que dans *Mahomet*, loin d'exclure l'amour au profit de la soif de pouvoir et du fanatisme comme on pourrait aujourd'hui l'imaginer, il lui accorde place dans les passions du terrible prophète. Peut-être sur le modèle du *Tartuffe* (Mahomet serait selon lui un « Tartuffe en armes ») ; plus sûrement sans doute, parce que, quelle que soit la réalité de ses désirs à propos de drames sans amour, il ne peut en fait guère concevoir de tragédie purement politique et historique. Comme il l'a dit dès 1718 (*Lettres sur Œdipe*), « il faut toujours donner des passions aux principaux personnages », c'est-à-dire renforcer leurs liens, dynamiser leurs rapports, dramatiser leurs conflits (intimes et relationnels). Outre qu'il plaît au public, qu'il fait jouer les actrices, qu'il produit du discours (il faut remplir cinq actes !), l'amour touche à la structuration dramatique, à sa dynamique. La question réelle n'est pas : Mahomet, en tragédie, doit-il aimer ? Elle est de savoir comment. Comment cet amour en quelque sorte obligé, et quasiment naturel sur la scène tragique, peut-il contribuer à la construction de la pièce et de ses péripéties, à la stature voulue terrible et grandiose du personnage ? On pourrait aussi avancer, dans une perspective à la fois biographique et esthétique, que Voltaire, travaillant depuis 1736 avec un soin et un calme inhabituels au sujet sans amour de *Mérope* (1743), n'avait aucune raison de risquer le même exploit dans *Mahomet* (1741). Travaillant vite et beaucoup pour une seule troupe et un public en définitive assez restreint, Voltaire, par goût et par calcul, cultive la diversité. Enfin, la tragédie sans amour, approchée avec *Œdipe*, réussie beaucoup plus tard avec *Mérope*, semble bien liée dans son esprit aux modèles et sujets antiques, à l'idéal d'austère simplicité du théâtre grec que Voltaire aimait à évoquer, à défaut de savoir le lire dans sa langue. Fondée sur les affres de l'amour maternel (« Une mère va venger la mort de son fils sur son propre fils même, et le reconnaît dans l'instant qu'elle va le tuer », Voltaire), *Mérope* obtint certes un immense succès (1743-1869). Mais pouvait-on le renouveler ? Sans viser une rigueur aussi pure, on n'en est pas loin dans *Sémiramis* (1748-1834), où une reine de Babylone, meurtrière de son époux tandis que son complice avait tenté d'assassiner le jeune héritier, risque de se marier avec ce fils disparu, devenu héros victorieux, et qui tue sa mère en croyant, dans l'obscurité spectrale du mausolée paternel, frapper le traître infâme. Quelles que soient les différences esthétiques évidentes entre *Mérope* et les effets spectaculairement appuyés de *Sémiramis* (spectre, tonnerre, mausolée, prêtres et oracles), il est certain que l'amour n'y peut tenir qu'une place secondaire (le jeune prince aime une aimable princesse convoitée par le traître, avide de monter sur le trône).

Rien ne serait plus faux que de prendre certaines déclarations de Voltaire au pied de la lettre, en s'imaginant qu'il a sérieusement rêvé d'écrire à la chaîne des tragédies sans passion amoureuse. Ce qu'il cherche avant tout, c'est la théâtralisation tragique de l'amour, pour lui rendre sa force poétique et dramatique, sa puissance émotionnelle, perdue selon lui dans la convention galante et fade de la tradition française. Son dernier grand succès, *Tancrède* (1760-1855), qui fit pleurer jusqu'à d'Alembert, tente précisément de renouer avec la veine de *Zaïre*. Dans la Sicile du XIe siècle déchirée par les luttes religieuses et politiques, l'amour passionné de Tancrède, chevalier normand, et d'Aménaïde, se brise sur un malentendu héroïquement désespéré, ou fiévreusement romanesque. Se croyant trompé, Tancrède va chercher la mort contre les sarrasins, non sans apprendre, mais trop tard, l'innocence de sa bien-aimée, tandis que celle-ci expire sur son corps, faute d'avoir supporté de se justifier d'un soupçon injurieux. Il n'est sans doute pas inutile de rappeler l'admiration fervente de Voltaire pour l'Arioste et le Tasse, dont on retrouve une trace plus effacée dans certains de ses contes. Comme *Tancrède*, derrière *Zaïre*, devance toutes ses autres tragédies, c'est bien à la passion amoureuse partagée, exaltée et malheureuse, victime à chaque fois d'apparences trompeuses et de ses propres tourments, que Voltaire doit ses deux plus grands succès. Curieusement situés en ce Moyen Âge peu cher aux Lumières, mais propice aux douleurs imaginaires, aux rêveries déchirantes, moins à l'aise dans le cadre antique. C'est que la Grèce, patrie de la tragédie, tourne vers les machinations de la fatalité, et Rome évidemment vers les passions politiques (*Brutus*, *La Mort de César*, etc.). Ni la Grèce ni Rome ne peuvent accueillir l'imaginaire chevaleresque, pas plus d'ailleurs que le fanatisme religieux, enfant des monothéismes (*Zaïre*, *Alzire*, *Mahomet*).

La tragédie en quête d'énergie

6. De même qu'il faut donner à l'amour toute sa violence dévastatrice pour l'ajuster enfin au climat tragique, il faut que la tragédie retrouve de l'énergie, cesse de ressembler à des « conversations » sous un lustre, dans un lieu fade, vague, indéfini, où tout un chacun discourt tour à tour à deux pas de spectateurs agités complaisamment installés sur la scène. Mais comment régénérer l'action ? La solution serait-elle dans le passage de l'unité classique, « ignorée des plus grands génies, tels que Don Lopez de Vega et Shakespeare », à la multiplicité des temps, des lieux, des actions ? Dans une nouvelle préface à *Œdipe*

(1730), Voltaire, revenu d'Angleterre, s'en prend vivement à ces propositions de La Motte. C'est la raison, la nature du théâtre et de notre esprit, pas la convention, c'est l'exemple des chefs-d'œuvre et pas des poétiques pédantes, qui font de l'unité la règle d'or intangible de l'art dramatique. Un temps, un lieu, une action. Qu'on tolère, qu'on aime même des « extravagances » à l'Opéra, soit, « on est au pays des fées » ; mais la tragédie a d'autres exigences, quelles qu'en soient les indéniables difficultés, notamment dans la versification française, et la tendance lourde vers l'alanguissement.

Mais, ne cessera-t-il de dire, il ne faut pas confondre l'unité fondamentale avec des conventions abusives, des purismes irréfléchis et butés, tels que le remplacement systématique des actions par des récits, le transport forcé des sujets dans l'Antiquité, le refus pudibond de toute nouveauté (pourquoi a-t-on en France le droit de se tuer sur scène, mais pas de tuer ? Pourquoi est-il interdit de faire parler ensemble plus de trois interlocuteurs ? De changer de salle dans un palais ?). Il y a, dans le théâtre anglais, des scènes d'une énergie admirable qui, adoucies par le vers et le tact français, « pourraient nous faire une sorte de plaisir dont nous ne nous doutons pas ». Nous, Français, « nous n'arrivons pas au tragique, dans la crainte d'en passer les bornes » (*Discours sur la tragédie*). La crainte de l'horrible, qui nous paralyse en se liant avec celle du ridicule, ne doit pas exténuer la vraie « terreur », qui exige grandeur dans l'action et sublimité dans la langue. Corneille ne l'a tenté qu'une fois, à la fin de *Rodogune*, et Racine n'a « mis du spectacle » que dans *Athalie*. La tragédie a bien pour vocation la terreur (qui n'est pas l'horreur anglaise ou grecque) et la pitié, qui n'est pas une vague sympathie, mais un intense remuement, une ravageuse émotion. « Il faudrait pouvoir joindre, en sa fougue tragique,/L'élégance moderne avec la force antique » (*Discours prononcé avant la représentation d'Ériphile*, 1732). Tout est dit du projet tragique voltairien dans ces deux vers, ou plutôt ces trois mots : fougue, force, élégance. Il s'agit d'augmenter la part du « spectacle », programme parfois problématique avant la disparition, en 1759, des spectateurs sur la scène de la Comédie-Française. Représentation inédite, « dans le goût anglais », des sénateurs et des conspirateurs romains, quasiment de l'assassinat de César, dans *La Mort de César* (1743, publié en 1736) ; cortèges de prêtres, spectre du père assassiné, qui hante Voltaire depuis le *Hamlet* vu à Londres, et sortie hagarde du fils hors du tombeau où il vient de tuer sa mère, dans *Sémiramis* ; délibérations avant le meurtre de Zopire dans *Mahomet*, etc. L'amplification du spectacle, considéré comme une partie essentielle du théâtre à condition de ne pas écraser le texte et de ne pas exténuer la poésie, rapproche indubitablement Voltaire de l'esthétique dramatique moderne.

Aux tableaux s'ajoute l'intensification, parfois frénétique, de l'action, par le goût des identités mystérieuses (*Zaïre*, *Mahomet*, *Sémiramis*, etc.), des situations incestueuses, des infanticides, parricides et matricides, des malentendus funestes, des reconnaissances, des coups de théâtre, bref, une dilection manifeste pour le paroxysme des situations, des passions et des malheurs, qui lui paraît inhérente à l'écriture et au plaisir tragiques, tant qu'elle s'allie avec la noblesse du style et du jeu, avec la grandeur des enjeux. Rien ne sert ici d'évoquer avec douleur la « simplicité » racinienne. Voltaire va, mais mieux que les autres, dans le sens de tout son siècle. C'est bien aussi sur un constat parfaitement parallèle, mais plus tardif, d'alanguissement de la comédie dans la conversation fadement spirituelle, de manque d'énergie et d'action, que Beaumarchais (adversaire par ailleurs résolu de la tragédie) assiéra à partir du *Barbier de Séville* sa réforme de l'écriture comique, qui accueille et transpose dans *Le Mariage de Figaro* nombre de pratiques voltairiennes, devenues bien public des dramaturges (tableaux, foules, coups de théâtre, reconnaissances, rebondissements accélérés, oppositions de mœurs, diversification des lieux dans l'unité de lieu, etc.).

Ouvrir l'Histoire

7. L'énergie tragique – intensifiée par la mise sous haute tension de l'amour au sein des autres passions, elles-mêmes poussées à leur comble, par l'accélération de l'action, par la promotion du spectacle (costumes, décors, postures, foules, effets sonores et visuels...), de la représentation (timide) de l'action plutôt que de sa narration – passe aussi et d'abord par le choix des sujets. Il ne s'agit pas seulement d'une diversification des lieux (Moyen-Orient, Chine, Amérique) et des époques (de l'Antiquité à la conquête espagnole, en passant par l'invasion des Mongols en Chine). L'essentiel, affirmé dès *Zaïre*, revient à traiter une action tragique comme un tableau de mœurs contrastées, comme un moment historique particulièrement significatif et dramatique. De même que l'amour, pour abandonner sa défroque d'ornement obligé et fadement brodé, voudrait devenir par sa violence un moteur essentiel de l'action, de même la logique unificatrice de l'esthétique classique pousse à lier passions et mœurs, à les harmoniser selon la même logique combinatoire. La présence de *Zaïre* dans ce volume évite d'entrer dans le détail, et constitue un excellent exemple de l'effort voltairien, qui oriente incontestablement la tragédie vers le drame historique, bien avant le romantisme. En témoigne le succès, avec et après Voltaire, de la tragédie dite *nationale* (Belloy, *Le Siège de Calais*, 1765).

Influence shakespearienne inavouée, tendance historiquement inévitable, évolution personnelle liée à l'écriture de *La Henriade* et de *Charles XII* ? Peu importe. Il s'agit d'accentuer l'intérêt, la portée, l'impact d'un sujet en ancrant les passions dans une conjoncture historique frappante. La difficulté, qui ne peut s'examiner qu'au cas par cas, revient à articuler passions et Histoire, sauf à transformer celle-ci en cadre ornemental, vaguement pittoresque et forcément déceptif à nos yeux peut-être plus exigeants. Mais la visée est aussi claire que logique. C'est la sublimité même de l'art tragique, et sa perte presque fatale d'énergie, qui exigent de renforcer, de revitaliser cet autre constituant obligé du genre, l'Histoire et la politique. *Brutus* et *La Mort de César* se confrontent, l'une avec l'aide de l'amour et l'autre sans, à deux moments décisifs de l'histoire romaine, la naissance et la mort de la république ; tandis que *Zaïre* et *Mahomet* touchent, par deux voies fort différentes, au problème des heurts de religions, de l'intrication, inhérente au genre, du politique, du religieux et du passionnel (amoureux).

Cet effort, incontestablement vigoureux et de grand avenir, pour vivifier l'Histoire dans la tragédie française débouche-t-il sur un militantisme philosophique dont on aurait peine, il faut bien l'avouer, à ne pas créditer d'instinct Voltaire ? La question divise depuis toujours les critiques, et elle touche à l'idée même du théâtre. C'est précisément l'une des raisons qui nous ont conduit à proposer, avec *Zaïre* et *Mahomet*, deux images contrastées de l'Orient musulman, qu'il semble assez difficile de superposer et d'unifier sous la notion apparemment simple de propagande philosophique. Plutôt que de propagande, il vaut sans doute mieux parler d'un goût énergique, inventif, de la modernisation, de l'actualisation des sujets, mais dans le cadre prioritaire d'options dramatiques propres à chaque pièce. C'est bien dans cet esprit qu'en 1734, dans les *Lettres philosophiques*, loin de toute traduction littérale, Voltaire avait transposé en alexandrins élégants et « philosophiques » le monologue d'Hamlet, pour la première fois en Europe. L'Histoire, quand elle passe en tragédie, n'a plus à obéir aux contraintes de la véracité historique, dont on ne peut guère accuser Voltaire d'ignorer les règles. En montant sur scène pour chausser le cothurne et parler en vers, l'Histoire doit composer avec un genre qui vise l'émotion avant la réflexion, la poésie avant la vérité factuelle. C'est pourquoi Orosmane, dans la visée générale de la pièce, doit être moins oriental qu'amoureux, et Mahomet plus amoureux et plus méchant qu'une saine philosophie – celle par exemple de l'*Essai sur les mœurs* – ne l'exige. Au théâtre, estime Voltaire, il est impossible d'ignorer l'image établie que les spectateurs se font d'un grand personnage historique, d'une époque. Voir et écouter n'est pas lire. Vibrer n'est pas réfléchir. À chaque genre sa logique : rien ne le montre mieux que la doctrine et la pratique voltairiennes de la comédie, fondées sur de tout autres principes. Loin d'y viser, comme dans la tragédie, l'intensité maximale des émotions propres au genre, et en l'occurrence le ridicule chargé de sanctionner les vices et les travers, il va se placer dès 1736, avec *L'Enfant prodigue*, dans le mouvement général de la sensibilité des Lumières en faveur d'un comique atténué mais touchant, de l'alliance du sourire et des larmes. Sur ce point, qu'il serait trop long de développer ici, nous nous permettons de renvoyer le lecteur aux présentations de *Nanine* et de *L'Écossaise*.

Que faire de Voltaire aujourd'hui ?

C'est un fait irrécusable, Voltaire n'appartient plus, sauf exceptions rarissimes, au répertoire du théâtre vivant. On peut en tirer la conclusion apparemment solide, presque irréfutable, qu'il a succombé à d'irrémédiables faiblesses esthétiques. Résumons ces arguments lustrés par le temps.

1. Il s'est acharné à revivifier un genre congénitalement épuisé, en dépit de sa longue, très longue survie. Pourquoi jouer du Voltaire, quand on dispose de Corneille et de Racine, ou du théâtre romantique qui accomplit ses désirs réformateurs trop timides, bien que lucides ? Il est tombé victime, comme tous ses contemporains français, d'un entre-deux, d'une fatalité historique plus douloureuse que ses tragédies, ou

plus comique que ses comédies. Cet énorme esprit satirique est mort – le croirait-on ? – de son admiration trop fervente !

2. Ses pièces souffrent de précipitation dans la composition, d'oscillations entre diverses conceptions, de simplifications psychologiques dans la construction des personnages, d'une surcharge de *pathos* et de fébrilité quasi mélodramatique dans l'agencement de l'action. Une tragédie enfiévrée à la française ne fait pas un bon mélo, et s'interdit l'accès au drame historique. La comédie touchante, dite par dérision *larmoyante*, n'a jamais eu bonne presse, pas plus que le drame bourgeois. Barré par Corneille et Racine, Voltaire l'est aussi par Marivaux et Beaumarchais, et par Diderot au plan de la théorie du théâtre.

3. L'esprit philosophique des Lumières entre en un conflit au fond irrémédiable avec une authentique conception tragique, fondée sur la fatalité, comme Beaumarchais l'a dit sans détour dans son *Essai sur le genre dramatique sérieux* (1767), et comme le prouve l'échec unanime des successeurs de Racine. Loin de déboucher sur un tragique accentué, impressionnant, inédit, comme il l'espérait, Voltaire a prodigué cette petite monnaie de la tragédie – les péripéties, les coups de théâtre, les malentendus, parfois ou souvent au prix de la vraisemblance.

4. L'indéfectible attachement au vers et aux normes classiques de la poésie lui a barré tout accès à un style personnel, l'a condamné à ce vice sans appel, le pastiche. Ce qu'il a considéré, à l'instar de son siècle, comme la langue propre de la tragédie, n'était que la langue des maîtres et des bons élèves. Voltaire dramaturge est mort de sa peu commune virtuosité versificatrice, et de sa foi dans la pérennité d'un genre, confondu avec l'immortelle perfection du théâtre.

5. Qu'on estime ou non le théâtre de Voltaire injouable, ou même d'une lecture ingrate, voire inutile, un point peut faire l'accord : c'est un objet fascinant. Car dans le drame de sa gloire et de sa décadence, il donne à penser, en raison de l'exceptionnelle

personnalité de l'auteur, sur l'histoire des spectacles et des mentalités ; sur l'esthétique ; sur la logique des choix artistiques ; sur la tragédie française comme genre, et son hégémonie culturelle pendant deux siècles ; sur les différences nationales, notamment entre la France, l'Angleterre et l'Allemagne. Je le dis sans aucune ironie : l'œuvre engloutie, par l'énormité de son effort et l'ampleur de son désastre, nous invite à cet exercice salubre de la réflexion occidentale, qui occupa aussi les Lumières – la méditation sur les ruines.

Mais précisément, sans jouer en rien à l'exécuteur testamentaire du legs voltairien, pas plus qu'au bedeau de l'indigente religion des grands hommes, méditons un peu. N'y a-t-il rien à ajouter aux cinq dogmes, au petit credo portatif qu'on vient d'énoncer ?

Le premier mérite d'un détour par Voltaire, c'est-à-dire par plus d'un siècle d'histoire du théâtre français, est de nous obliger à réfléchir sur le rapport apparemment évident entre tragédie et tragique. On constatera alors que la tragédie ne saurait se définir au regard d'une essence du tragique, anhistorique, inadéquate et de toute manière indéfinissable, sauf à se prendre pour la loi et le prophète. L. Goldmann en a fait la démonstration imparable dans sa recherche d'une authentique et radicale « vision tragique du monde » chez Racine, qui aboutit fatalement à ne retenir que quelques œuvres ou fragments de pièces. La tragédie classique ne se définit pas par le tragique, mais par l'accomplissement ou la menace de grands malheurs. Il n'y a par conséquent nul lieu de postuler une contradiction *a priori* insurmontable entre Lumières et tragédie, pas plus qu'entre le rationalisme scientifique contemporain et la tragédie moderne. La tragédie ne traite pas du tragique, mais du malheur. On ne voit pas en quoi l'esprit des Lumières, chez Voltaire, pourrait interdire le sens et la mise en scène des catastrophes. Certainement pas l'Histoire, où les poètes puisent leurs sujets, et qu'il ne soumet d'ailleurs nullement, pas plus que Montesquieu, à une véritable philosophie du progrès.

Je ne me propose pas de réhabiliter la « psychologie », souvent stigmatisée, des personnages voltairiens. Mais est-il raisonnable d'y chercher un élément décisif de tout art théâtral ? J'ose douter pour ma part que celle de Racine, qui a servi si souvent de modèle pour la critique et la comparaison, soit d'une profondeur inouïe, et personne ne souffre apparemment des sidérantes, des extraordinaires passions cornéliennes, devenues si étrangères à notre expérience quotidienne. Allons plus loin, et droit au fait : *Zaïre*, *Mahomet*, *Mérope* sont-elles des pièces incommensurablement inférieures à certaines tragédies de Racine ou de Corneille ? Très franchement, je ne le crois pas. Le lecteur jugera, bien entendu. Encore faut-il lire, et ce n'est pas si facile, sans antipathie, en tentant de mettre à distance préjugés et admirations/répulsions convenues. Il en va dans l'art comme dans la vie : on ne prête qu'aux riches, et Voltaire n'est certainement pas de ces hommes qu'on a envie d'aider quand ils glissent à terre. Le démon du ricanement, fût-il absent de son univers tragique et mêlé d'émotion dans ses comédies, n'incite pas à la sympathie. Au fond, il faudrait aborder *Zaïre* et *Mahomet* en oubliant leur inoubliable auteur, tel que l'Histoire l'a inscrit dans nos têtes en lettres de feu. C'est la magie du théâtre joué que d'effacer l'auteur dans la représentation. Mais on ne joue plus Voltaire.

Je n'ignore pas qu'on pourrait m'accorder tout cela sans effort démesuré, car la vraie question semble ailleurs. Qu'importent le tragique, la psychologie, les évidentes beautés et nouveautés de telle ou telle pièce, quand tout capote sur l'absence d'un style, sur l'évidence du pastiche ? On touche ici au point décisif, qui dépasse Voltaire pour engager tout simplement, sans tomber dans la grandiloquence, ce qu'il faut bien appeler une politique de la culture. Ni les expositions de peinture, ni la musique ne semblent s'abandonner encore à l'ostracisme ombrageux du théâtre, qui condamne l'amateur de tragédie française à tourner éternellement entre Racine et Corneille. Va-t-on jusqu'à la fin des temps s'obstiner à ignorer, au théâtre, la notion de style d'époque, de genre, d'effort séculaire ? Est-il grotesque de demander, quand on étouffe, d'entrouvrir portes et fenêtres ? Ne vient-t-il pas un moment où, malgré soi, à force de voir jouer, rejouer et tordre en tous sens nos deux classiques graves, on a comme le sentiment obscur et malheureux qu'on les contraint à de difficiles contorsions, qui tiennent parfois du pastiche ? La pratique théâtrale contemporaine, contre tout le mouvement des sciences humaines, pour ne rien dire des autres, semble ne connaître, de notre répertoire, que les chefs-d'œuvre incontestés, c'est-à-dire consacrés par l'école, par la marque déposée du grand auteur au style immédiatement reconnaissable et vendable. On ne demande pas de jouer Voltaire ou tout autre classique aussi souvent que nos deux héros nationaux en duel perpétuel depuis trois siècles. On supplie seulement Messieurs les directeurs de troupes, Messieurs les metteurs en scène et Messieurs les comédiens de s'intéresser un peu, parfois, une fois, à l'histoire de notre théâtre, à la mémoire de leur profession. Après tout, ils sont aussi là pour ça, comme les enseignants et les éditeurs.

Qu'est-ce qui les en empêche ? En dehors du préjugé qui nous étreint tous, évidemment les contraintes financières croissantes de la vie théâtrale, autrement dit la loi du marché ; mais aussi les luttes de prestige, silencieusement éloquentes, entre artistes du théâtre. D'où les empoignades à distance sur les mêmes quelques œuvres toujours rejouées. Monter un Voltaire serait s'aventurer sur un terrain fangeux, sans tradition de jeu ni espoir de lustre. On ne sort de Marivaux et de Beaumarchais qu'au profit d'adaptations de textes narratifs ou dialogués de Diderot, Crébillon fils ou... Voltaire. Or l'exemple trop rare des Villégier, Rist, Schiaretti, Loichemol le prouve, quel plaisir, quel émoustillement de sortir enfin de nos souvenirs scolaires indéfiniment revisités ! Que de pièces à redécouvrir !

Risque-t-on, sur ces sentiers goûteux, de rencontrer la Comédie-Française ? Il ne semble pas que ces choses, depuis longtemps, intéressent l'institution française la mieux armée pour tenter sans risques majeurs quelques escapades dans son répertoire et notre histoire. Deux Corneille, quatre Racine, dix Molière, et tourne le manège... Nul Voltaire, comique ou tragique, pour le tricentenaire de la naissance, en sa Maison ! Il ne reste donc, en attendant une embellie, qu'à se confier au lecteur, le meilleur juge du théâtre selon les classiques pour une fois unanimes.

Ils étaient aussi persuadés de l'objectivité du tact esthétique, qu'ils appelaient le (bon) goût. J'aime à croire qu'aujourd'hui, une communauté de lecteurs pourrait se rassembler autour de deux constatations. L'évidence d'abord des qualités dramaturgiques voltairiennes, qui appellent évidemment une lecture avant tout sensible aux beautés. Et la réflexion sur un phénomène esthétique et historique tout à fait impressionnant, tant par sa durée que par son implacable rigueur, qui l'apparente à une sorte de loi naturelle : l'impossibilité absolue, pour tout écrivain français, durant près d'un siècle et demi, de sortir du moule de la tragédie classique, fût-on aussi doué et aussi énergique que Voltaire. S'il est un genre qui, avec l'appui du public et des lettrés, a primé sur le talent individuel et le désir d'originalité, c'est bien le genre tragique à la française.

Plastique par nature (puisqu'elle autorise de changer le sexe d'une pièce comique sans la dénaturer, en estompant la gaieté ou même en virant au drame, à la façon de bien des mises en scène modernes), la comédie de l'âge classique n'a jamais pu exercer une telle emprise sur l'écriture théâtrale. En témoignent suffisamment *Nanine* et *L'Écossaise*. L'apparente parité des genres tragique et comique ne résiste pas à l'examen. La comédie s'offre des métamorphoses interdites alors à la tragédie. Autre leçon du théâtre voltairien, qu'il n'est pas inutile de méditer. J'en ajouterais volontiers une encore. Par son destin déplorable, le théâtre de Voltaire, si profondément classique, offre aux lecteurs (et aux comédiens !) une liberté d'usage que la consécration scolaire et culturelle de Corneille et Racine restreint dangereusement, y compris dans les foucades les plus spectaculaires des modes successives.

Jean GOLDZINK.

NOTE SUR LA PRÉSENTE ÉDITION

Comme tous les éditeurs, j'ai suivi le dernier texte révisé par Voltaire, celui de l'édition dite « encadrée » de 1775, en modernisant l'orthographe tout en maintenant au maximum la ponctuation du XVIIIe siècle. Il ne s'agit pas de ma part d'un souci érudit et fétichiste, qui perd d'ailleurs tout son sens dès lors qu'on ne respecte pas l'orthographe. Mais il m'a semblé que les surprises et variations de cette ponctuation d'époque faisaient un heureux contraste avec la régularité de la versification, tout en ménageant davantage la liberté du comédien. Il m'a paru préférable de proposer plus de pièces plutôt qu'un choix de variantes nécessairement incomplet.

Les notes appelées par un astérisque, situées en bas de page, sont de Voltaire.

ZAÏRE

PRÉSENTATION

Voici donc la pièce la plus célèbre de Voltaire, qui, sur la scène de la Comédie-Française, ne poussa son dernier soupir que sous le Front populaire, lors de la 480e représentation, le jeudi 12 novembre 1936, deux siècles après sa naissance. Même la célébration du tricentenaire de l'illustre auteur, en 1994, ne put décider la Maison de Molière à réveiller le souvenir de cette tragédie légendaire. Après 1936, elle survécut encore quelques décennies, fantôme pâle et poussiéreux, taché de craie et dévoré de notes, dans les greniers obscurs où dorment nos classiques scolaires, avant d'habiter son dernier refuge, une élégante maison de retraite pour vieux travailleurs émérites du théâtre (*Théâtre du XVIIIe siècle*, par J. Truchet, Gallimard, « Bibliothèque de la Pléiade », 1972, t. I). Ce qui ne met pourtant pas à l'abri des coups de pied de l'âne : « Il est triste que la pièce sans doute la meilleure et la plus populaire de Voltaire, et d'un tel intérêt pour l'historien de la littérature, doive être considérée comme une faillite au regard du critère suprême de l'art » ! Car Voltaire, non content de cumuler les invraisemblances de l'intrigue, l'incohérence des caractères, et ses ordinaires négligences de style méticuleusement dénombrées, poursuivrait dans *Zaïre* trop de visées incompatibles ou divergentes : peindre les mœurs turques, plaire au public français, pianoter sur la poésie chrétienne, prêcher la tolérance (*Les Œuvres complètes de Voltaire*, t. VIII, 1988, p. 277-329, « Conclusion »). On se trouverait donc, avec *Zaïre*, devant un parfait exemple d'admiration surfaite et purement historique, d'aveuglement non seulement collectif, mais international : huit traductions italiennes jusqu'en 1778, trois danoises, deux hollandaises, deux suédoises, deux allemandes… Inversement, J. Truchet, dans sa Notice de la Pléiade sur la pièce, y voit un vrai « chef-d'œuvre ». À n'en pas douter, ce jugement paraît plus raisonnable.

Les feux de l'amour et de la poésie

On a évidemment le plus grand mal à imaginer de nos jours, sans rire, Voltaire en poète embrasé par le feu divin. Le fait est pourtant, d'après sa Correspondance, que l'idée de *Zaïre* le transporte, et qu'il en achève le premier jet en trois semaines. Ces jours fiévreux agitent tous les ingrédients du talent voltairien : enthousiasme, inspiration, déconcertante facilité, intelligence, impatience assez nerveuse pour finir en inquiétude avide d'avis. Tout se passe comme si le nouveau sujet bénéficiait paradoxalement des doutes et des embarras accumulés sur *Ériphile*, sombre tragédie grecque avec visions et fantôme, essayée en privé en février, représentée en mars 1732, remaniée à nouveau en avril, et qu'il renonce finalement à publier, pour en tirer plus tard *Sémiramis*. La Correspondance révèle en effet qu'il s'attèle encore une fois à *Ériphile* le 26 mai, tandis que *Zaïre* jaillit le 29 mai, est lue à la Comédie-Française le 27 juin, et jouée le 13 août ! Le triomphe espéré ne se réalise cependant qu'à la quatrième représentation, par une ovation. On décida alors de suspendre le spectacle après la dixième soirée, afin de maintenir le public en haleine. De la reprise, le 10 novembre, au 11 janvier, la pièce connut 31 représentations, score glorieux et même exceptionnel, mais pas inouï, puisque *Zaïre* ne place Voltaire, on l'a vu (Introduction, p. 9), qu'au huitième rang des plus grands succès tragiques entre 1680 et 1814.

Le projet esthétique de *Zaïre* repose, la Correspondance en fait foi, sur l'entrelacement largement inédit de trois fils : l'amour exalté, tendre et violent ; « les mœurs turques opposées aux mœurs chrétiennes » (Correspondance, D 494) ; le choc des religions. Voltaire l'a dit et redit mieux que personne, l'amour traité en badinage galant, à la mode française, étiole et consume le feu tragique. Après quinze ans d'efforts somme toute assez décevants pour contourner de diverses manières cette difficulté inhérente au genre tragique moderne, il décide avec *Zaïre* de l'affronter enfin de face. D'où deux problèmes.

Voltaire et Shakespeare

1. La pièce est-elle un démarquage, faible et timide, d'*Othello*, comme on l'a souvent prétendu depuis le XVIIIe siècle ? En dehors des derniers mots d'Orosmane (V, 10), clairement démarqués de Shakespeare, un lecteur point trop prévenu devrait conclure que la tragédie de Voltaire a peu de rapports avec la pièce anglaise. Orosmane n'est pas le centre du drame, qui repose sur Zaïre, et la jalousie n'est pas le ressort fondamental de son caractère, sa passion constitutive, celle sans laquelle un personnage classique se défait. Son confident Corasmin n'a vraiment rien non plus d'un Iago. Desdémone est parfaitement innocente, alors que Zaïre se trouve, en cours de pièce, devant l'impossibilité morale de se consacrer à l'homme qu'elle aime de tout son cœur. L'intérêt d'une telle comparaison n'est pas de dénoncer un plagiat, qui serait alors proprement inepte, mais de mesurer l'abîme entre les esthétiques baroque et classique. Si l'on se retourne vers Racine et *Bajazet*, on ne trouvera pas plus de grain à moudre. L'accent indéniablement racinien du vers voltairien ne doit rien à l'imitation de telle ou telle pièce, c'est une emprise à laquelle il est au XVIIIe siècle impossible d'échapper. Comme l'a dit très justement J.R. Vrooman (voir Bibliographie), *Bajazet* n'aide nullement à mieux comprendre *Zaïre*. En quoi Racine s'est-il proposé d'opposer Turcs et chrétiens, de « joindre dans un même tableau ce que notre religion peut avoir de plus imposant et même de plus tendre avec ce que l'amour a de plus touchant et de plus furieux » ? (D 497).

2. La peinture des mœurs turques est-elle scrupuleusement exacte ? Évidemment pas, puisque le projet de *Zaïre* est d'exalter l'amour tendre, romanesque et tragique de deux jeunes gens par-dessus les barrières des fidélités nationales, familiales et religieuses. Mais quelle pièce classique ou romantique résisterait longtemps à un scrupule historique un tant soit peu exigeant ? Et quel spectateur attaché à son plaisir se soucie réellement de savoir si un sultan peut éprouver au XIIIe siècle des sentiments assez forts et délicats pour se passer de sérail et se rallier par amour au modèle européen de la passion monogamique ? Il suffit qu'Orosmane s'en explique, ce qu'il ne manque pas de faire, et qu'on évoque quelques traits des mœurs musulmanes. Il va de soi qu'un Orosmane trop conforme à la vérité historique anéantirait la pièce, sans profit ni pour l'Histoire ni pour le théâtre. La scène n'est pas le lieu de l'exactitude historienne. Voltaire sait bien qu'au temps de la septième croisade (1249), il n'existe à Jérusalem aucun sultan nommé Orosmane. Fils supposé, dans la pièce, de Noradin (Nur ed-Din, mort en 1174), il aurait, en 1249, au moins soixante-cinq ans. Quant à Saladin (Salah ed-Din, décédé en 1193), garant historique des vertus généreuses d'Orosmane, il n'avait jamais eu de mère chrétienne. C'est une pure invention d'auteur dans et pour la pièce, comme en fait foi l'*Essai sur les mœurs*, chap. LVI. Si la septième croisade est bien celle de Saint Louis, les chevaliers français évoqués dans *Zaïre* (Lusignan, Châtillon) s'entourent d'un flou artistique. Guy de Lusignan régna à Jérusalem de 1186 à 1192, tomba prisonnier de Saladin, qui le traita bien, tandis que Renaud de Châtillon, responsable de la reprise des hostilités, eut l'honneur de se faire couper la tête des mains mêmes du célèbre sultan. Libéré dès 1188 sous serment de ne plus se battre contre les musulmans, Lusignan trahit aussitôt sa promesse, sans doute avec la bénédiction des théologiens, et finit roi de Chypre. Il ne perdit pas femme et enfants lors du siège de Jérusalem, comme dans la pièce, ni même dans un massacre, mais à Saint-Jean-d'Acre, en 1189. Bref, Lusignan et Châtillon sont bien des noms historiques de familles liées aux croisades, surtout la troisième (un autre Lusignan fut prisonnier de Noradin au XIIe siècle), Orosmane, projeté au

temps de Saint Louis, tire sa vraisemblance de Saladin, tandis que Nérestan et Zaïre sortent de l'imagination de Voltaire. Il n'est pas exclu qu'*Othello* ait aidé, inconsciemment ou pas, à la germination de *Zaïre*, mais nul ne peut le prouver, et le seul fait patent est l'extrême différence des deux pièces, y compris dans le sujet. Il n'y a par conséquent guère de sens à s'étonner ou à se scandaliser du silence de Voltaire sur sa prétendue dette à l'égard de Shakespeare. Surtout quand on s'apprête à révéler à toute l'Europe l'existence du dramaturge anglais (*Lettres philosophiques*, 1733-1734)…

Une pièce à thèse ?

On a souvent prétendu que le théâtre voltairien s'était affaissé sous le poids de la propagande philosophique, indiscrètement étalée. Voltaire aurait au fond inventé la pièce à thèse – à condition, bien entendu, d'oublier la dramaturgie jésuite et son réseau européen d'auteurs pieux et de collèges studieux. Cette opinion reçue et indéfiniment répétée a tous les mérites, nullement négligeables, d'un lieu commun. Mais quelle serait alors la thèse de *Zaïre* ? Un certain abbé Nadal la soupçonne très vite d'inciter à croire que l'amour serait plus efficace que la religion. Le poète J.-B. Rousseau, adversaire coriace de Voltaire, y lit le même « dogme impie » : *Zaïre*, dit-il, ne tend pas à prouver, comme on l'a trop cru, que les sarrasins sont plus honnêtes que les chrétiens ; la fable a pour seul objet de montrer « que tous les efforts de la grâce, n'ont aucun effet sur nos passions » (31 janvier 1733). Ne ricanons pas trop vite de ces obsessions obsolètes. Nous avons les nôtres, qui feront rire tout aussi sûrement. En tête de l'édition de 1738, Voltaire se plaît donc à noter que *Zaïre* est appelée à Paris « tragédie chrétienne », qu'elle eut l'honneur édifiant de remplacer *Polyeucte* le dernier jour avant la fermeture de Pâques (voir p. 57). En 1736, un collège pieux de Montauban la représenta avec cette interprétation : « La victoire que remporte l'amour de la vertu [vertu signifie évidemment catholicisme] dans le cœur de Zaïre [… est] une vive image de ce qui se passe tous les jours dans le cœur des hommes, et le trait le plus frappant de la pièce. » Il est incontestable en effet que Voltaire, à défaut d'illustrer les pouvoirs de la Grâce descendus du Ciel au secours de la faiblesse humaine, n'a nulle intention de se priver, en bon dramaturge et poète avisé, des ressources de la poésie chrétienne. À quoi bon, sinon, imaginer le sujet de *Zaïre* ? Ni Lusignan (un des rôles favoris de Voltaire acteur sur théâtres privés) ni Nérestan ne servent de repoussoirs, et de tremplins pour une thèse « philosophique ». La thématique religieuse, un des grands ressorts de la pièce, vise de toute évidence à s'élever au sublime (en II, 1 ; II, 3, etc.). À lire *Zaïre* sans idée préconçue, c'est-à-dire en oubliant ce que nous savons de Voltaire bataillant bien plus tard, depuis Ferney, contre l'infâme hydre fanatique, on constatera que le philosophe militant s'efface ici derrière le dramaturge. La jalousie d'Orosmane dénoue par la mort un conflit insoluble entre l'amour et la religion, soutenue par toutes les forces d'une filiation retrouvée. C'est bien pourquoi il paraît assez vain de reprocher sa fragilité au dénouement, en arguant pédantesquement qu'un malentendu suffit au drame, mais pas à la tragédie. L'issue fatale n'est qu'en apparence fondée sur un quiproquo. Entre Orosmane et Zaïre, le divorce devient irrémédiable, et il tient à l'Histoire. Meurtre et malentendu consomment ce que le destin a déjà scellé, dans la confrontation sanglante des peuples et des religions. Est-il besoin d'ajouter qu'une telle problématique nous concerne aujourd'hui plus que *Bajazet* ?

ZAÏRE

Tragédie

1732

AVERTISSEMENT

Ceux qui aiment l'histoire littéraire seront bien aises de savoir comment cette pièce fut faite. Plusieurs dames avaient reproché à l'auteur, qu'il n'y avait pas assez d'amour dans ses tragédies. Il leur répondit, qu'il ne croyait pas que ce fût la véritable place de l'amour, mais que puisqu'il leur fallait absolument des héros amoureux, il en ferait tout comme un autre. La pièce fut achevée en dix-huit jours : elle eut un grand succès. On l'appelle à Paris, *tragédie chrétienne*, et on l'a jouée fort souvent à la place de *Polyeucte*[1].

ÉPÎTRE DÉDICATOIRE À MR. FALKENER, MARCHAND ANGLAIS, DEPUIS AMBASSADEUR À CONSTANTINOPLE[1]

Vous êtes Anglais, mon cher ami, et je suis né en France ; mais ceux qui aiment les arts sont tous concitoyens. Les honnêtes gens qui pensent ont à peu près les mêmes principes, et ne composent qu'une république[2] ; ainsi il n'est pas plus étrange de voir aujourd'hui une tragédie française dédiée à un Anglais, ou à un Italien, que si un citoyen d'Éphèse, ou d'Athènes, avait autrefois adressé son ouvrage à un Grec d'une autre ville. Je vous offre donc cette tragédie comme à mon compatriote dans la littérature, et comme à mon ami intime.

Je jouis en même temps du plaisir de pouvoir dire à ma nation, de quel œil les négociants sont regardés chez vous, quelle estime on sait avoir en Angleterre pour une profession qui fait la grandeur de l'État ; et avec quelle supériorité quelques-uns d'entre vous représentent leur patrie dans le parlement, et sont au rang des législateurs.

Je sais bien que cette profession est méprisée de nos petits-maîtres ; mais vous savez aussi, que nos petits-maîtres et les vôtres sont l'espèce la plus ridicule, qui rampe avec orgueil sur la surface de la terre.

Une raison encore, qui m'engage à m'entretenir de belles-lettres avec un Anglais plutôt qu'avec un autre, c'est votre heureuse liberté de penser ; elle en communique à mon esprit ; mes idées se trouvent plus hardies avec vous[3].

Quiconque avec moi s'entretient,
Semble disposer de mon âme :
S'il sent vivement, il m'enflamme ;
Et s'il est fort, il me soutient.
Un courtisan pétri de feinte,
Fait dans moi tristement passer
Sa défiance et sa contrainte ;
Mais un esprit libre, et sans crainte,
M'enhardit, et me fait penser.
Mon feu s'échauffe à sa lumière,
Ainsi qu'un jeune peintre, instruit
Sous Lemoyne et sous Largillière,
De ces maîtres qui l'ont conduit
Se rend la touche familière ;
Il prend malgré lui leur manière,
Et compose avec leur esprit.
C'est pourquoi Virgile se fit
Un devoir d'admirer Homère.
Il le suivit dans sa carrière,
Et son émule il se rendit,
Sans se rendre son plagiaire.

Ne craignez pas qu'en vous envoyant ma pièce, je vous en fasse une longue apologie ; je pourrais vous dire pourquoi je n'ai pas donné à Zaïre une vocation plus déterminée au christianisme, avant qu'elle reconnût son père, et pourquoi elle cache son secret à son amant, etc. Mais les esprits sages, qui aiment à rendre justice, verront bien mes raisons, sans que je les indique ; pour les critiques déterminés, qui sont disposés à ne pas me croire, ce serait peine perdue que de les leur dire.

Je me vanterai avec vous d'avoir fait seulement une pièce assez simple, qualité dont on doit faire cas de toutes façons.

Cette heureuse simplicité
Fut un des plus dignes partages
De la savante antiquité.
Anglais, que cette nouveauté
S'introduise dans vos usages.
Sur votre théâtre infecté
D'horreurs, de gibets, de carnages,
Mettez donc plus de vérité,
Avec de plus nobles images :
Addison l'a déjà tenté ;
C'était le poète des sages.

Mais il était trop concerté ;
Et dans son Caton[4] *si vanté,*
Ses deux filles, en vérité,
Sont d'insipides personnages.
Imitez du grand Addison
Seulement ce qu'il a de bon :
Polissez la rude action
De vos Melpomènes[5] sauvages ;
Travaillez pour les connaisseurs
De tous les temps, de tous les âges,
Et répandez dans vos ouvrages
La simplicité de vos mœurs.

Que Messieurs les poètes anglais ne s'imaginent pas que je veuille leur donner *Zaïre* pour modèle : je leur prêche la simplicité naturelle, et la douceur des vers ; mais je ne me fais point du tout le saint de mon sermon. Si *Zaïre* a eu quelque succès, je le dois beaucoup moins à la bonté de mon ouvrage, qu'à la prudence que j'ai eue de parler d'amour le plus tendrement qu'il m'a été possible. J'ai flatté en cela le goût de mon auditoire : on est assez sûr de réussir, quand on parle aux passions des gens plus qu'à leur raison. On veut de l'amour, quelque bon Chrétien que l'on soit ; et je suis très persuadé que bien en prit au grand Corneille de ne s'être pas borné dans *Polyeucte*[6] à faire casser les statues de Jupiter par les néophytes ; car telle est la corruption du genre humain, que peut-être

De Polyeucte la belle âme
Aurait faiblement attendri,
Et les vers chrétiens qu'il déclame
Seraient tombés dans le décri,
N'eût été l'amour de sa femme
Pour ce païen son favori[7],
Qui méritait bien mieux sa flamme
Que son bon dévot de mari.

Même aventure à peu près est arrivée à Zaïre. Tous ceux qui vont au spectacle, m'ont assuré, que si elle n'avait été que convertie, elle aurait peu intéressé[8] ; mais elle est amoureuse de la meilleure foi du monde, et voilà ce qui a fait sa fortune. Cependant il s'en faut bien, que j'aie échappé à la censure.

Plus d'un éplucheur intraitable
M'a vétillé, m'a critiqué :
Plus d'un railleur impitoyable
Prétendait que j'avais croqué[9]*,*
Et peu clairement expliqué
Un roman très peu vraisemblable,
Dans ma cervelle fabriqué ;
Que le sujet en est tronqué,
Que la fin n'est pas raisonnable ;
Même on m'avait pronostiqué
Ce sifflet tant épouvantable,
Avec quoi le public choqué
Régale un auteur misérable.
Cher ami, je me suis moqué
De leur censure insupportable.
J'ai mon drame en public risqué,
Et le parterre favorable
Au lieu du sifflet m'a claqué.
Des larmes même ont offusqué
Plus d'un œil, que j'ai remarqué
Pleurer de l'air le plus aimable.
Mais je ne suis point requinqué
Par un succès si désirable :
Car j'ai comme un autre marqué
Tous les déficits *de ma fable.*
Je sais qu'il est indubitable,
Que pour former œuvre parfait,
Il faudrait se donner au Diable,
Et c'est ce que je n'ai pas fait.

Je n'ose me flatter que les Anglais fassent à *Zaïre* le même honneur qu'ils ont fait à *Brutus*⋆, dont on a joué la traduction sur le théâtre de Londres[10]. Vous avez ici la réputation de n'être ni assez dévots pour vous soucier beaucoup du vieux Lusignan, ni assez tendres pour être touchés de Zaïre. Vous passez pour aimer mieux une intrigue de conjurés, qu'une intrigue d'amants. On croit qu'à votre théâtre on bat des mains au mot de *patrie*, et chez nous à celui d'*amour* ; cependant la vérité est que vous mettez de l'amour tout comme nous dans vos tragédies. Si vous n'avez pas la réputation d'être tendres, ce n'est pas que vos héros de théâtre ne soient amoureux ;

⋆ M. de Voltaire s'est trompé : on a traduit et joué *Zaïre* en Angleterre avec beaucoup de succès.

mais c'est qu'ils expriment rarement leur passion d'une manière naturelle. Nos amants parlent en amants, et les vôtres ne parlent encore qu'en poètes.

Si vous permettez que les Français soient vos maîtres en galanterie, il y a bien des choses en récompense que nous pourrions prendre de vous. C'est au théâtre anglais que je dois la hardiesse que j'ai eue de mettre sur la scène les noms de nos rois et des anciennes familles du royaume. Il me paraît que cette nouveauté pourrait être la source d'un genre de tragédie qui nous est inconnu jusqu'ici, et dont nous avons besoin. Il se trouvera sans doute des génies heureux, qui perfectionneront cette idée, dont *Zaïre* n'est qu'une faible ébauche [11]. Tant que l'on continuera en France de protéger les lettres, nous aurons assez d'écrivains. La nature forme presque toujours des hommes en tout genre de talent ; il ne s'agit que de les encourager et de les employer. Mais si ceux qui se distinguent un peu n'étaient soutenus par quelque récompense honorable, et par l'attrait plus flatteur de la considération, tous les beaux-arts pourraient bien dépérir un jour au milieu des abris élevés pour eux : et ces arbres plantés par Louis XIV dégénéreraient faute de culture : le public aurait toujours du goût, mais les grands maîtres manqueraient. Un sculpteur dans son académie verrait des hommes médiocres à côté de lui, et n'élèverait pas sa pensée jusqu'à Girardon et au Puget ; un peintre se contenterait de se croire supérieur à son confrère, et ne songerait pas à égaler le Poussin. Puissent les successeurs de Louis XIV suivre toujours l'exemple de ce grand roi, qui donnait d'un coup d'œil une noble émulation à tous les artistes ! Il encourageait à la fois un Racine et un Van Robais [12]… Il portait notre commerce et notre gloire par-delà les Indes ; il étendait des grâces sur des étrangers étonnés d'être connus et récompensés par notre Cour. Partout où était le mérite, il avait un protecteur dans Louis XIV.

Car de son astre bienfaisant
Les influences libérales,
Du Caire au bord de l'Occident,
Et sous les glaces boréales,
Cherchaient le mérite indigent.
Avec plaisir ses mains royales

Répandaient la gloire et l'argent,
Le tout sans brigue et sans cabales.
Guillelmini, Viviani,
Et le céleste Cassini[13]*,*
Auprès des Lis venaient se rendre ;
Et quelque forte pension
Vous aurait pris le grand Newton,
Si Newton avait pu se prendre.
Ce sont là les heureux succès
Qui faisaient la gloire immortelle
De Louis et du nom français.
Ce Louis était le modèle
De l'Europe et de vos Anglais.
On craignait que par ses progrès,
Il n'envahît à tout jamais
La monarchie universelle[14] *;*
Mais il l'obtint par ses bienfaits.

Vous n'avez pas chez vous des fondations pareilles aux monuments de la munificence de nos rois[15] ; mais votre nation y supplée. Vous n'avez pas besoin des regards du maître pour honorer et récompenser les grands talents en tout genre. Le chevalier Steele et le chevalier Van Brouk, étaient en même temps auteurs comiques et membres du parlement[16]. La primatie[17] du docteur Tillotson, l'ambassade de M. Prior, la charge de M. Newton, le ministère de M. Addison, ne sont que les suites ordinaires de la considération qu'ont chez vous les grands hommes. Vous les comblez de biens pendant leur vie, vous leur élevez des mausolées et des statues après leur mort ; il n'y a pas jusqu'aux actrices célèbres qui n'aient chez vous leurs places dans les temples à côté des grands poètes.

*Votre Oldfield** *et sa devancière*
Bracegirdle la minaudière,
Pour avoir su dans leurs beaux jours
Réussir au grand art de plaire,
Ayant achevé leur carrière,
S'en furent, avec le concours
De votre république entière,
Sous un grand poêle de velours,
Dans votre église pour toujours,
Loger de superbe manière.

* Fameuse actrice mariée à un seigneur d'Angleterre.

Leur ombre en paraît encore fière,
Et s'en vante avec les Amours :
Tandis que le divin Molière,
Bien plus digne d'un tel honneur,
À peine obtint le froid bonheur
De dormir dans un cimetière ;
Et que l'aimable Le Couvreur,
À qui j'ai fermé la paupière,
N'a pas eu même la faveur
De deux cierges et d'une bière ;
Et que Monsieur de Laubinière
Porta la nuit par charité,
Ce corps autrefois si vanté,
Dans un vieux fiacre empaqueté,
Vers le bord de notre rivière[18].
Voyez-vous pas à ce récit
L'Amour irrité qui gémit,
Qui s'envole en brisant ses armes,
Et Melpomène tout en larmes,
Qui m'abandonne, et se bannit
Des lieux ingrats qu'elle embellit
Si longtemps de ses nobles charmes ?

Tout semble ramener les Français à la barbarie dont Louis XIV et le cardinal de Richelieu les ont tirés. Malheur aux politiques qui ne connaissent pas le prix des beaux-arts ! La terre est couverte de nations aussi puissantes que nous. D'où vient cependant que nous les regardons presque toutes avec peu d'estime ? C'est par la raison qu'on méprise dans la société un homme riche, dont l'esprit est sans goût et sans culture. Surtout ne croyez pas, que cet empire de l'esprit, et cet honneur d'être le modèle des autres peuples, soit une gloire frivole. Elle est la marque infaillible de la grandeur d'un empire : c'est toujours sous les plus grands princes que les arts ont fleuri, et leur décadence est quelquefois l'époque de celle d'un État. L'histoire est pleine de ces exemples ; mais ce sujet me mènerait trop loin. Il faut que je finisse cette lettre déjà trop longue, en vous envoyant un petit ouvrage qui trouve naturellement sa place à la tête de cette tragédie. C'est une épître en vers à celle qui a joué le rôle de Zaïre : je lui devais au moins un compliment pour la manière dont elle s'en est acquittée[19].

Car le prophète de La Mecque
Dans son sérail n'a jamais eu
Si gentille Arabesque ou Grecque ;
Son œil noir, tendre et bien fendu,
Sa voix, et sa grâce intrinsèque,
Ont mon ouvrage défendu
Contre l'auditeur qui rebèque[20] *:*
Mais quand le lecteur morfondu
L'aura dans sa bibliothèque,
Tout mon honneur sera perdu.

Adieu, mon ami ; cultivez toujours les lettres et la philosophie, sans oublier d'envoyer des vaisseaux dans les échelles du Levant. Je vous embrasse de tout mon cœur.

V.

PERSONNAGES

OROSMANE, soudan de Jérusalem.
LUSIGNAN, prince du sang des rois de Jérusalem.
ZAÏRE, FATIME, esclaves du soudan.
NÉRESTAN, CHÂTILLON, chevaliers français.
CORASMIN, MÉLÉDOR, officiers du soudan.
UN ESCLAVE.
SUITE.

La scène est au sérail de Jérusalem.

ACTE PREMIER

Scène première

Zaïre, Fatime

FATIME

Je ne m'attendais pas, jeune et belle Zaïre[1],
Aux nouveaux sentiments que ce lieu vous inspire.
Quel espoir si flatteur, ou quels heureux destins,
De vos jours ténébreux ont fait des jours sereins ?
5 La paix de votre cœur augmente avec vos charmes ;
Cet éclat de vos yeux n'est plus terni de larmes ;
Vous ne les tournez plus vers ces heureux climats,
Où ce brave Français devait guider nos pas ;
Vous ne me parlez plus de ces belles contrées,
10 Où d'un peuple poli les femmes adorées
Reçoivent cet encens que l'on doit à vos yeux ;
Compagnes d'un époux, et reines en tous lieux,
Libres sans déshonneur, et sages sans contrainte,
Et ne devant jamais leurs vertus à la crainte.
15 Ne soupirez-vous plus pour cette liberté ?
Le sérail d'un soudan, sa triste austérité,
Ce nom d'esclave enfin, n'ont-ils rien qui vous gêne ?
Préférez-vous Solyme[2] aux rives de la Seine ?

ZAÏRE

On ne peut désirer ce qu'on ne connaît pas[3].
20 Sur les bords du Jourdain le ciel fixa nos pas.
Au sérail des soudans dès l'enfance enfermée,
Chaque jour ma raison s'y voit accoutumée.
Le reste de la terre anéanti pour moi,
M'abandonne au soudan, qui nous tient sous sa loi :
25 Je ne connais que lui, sa gloire, sa puissance :
Vivre sous Orosmane est ma seule espérance,
Le reste est un vain songe.

FATIME

Avez-vous oublié
Ce généreux Français, dont la tendre amitié
Nous promit si souvent de rompre notre chaîne ?
30 Combien nous admirions son audace hautaine !
Quelle gloire il acquit dans ces tristes combats
Perdus par les chrétiens sous les murs de Damas[4] !
Orosmane vainqueur, admirant son courage,
Le laissa sur sa foi partir de ce rivage.
35 Nous l'attendons encor ; sa générosité
Devait payer le prix de notre liberté.
N'en aurions-nous conçu qu'une vaine espérance ?

ZAÏRE

Peut-être sa promesse a passé sa puissance.
Depuis plus de deux ans il n'est point revenu.
40 Un étranger, Fatime, un captif inconnu,
Promet beaucoup, tient peu, permet à son courage
Des serments indiscrets pour sortir d'esclavage.
Il devait délivrer dix chevaliers chrétiens,
Venir rompre leurs fers, ou reprendre les siens.
45 J'admirai trop en lui cet inutile zèle.
Il n'y faut plus penser.

FATIME

Mais s'il était fidèle,
S'il revenait enfin dégager ses serments,
Ne voudriez-vous pas ?...

ZAÏRE

Fatime, il n'est plus temps.

Tout est changé…

FATIME

Comment ? que prétendez-vous dire ?

ZAÏRE

50 Va, c'est trop te celer le destin de Zaïre ;
Le secret du soudan doit encore se cacher ;
Mais mon cœur dans le tien se plaît à s'épancher.
Depuis près de trois mois qu'avec d'autres captives
On te fit du Jourdain abandonner les rives,
55 Le ciel, pour terminer les malheurs de nos jours,
D'une main plus puissante a choisi le secours.
Ce superbe Orosmane…

FATIME

Eh bien !

ZAÏRE

Ce soudan même,
Ce vainqueur des Chrétiens… chère Fatime… il m'aime…
Tu rougis… je t'entends…garde-toi de penser
60 Qu'à briguer ses soupirs je puisse m'abaisser,
Que d'un maître absolu la superbe tendresse
M'offre l'honneur honteux du rang de sa maîtresse,
Et que j'essuie enfin l'outrage et le danger
Du malheureux éclat d'un amour passager.
65 Cette fierté qu'en nous soutient la modestie,
Dans mon cœur à ce point ne s'est pas démentie.
Plutôt que jusque-là j'abaisse mon orgueil,
Je verrais sans pâlir les fers et le cercueil.
Je m'en vais t'étonner ; son superbe courage
70 À mes faibles appas présente un pur hommage ;
Parmi tous ces objets à lui plaire empressés,
J'ai fixé ses regards à moi seule adressés ;
Et l'hymen confondant leurs intrigues fatales,
Me soumettra bientôt son cœur et mes rivales.

FATIME

75 Vos appas, vos vertus, sont dignes de ce prix ;
Mon cœur en est flatté, plus qu'il n'en est surpris :
Que vos félicités, s'il se peut, soient parfaites !
Je me vois avec joie au rang de vos sujettes.

ZAÏRE

Sois toujours mon égale, et goûte mon bonheur ;
80 Avec toi partagé je sens mieux sa douceur.

FATIME

Hélas ! puisse le ciel souffrir cet hyménée !
Puisse cette grandeur, qui vous est destinée,
Qu'on nomme si souvent du faux nom de bonheur,
Ne point laisser de trouble au fond de votre cœur !
85 N'est-il point en secret de frein qui vous retienne ?
Ne vous souvient-il plus que vous fûtes chrétienne ?

ZAÏRE

Ah ! que dis-tu ? Pourquoi rappeler mes ennuis ?
Chère Fatime, hélas ! sais-je ce que je suis ?
Le ciel m'a-t-il jamais permis de me connaître ?
90 Ne m'a-t-il pas caché le sang qui m'a fait naître ?

FATIME

Nérestan qui naquit non loin de ce séjour,
Vous dit que d'un chrétien vous reçûtes le jour ;
Que dis-je ? Cette croix qui sur vous fut trouvée,
Parure de l'enfance, avec soin conservée,
95 Ce signe des Chrétiens, que l'art dérobe aux yeux,
Sous ce brillant éclat d'un travail précieux,
Cette croix, dont cent fois mes soins vous ont parée,
Peut-être entre vos mains est-elle demeurée,
Comme un gage secret de la fidélité
100 Que vous deviez au Dieu que vous avez quitté.

ZAÏRE

Je n'ai point d'autre preuve ; et mon cœur qui s'ignore,
Peut-il admettre un Dieu que mon amant abhorre ?

La coutume, la loi plia mes premiers ans
À la religion des heureux Musulmans.
105 Je le vois trop : les soins qu'on prend de notre enfance,
Forment nos sentiments, nos mœurs, notre créance.
J'eusse été près du Gange esclave des faux dieux,
Chrétienne dans Paris, musulmane en ces lieux.
L'instruction fait tout ; et la main de nos pères
110 Grave en nos faibles cœurs ces premiers caractères,
Que l'exemple et le temps nous viennent retracer,
Et que peut-être en nous Dieu seul peut effacer.
Prisonnière, en ces lieux, tu n'y fus renfermée
Que lorsque ta raison, par l'âge confirmée,
115 Pour éclairer ta foi te prêtait son flambeau :
Pour moi des Sarrasins esclave en mon berceau,
La foi de nos Chrétiens me fut trop tard connue.
Contre elle cependant, loin d'être prévenue,
Cette croix, je l'avoue, a souvent malgré moi
120 Saisi mon cœur surpris de respect et d'effroi :
J'osais l'invoquer même avant qu'en ma pensée,
D'Orosmane en secret l'image fût tracée.
J'honore, je chéris ces charitables lois,
Dont ici Nérestan me parla tant de fois ;
125 Ces lois, qui de la terre écartant les misères,
Des humains attendris font un peuple de frères ;
Obligés de s'aimer, sans doute ils sont heureux.

FATIME

Pourquoi donc aujourd'hui vous déclarer contre eux ?
À la loi musulmane à jamais asservie,
130 Vous allez des Chrétiens devenir l'ennemie ;
Vous allez épouser leur superbe vainqueur.

ZAÏRE

Eh ! qui refuserait le présent de son cœur ?
De toute ma faiblesse il faut que je convienne ;
Peut-être sans l'amour j'aurais été chrétienne ;
135 Peut-être qu'à ta loi j'aurais sacrifié :
Mais Orosmane m'aime, et j'ai tout oublié.
Je ne vois qu'Orosmane, et mon âme enivrée
Se remplit du bonheur de s'en voir adorée.

Mets-toi devant les yeux sa grâce, ses exploits ;
140 Songe à ce bras puissant, vainqueur de tant de rois,
À cet aimable front que la gloire environne :
Je ne te parle point du sceptre qu'il me donne :
Non, la reconnaissance est un faible retour,
Un tribut offensant, trop peu fait pour l'amour.
145 Mon cœur aime Orosmane, et non son diadème ;
Chère Fatime, en lui je n'aime que lui-même.
Peut-être j'en crois trop un penchant si flatteur ;
Mais si le ciel sur lui déployant sa rigueur,
Aux fers que j'ai portés eût condamné sa vie,
150 Si le ciel sous mes lois eût rangé la Syrie,
Ou mon amour me trompe, ou Zaïre aujourd'hui
Pour l'élever à soi descendrait jusqu'à lui.

FATIME

On marche vers ces lieux ; sans doute, c'est lui-même.

ZAÏRE

Mon cœur, qui le prévient, m'annonce ce que j'aime.
155 Depuis deux jours, Fatime, absent de ce palais,
Enfin son tendre amour le rend à mes souhaits.

Scène II

Orosmane, Zaïre, Fatime

OROSMANE

Vertueuse Zaïre, avant que l'hyménée
Joigne à jamais nos cœurs et notre destinée,
J'ai cru, sur mes projets, sur vous, sur mon amour,
160 Devoir en musulman vous parler sans détour.
Les soudans qu'à genoux cet univers contemple,
Leurs usages, leurs droits, ne sont point mon exemple ;
Je sais que notre loi, favorable aux plaisirs,
Ouvre un champ sans limite à nos vastes désirs ;
165 Que je puis à mon gré, prodiguant mes tendresses,
Recevoir à mes pieds l'encens de mes maîtresses ;
Et tranquille au sérail, dictant mes volontés,

Gouverner mon pays du sein des voluptés ;
Mais la mollesse est douce, et sa suite est cruelle.
170 Je vois autour de moi cent rois vaincus par elle ;
Je vois de Mahomet ces lâches successeurs,
Ces califes tremblants dans leurs tristes grandeurs,
Couchés sur les débris de l'autel et du trône,
Sous un nom sans pouvoir languir dans Babylone :
175 Eux, qui seraient encore, ainsi que leurs aïeux,
Maîtres du monde entier, s'ils l'avaient été d'eux.
Bouillon leur arracha Solyme et la Syrie [5] ;
Mais bientôt pour punir une secte ennemie,
Dieu suscita le bras du puissant Saladin [6] ;
180 Mon père, après sa mort, asservit le Jourdain [7] ;
Et moi, faible héritier de sa grandeur nouvelle,
Maître encore incertain d'un État qui chancelle,
Je vois ces fiers Chrétiens, de rapine altérés,
Des bords de l'Occident vers nos bords attirés ;
185 Et lorsque la trompette, et la voix de la guerre,
Du Nil au Pont-Euxin font retentir la terre,
Je n'irai point, en proie à de lâches amours,
Aux langueurs d'un sérail abandonner mes jours.
J'atteste ici la gloire, et Zaïre, et ma flamme,
190 De ne choisir que vous pour maîtresse et pour femme,
De vivre votre ami, votre amant, votre époux,
De partager mon cœur entre la guerre et vous.
Ne croyez pas non plus, que mon honneur confie
La vertu d'une épouse à ces monstres d'Asie,
195 Du sérail des soudans gardes injurieux,
Et des plaisirs d'un maître esclaves odieux [8].
Je sais vous estimer autant que je vous aime,
Et sur votre vertu me fier à vous-même.
Après un tel aveu, vous connaissez mon cœur.
200 Vous sentez qu'en vous seule il a mis son bonheur.
Vous comprenez assez quelle amertume affreuse
Corromprait de mes jours la durée odieuse,
Si vous ne receviez les dons que je vous fais
Qu'avec ces sentiments que l'on doit aux bienfaits.
205 Je vous aime, Zaïre ; et j'attends de votre âme
Un amour qui réponde à ma brûlante flamme.
Je l'avouerai, mon cœur ne veut rien qu'ardemment ;

Je me croirais haï d'être aimé faiblement.
De tous mes sentiments tel est le caractère.
210 Je veux avec excès vous aimer et vous plaire.
Si d'une égale amour votre cœur est épris,
Je viens vous épouser, mais c'est à ce seul prix ;
Et du nœud de l'hymen l'étreinte dangereuse
Me rend infortuné, s'il ne vous rend heureuse.

ZAÏRE

215 Vous, seigneur, malheureux ! Ah ! si votre grand cœur
A sur mes sentiments pu fonder son bonheur,
S'il dépend en effet de mes flammes secrètes,
Quel mortel fut jamais plus heureux que vous l'êtes !
Ces noms chers et sacrés, et d'amant et d'époux,
220 Ces noms nous sont communs : et j'ai par-dessus vous
Ce plaisir si flatteur à ma tendresse extrême,
De tenir tout, Seigneur, du bienfaiteur que j'aime ;
De voir que ses bontés font seules mes destins,
D'être l'ouvrage heureux de ses augustes mains,
225 De révérer, d'aimer un héros que j'admire.
Oui, si parmi les cœurs soumis à votre empire
Vos yeux ont discerné les hommages du mien,
Si votre auguste choix…

Scène III

Orosmane, Zaïre, Fatime, Corasmin

CORASMIN

Cet esclave chrétien,
Qui sur sa foi, Seigneur, a passé dans la France,
230 Revient au moment même, et demande audience.

FATIME

Ô ciel !

OROSMANE

Il peut entrer. Pourquoi ne vient-il pas ?

CORASMIN

Dans la première enceinte il arrête ses pas.
Seigneur, je n'ai pas cru qu'aux regards de son maître
Dans ces augustes lieux [9] un Chrétien pût paraître.

OROSMANE

235 Qu'il paraisse. En tous lieux, sans manquer de respect,
Chacun peut désormais jouir de mon aspect.
Je vois avec mépris ces maximes terribles,
Qui font de tant de rois des tyrans invisibles.

Scène IV

Orosmane, Zaïre, Fatime, Corasmin, Nérestan

NÉRESTAN

Respectable ennemi qu'estiment les Chrétiens,
240 Je reviens dégager mes serments et les tiens ;
J'ai satisfait à tout, c'est à toi d'y souscrire ;
Je te fais apporter la rançon de Zaïre,
Et celle de Fatime, et de dix chevaliers,
Dans les murs de Solyme illustres prisonniers.
245 Leur liberté, par moi trop longtemps retardée,
Quand je reparaîtrais leur dut être accordée :
Sultan, tiens ta parole, ils ne sont plus à toi,
Et dès ce moment même ils sont libres par moi.
Mais grâces à mes soins, quand leur chaîne est brisée,
250 À t'en payer le prix ma fortune épuisée,
Je ne le cèle pas, m'ôte l'espoir heureux
De faire ici pour moi ce que je fais pour eux.
Une pauvreté noble est tout ce qui me reste.
J'arrache des Chrétiens à leur prison funeste ;
255 Je remplis mes serments, mon honneur, mon devoir,
Il me suffit : je viens me mettre en ton pouvoir ;
Je me rends prisonnier, et demeure en otage.

OROSMANE

Chrétien, je suis content de ton noble courage ;

Mais ton orgueil ici se serait-il flatté
260 D'effacer Orosmane en générosité ?
Reprends ta liberté, remporte tes richesses,
À l'or de ces rançons joins mes justes largesses :
Au lieu de dix Chrétiens que je dus t'accorder,
Je t'en veux donner cent ; tu les peux demander.
265 Qu'ils aillent sur tes pas apprendre à ta patrie,
Qu'il est quelques vertus au fond de la Syrie ;
Qu'ils jugent en partant, qui méritait le mieux,
Des Français, ou de moi, l'empire de ces lieux.
Mais parmi ces Chrétiens que ma bonté délivre,
270 Lusignan ne fut point réservé pour te suivre :
De ceux qu'on peut te rendre il est seul excepté ;
Son nom serait suspect à mon autorité :
Il est du sang français qui régnait à Solyme ;
On sait son droit au trône, et ce droit est un crime :
275 Du destin qui fait tout, tel est l'arrêt cruel :
Si j'eusse été vaincu, je serais criminel :
Lusignan dans les fers finira sa carrière,
Et jamais du soleil ne verra la lumière.
Je le plains ; mais pardonne à la nécessité
280 Ce reste de vengeance et de sévérité.
Pour Zaïre, crois-moi, sans que ton cœur s'offense,
Elle n'est pas d'un prix qui soit en ta puissance ;
Tes chevaliers français, et tous leurs souverains,
S'uniraient vainement pour l'ôter de mes mains.
285 Tu peux partir.

NÉRESTAN

Qu'entends-je ? Elle naquit chrétienne.
J'ai pour la délivrer ta parole et la sienne ;
Et quant à Lusignan, ce vieillard malheureux,
Pourrait-il… ?

OROSMANE

Je t'ai dit, Chrétien, que je le veux.
J'honore ta vertu ; mais cette humeur altière,
290 Se faisant estimer, commence à me déplaire :
Sors, et que le soleil levé sur mes États,
Demain près du Jourdain ne te retrouve pas.

Nérestan sort.

FATIME

Ô Dieu, secourez-nous.

OROSMANE

Et vous, allez, Zaïre,
Prenez dans le sérail un souverain empire,
295 Commandez en sultane, et je vais ordonner
La pompe d'un hymen qui vous doit couronner.

Scène V

Orosmane, Corasmin

OROSMANE

Corasmin, que veut donc cet esclave infidèle ?
Il soupirait… ses yeux se sont tournés vers elle.
Les as-tu remarqués ?

CORASMIN

Que dites-vous, Seigneur ?
300 De ce soupçon jaloux écoutez-vous l'erreur ?

OROSMANE

Moi jaloux ! qu'à ce point ma fierté s'avilisse !
Que j'éprouve l'horreur de ce honteux supplice !
Moi, que je puisse aimer comme l'on sait haïr !
Quiconque est soupçonneux invite à le trahir.
305 Je vois à l'amour seul ma maîtresse asservie ;
Cher Corasmin, je l'aime avec idolâtrie.
Mon amour est plus fort, plus grand que mes bienfaits.
Je ne suis point jaloux… si je l'étais jamais…
Si mon cœur… Ah ! chassons cette importune idée.
310 D'un plaisir pur et doux mon âme est possédée.
Va, fais tout préparer pour ces moments heureux,
Qui vont joindre ma vie à l'objet de mes vœux.
Je vais donner une heure aux soins de mon empire,
Et le reste du jour sera tout à Zaïre.

ACTE II

Scène première

Nérestan, Châtillon

CHÂTILLON

315 Ô brave Nérestan, chevalier généreux,
Vous qui brisez les fers de tant de malheureux,
Vous, sauveur des Chrétiens qu'un Dieu sauveur envoie,
Paraissez, montrez-vous, goûtez la douce joie,
De voir nos compagnons pleurant à vos genoux,
320 Baiser l'heureuse main qui nous délivre tous.
Aux portes du sérail en foule ils vous demandent ;
Ne privez point leurs yeux du héros qu'ils attendent,
Et qu'unis à jamais sous notre bienfaiteur…

NÉRESTAN

Illustre Châtillon, modérez cet honneur ;
325 J'ai rempli d'un Français le devoir ordinaire ;
J'ai fait ce qu'à ma place on vous aurait vu faire.

CHÂTILLON

Sans doute ; et tout Chrétien, tout digne chevalier,
Pour sa religion se doit sacrifier ;
Et la félicité des cœurs tels que les nôtres,
330 Consiste à tout quitter pour le bonheur des autres.
Heureux à qui le ciel a donné le pouvoir
De remplir comme vous un si noble devoir !
Pour nous, tristes jouets du sort qui nous opprime,
Nous malheureux Français, esclaves dans Solyme,
335 Oubliés dans les fers, où longtemps, sans secours
Le père d'Orosmane abandonna nos jours,
Jamais nos yeux sans vous ne reverraient la France[10].

NÉRESTAN

Dieu s'est servi de moi, seigneur. Sa providence
De ce jeune Orosmane a fléchi la rigueur.
340 Mais quel triste mélange altère ce bonheur !

Que de ce fier soudan la clémence odieuse
Répand sur ses bienfaits une amertume affreuse !
Dieu me voit et m'entend ; il sait si dans mon cœur
J'avais d'autres projets que ceux de sa grandeur.
345 Je faisais tout pour lui ; j'espérais de lui rendre
Une jeune beauté, qu'à l'âge le plus tendre
Le cruel Noradin fit esclave avec moi,
Lorsque les ennemis de notre auguste foi,
Baignant de notre sang la Syrie enivrée,
350 Surprirent Lusignan vaincu dans Césarée[11] :
Du sérail des sultans sauvé par des Chrétiens,
Remis depuis trois ans dans mes premiers liens,
Renvoyé dans Paris sur ma seule parole,
Seigneur, je me flattais, espérance frivole !
355 De ramener Zaïre à cette heureuse cour
Où Louis des vertus a fixé le séjour[12].
Déjà même la reine à mon zèle propice,
Lui tendait de son trône une main protectrice.
Enfin lorsqu'elle touche au moment souhaité,
360 Qui la tirait du sein de la captivité,
On la retient… Que dis-je ?… Ah ! Zaïre elle-même,
Oubliant les Chrétiens, pour ce soudan qui l'aime…
N'y pensons plus… Seigneur, un refus plus cruel
Vient m'accabler encor d'un déplaisir mortel ;
365 Des Chrétiens malheureux l'espérance est trahie.

CHÂTILLON

Je vous offre pour eux ma liberté, ma vie ;
Disposez-en, seigneur, elle vous appartient.

NÉRESTAN

Seigneur, ce Lusignan, qu'à Solyme on retient,
Ce dernier d'une race en héros si féconde,
370 Ce guerrier dont la gloire avait rempli le monde,
Ce héros malheureux, de Bouillon descendu,
Aux soupirs des Chrétiens ne sera point rendu.

CHÂTILLON

Seigneur, s'il est ainsi, votre faveur est vaine :
Quel indigne soldat voudrait briser sa chaîne,

375 Alors que dans les fers son chef est retenu ?
Lusignan, comme à moi, ne vous est pas connu.
Seigneur, remerciez le ciel, dont la clémence
A pour votre bonheur placé votre naissance,
Longtemps après ces jours à jamais détestés,
380 Après ces jours de sang et de calamités,
Où je vis sous le joug de nos barbares maîtres
Tomber ces murs sacrés conquis par nos ancêtres.
Ciel ! si vous aviez vu ce temple abandonné,
Du Dieu que nous servons le tombeau profané,
385 Nos pères, nos enfants, nos filles et nos femmes,
Au pied de nos autels expirant dans les flammes,
Et notre dernier roi, courbé du faix des ans,
Massacré sans pitié sur ses fils expirants [13] !
Lusignan, le dernier de cette auguste race,
390 Dans ces moments affreux ranimant notre audace,
Au milieu des débris des temples renversés,
Des vainqueurs, des vaincus, et des morts entassés,
Terrible, et d'une main reprenant cette épée,
Dans le sang infidèle à tout moment trempée ;
395 Et de l'autre à nos yeux montrant avec fierté
De notre sainte foi le signe redouté,
Criant à haute voix : Français, soyez fidèles…
Sans doute en ce moment, le couvrant de ses ailes,
La vertu du Très-Haut, qui nous sauve aujourd'hui,
400 Aplanissait sa route, et marchait devant lui ;
Et des tristes Chrétiens la foule délivrée
Vint porter avec nous ses pas dans Césarée.
Là, par nos chevaliers, d'une commune voix,
Lusignan fut choisi pour nous donner des lois.
405 Ô mon cher Nérestan ! Dieu qui nous humilie,
N'a pas voulu sans doute, en cette courte vie,
Nous accorder le prix qu'il doit à la vertu ;
Vainement pour son nom nous avons combattu.
Ressouvenir affreux, dont l'horreur me dévore !
410 Jérusalem en cendre, hélas ! fumait encore,
Lorsque dans notre asile attaqués et trahis,
Et livrés par un Grec à nos fiers ennemis,
La flamme, dont brûla Sion [14] désespérée,
S'étendit en fureur aux murs de Césarée ;

415 Ce fut là le dernier de trente ans de revers ;
Là je vis Lusignan chargé d'indignes fers :
Insensible à sa chute, et grand dans ses misères,
Il n'était attendri que des maux de ses frères.
Seigneur, depuis ce temps, ce père des Chrétiens,
420 Resserré loin de nous, blanchi dans ses liens,
Gémit dans un cachot, privé de la lumière,
Oublié de l'Asie, et de l'Europe entière.
Tel est son sort affreux ; et qui peut aujourd'hui,
Quand il souffre pour nous, se voir heureux sans lui ?

NÉRESTAN

425 Ce bonheur, il est vrai, serait d'un cœur barbare.
Que je hais le destin qui de lui nous sépare !
Que vers lui vos discours m'ont sans peine entraîné !
Je connais ses malheurs, avec eux je suis né.
Sans un trouble nouveau, je n'ai pu les entendre ;
430 Votre prison, la sienne, et Césarée en cendre,
Sont les premiers objets, sont les premiers revers,
Qui frappèrent mes yeux à peine encore ouverts.
Je sortais du berceau ; ces images sanglantes
Dans vos tristes récits me sont encor présentes.
435 Au milieu des Chrétiens dans un temple immolés,
Quelques enfants, seigneur, avec moi rassemblés,
Arrachés par des mains de carnage fumantes,
Aux bras ensanglantés de nos mères tremblantes,
Nous fûmes transportés dans ce palais des rois,
440 Dans ce même sérail, seigneur, où je vous vois.
Noradin m'éleva près de cette Zaïre,
Qui depuis…, pardonnez si mon cœur en soupire,
Qui depuis, égarée en ce funeste lieu,
Pour un maître barbare abandonna son Dieu.

CHÂTILLON

445 Telle est des Musulmans la funeste prudence.
De leurs Chrétiens captifs ils séduisent l'enfance ;
Et je bénis le ciel, propice à nos desseins,
Qui dans vos premiers ans vous sauva de leurs mains.
Mais, Seigneur, après tout, cette Zaïre même,
450 Qui renonce aux Chrétiens pour le soudan qui l'aime,

De son crédit au moins nous pourrait secourir :
Qu'importe de quel bras Dieu daigne se servir ?
M'en croirez-vous ? Le juste, aussi bien que le sage,
Du crime et du malheur sait tirer avantage.
455 Vous pourriez de Zaïre employer la faveur
À fléchir Orosmane, à toucher son grand cœur,
À nous rendre un héros, que lui-même a dû plaindre,
Que sans doute il admire, et qui n'est plus à craindre.

NÉRESTAN

Mais ce même héros, pour briser ses liens,
460 Voudra-t-il qu'on s'abaisse à ces honteux moyens ?
Et quand il le voudrait, est-il en ma puissance
D'obtenir de Zaïre un moment d'audience ?
Croyez-vous qu'Orosmane y daigne consentir ?
Le sérail à ma voix pourra-t-il se rouvrir ?
465 Quand je pourrais enfin paraître devant elle,
Que faut-il espérer d'une femme infidèle,
À qui mon seul aspect doit tenir lieu d'affront,
Et qui lira sa honte écrite sur mon front ?
Seigneur, il est bien dur, pour un cœur magnanime,
470 D'attendre des secours de ceux qu'on mésestime.
Leurs refus sont affreux, leurs bienfaits font rougir.

CHÂTILLON

Songez à Lusignan, songez à le servir.

NÉRESTAN

Eh bien… Mais quels chemins jusqu'à cette infidèle
Pourront… On vient à nous. Que vois-je ? Ô ciel ! c'est elle.

Scène II

Zaïre, Châtillon, Nérestan

ZAÏRE, *à Nérestan.*

475 C'est vous, digne Français, à qui je viens parler.
Le soudan le permet, cessez de vous troubler ;
Et rassurant mon cœur, qui tremble à votre approche,

Chassez de vos regards la plainte et le reproche.
Seigneur, nous nous craignons, nous rougissons tous deux ;
480 Je souhaite et je crains de rencontrer vos yeux.
L'un à l'autre attachés depuis notre naissance,
Une affreuse prison renferma notre enfance ;
Le sort nous accabla du poids des mêmes fers,
Que la tendre amitié nous rendait plus légers.
485 Il me fallut depuis gémir de votre absence ;
Le ciel porta vos pas aux rives de la France :
Prisonnier dans Solyme, enfin je vous revis ;
Un entretien plus libre alors m'était permis.
Esclave dans la foule, où j'étais confondue,
490 Aux regards du soudan je vivais inconnue :
Vous daignâtes bientôt, soit grandeur, soit pitié,
Soit plutôt digne effet d'une pure amitié,
Revoyant des Français le glorieux empire,
Y chercher la rançon de la triste Zaïre :
495 Vous l'apportez : le ciel a trompé vos bienfaits ;
Loin de vous dans Solyme il m'arrête à jamais.
Mais quoi que ma fortune ait d'éclat et de charmes,
Je ne puis vous quitter sans répandre des larmes.
Toujours de vos bontés je vais m'entretenir,
500 Chérir de vos vertus le tendre souvenir,
Comme vous des humains soulager la misère,
Protéger les Chrétiens, leur tenir lieu de mère :
Vous me les rendez chers, et ces infortunés…

NÉRESTAN

Vous, les protéger ! vous, qui les abandonnez !
505 Vous, qui des Lusignans foulant aux pieds la cendre…

ZAÏRE

Je la viens honorer, Seigneur, je viens vous rendre
Le dernier de ce sang, votre amour, votre espoir :
Oui, Lusignan est libre, et vous l'allez revoir.

CHÂTILLON

Ô ciel ! nous reverrions notre appui, notre père !

NÉRESTAN

510 Les Chrétiens vous devraient une tête si chère !

ZAÏRE

J'avais sans espérance osé la demander :
Le généreux soudan veut bien nous l'accorder :
On l'amène en ces lieux.

NÉRESTAN

Que mon âme est émue !

ZAÏRE

Mes larmes, malgré moi, me dérobent sa vue.
515 Ainsi que ce vieillard j'ai langui dans les fers :
Qui ne sait compatir aux maux qu'on a soufferts ?

NÉRESTAN

Grand Dieu ! que de vertu dans une âme infidèle !

Scène III

Zaïre, Lusignan, Châtillon, Nérestan, plusieurs esclaves chrétiens

LUSIGNAN

Du séjour du trépas quelle voix me rappelle ?
Suis-je avec des Chrétiens ?… Guidez mes pas tremblants.
520 Mes maux m'ont affaibli plus encor que mes ans.

En s'asseyant.

Suis-je libre en effet ?

ZAÏRE

Oui, Seigneur ; oui, vous l'êtes.

CHÂTILLON

Vous vivez, vous calmez nos douleurs inquiètes.
Tous nos tristes Chrétiens…

LUSIGNAN

Ô jour ! ô douce voix !
Châtillon, c'est donc vous ? c'est vous que je revois !
525 Martyr, ainsi que moi, de la foi de nos pères,
Le Dieu que nous servons finit-il nos misères ?
En quels lieux sommes-nous ? Aidez mes faibles yeux.

CHÂTILLON

C'est ici le palais qu'ont bâti vos aïeux ;
Du fils de Noradin c'est le séjour profane.

ZAÏRE

530 Le maître de ces lieux, le puissant Orosmane,
Sait connaître, seigneur, et chérir la vertu.
Ce généreux Français, qui vous est inconnu,

En montrant Nérestan.

Par la gloire amené des rives de la France
Venait de dix Chrétiens payer la délivrance :
535 Le soudan, comme lui, gouverné par l'honneur,
Croit, en vous délivrant, égaler son grand cœur.

LUSIGNAN

Des chevaliers français tel est le caractère ;
Leur noblesse en tout temps me fut utile et chère.
Trop digne chevalier, quoi ! vous passez les mers,
540 Pour soulager nos maux, et pour briser nos fers ?
Ah ! parlez, à qui dois-je un service si rare ?

NÉRESTAN

Mon nom est Nérestan ; le sort longtemps barbare,
Qui dans les fers ici me mit presque en naissant,
Me fit quitter bientôt l'empire du Croissant.
545 À la cour de Louis, guidé par mon courage,
De la guerre sous lui j'ai fait l'apprentissage ;
Ma fortune et mon rang sont un don de ce roi,
Si grand par sa valeur, et plus grand par sa foi.
Je le suivis, seigneur, au bord de la Charente [15],
550 Lorsque du fier Anglais la valeur menaçante,
Cédant à nos efforts trop longtemps captivés,

Satisfit en tombant aux Lis qu'ils ont bravés.
Venez, Prince, et montrez au plus grand des monarques
De vos fers glorieux les vénérables marques.
555 Paris va révérer le martyr de la croix,
Et la cour de Louis est l'asile des rois.

LUSIGNAN

Hélas ! de cette cour j'ai vu jadis la gloire.
Quand Philippe à Bovine enchaînait la victoire [16],
Je combattais, seigneur, avec Montmorency,
560 Melun, d'Estaing, de Nesle, et ce fameux Coucy [17].
Mais à revoir Paris je ne dois plus prétendre :
Vous voyez qu'au tombeau je suis prêt à descendre :
Je vais au Roi des rois demander aujourd'hui
Le prix de tous les maux que j'ai soufferts pour lui.
565 Vous, généreux témoins de mon heure dernière,
Tandis qu'il en est temps, écoutez ma prière,
Nérestan, Châtillon, et vous... de qui les pleurs
Dans ces moments si chers honorent mes malheurs.
Madame, ayez pitié du plus malheureux père,
570 Qui jamais ait du ciel éprouvé la colère,
Qui répand devant vous des larmes que le temps
Ne peut encore tarir dans mes yeux expirants.
Une fille, trois fils, ma superbe espérance,
Me furent arrachés dès leur plus tendre enfance :
575 Ô mon cher Châtillon, tu dois t'en souvenir.

CHÂTILLON

De vos malheurs encor vous me voyez frémir.

LUSIGNAN

Prisonnier avec moi dans Césarée en flamme,
Tes yeux virent périr mes deux fils et ma femme.

CHÂTILLON

Mon bras chargé de fers ne les put secourir.

LUSIGNAN

580 Hélas ! et j'étais père, et je ne pus mourir !
Veillez du haut des cieux, chers enfants que j'implore,

Sur mes autres enfants, s'ils sont vivants encore.
Mon dernier fils, ma fille, aux chaînes réservés,
Par de barbares mains pour servir conservés,
585 Loin d'un père accablé, furent portés ensemble
Dans ce même sérail où le ciel nous rassemble.

CHÂTILLON

Il est vrai, dans l'horreur de ce péril nouveau,
Je tenais votre fille à peine en son berceau :
Ne pouvant la sauver, seigneur, j'allais moi-même
590 Répandre sur son front l'eau sainte du baptême,
Lorsque les Sarrasins de carnage fumants,
Revinrent l'arracher à mes bras tout sanglants.
Votre plus jeune fils, à qui les destinées
Avaient à peine encore accordé quatre années,
595 Trop capable déjà de sentir son malheur,
Fut dans Jérusalem conduit avec sa sœur.

NÉRESTAN

De quel ressouvenir mon âme est déchirée !
À cet âge fatal j'étais dans Césarée :
Et tout couvert de sang, et chargé de liens,
600 Je suivis en ces lieux la foule des Chrétiens.

LUSIGNAN

Vous… Seigneur !… Ce sérail éleva votre enfance ?…

En les regardant.

Hélas ! de mes enfants auriez-vous connaissance ?
Ils seraient de votre âge, et peut-être mes yeux…
Quel ornement, Madame, étranger en ces lieux ?
605 Depuis quand l'avez-vous ?

ZAÏRE

Depuis que je respire,
Seigneur… Eh quoi ! d'où vient que votre âme soupire ?

LUSIGNAN

Ah ! daignez confier à mes tremblantes mains…

ZAÏRE

De quel trouble nouveau tous mes sens sont atteints !
Seigneur, que faites-vous ?

LUSIGNAN

Ô ciel ! ô Providence !
610 Mes yeux, ne trompez point ma timide espérance ;
Serait-il bien possible ? Oui, c'est elle… Je vois
Ce présent qu'une épouse avait reçu de moi,
Et qui de mes enfants ornait toujours la tête,
Lorsque de leur naissance on célébrait la fête :
615 Je revois… Je succombe à mon saisissement.

ZAÏRE

Qu'entends-je ? et quel soupçon m'agite en ce moment ?
Ah, Seigneur !…

LUSIGNAN

Dans l'espoir dont j'entrevois les charmes,
Ne m'abandonnez pas, Dieu qui voyez mes larmes,
Dieu mort sur cette croix, et qui revis pour nous,
620 Parle, achève, ô mon Dieu ! ce sont là de tes coups.
Quoi ! Madame, en vos mains elle était demeurée ?
Quoi ! tous les deux captifs, et pris dans Césarée ?

ZAÏRE

Oui, Seigneur.

NÉRESTAN

Se peut-il ?

LUSIGNAN

Leur parole, leurs traits,
De leur mère en effet sont les vivants portraits.
625 Oui, grand Dieu, tu le veux, tu permets que je voie.
Dieu, ranime mes sens trop faibles pour ma joie.
Madame… Nérestan… Soutiens-moi, Châtillon…
Nérestan, si je dois nommer encor ce nom,
Avez-vous dans le sein la cicatrice heureuse
630 Du fer dont à mes yeux une main furieuse…

NÉRESTAN

Oui, Seigneur, il est vrai.

LUSIGNAN

Dieu juste ! heureux moments !

NÉRESTAN, *se jetant à genoux.*

Ah, Seigneur ! ah, Zaïre !

LUSIGNAN

Approchez, mes enfants.

NÉRESTAN

Moi, votre fils !

ZAÏRE

Seigneur !

LUSIGNAN

Heureux jour qui m'éclaire !
Ma fille ! mon cher fils ! embrassez votre père.

CHÂTILLON

635 Que d'un bonheur si grand mon cœur se sent toucher !

LUSIGNAN

De vos bras, mes enfants, je ne puis m'arracher.
Je vous revois enfin, chère et triste famille,
Mon fils, digne héritier… Vous… hélas ! vous ? ma fille !
Dissipez mes soupçons, ôtez-moi cette horreur,
640 Ce trouble qui m'accable au comble du bonheur.
Toi qui seul as conduit sa fortune et la mienne,
Mon Dieu qui me la rends, me la rends-tu chrétienne ?
Tu pleures, malheureuse, et tu baisses les yeux !
Tu te tais ! je t'entends ! ô crime ! ô justes cieux !

ZAÏRE

645 Je ne puis vous tromper : sous les lois d'Orosmane…
Punissez votre fille… Elle était musulmane.

LUSIGNAN

Que la foudre en éclats ne tombe que sur moi !
Ah, mon fils ! À ces mots j'eusse expiré sans toi.
Mon Dieu, j'ai combattu soixante ans pour ta gloire ;
650 J'ai vu tomber ton peuple, et périr ta mémoire ;
Dans un cachot affreux abandonné vingt ans,
Mes larmes t'imploraient pour mes tristes enfants :
Et lorsque ma famille est par toi réunie,
Quand je trouve une fille, elle est ton ennemie !
655 Je suis bien malheureux… C'est ton père, c'est moi,
C'est ma seule prison qui t'a ravi ta foi.
Ma fille, tendre objet de mes dernières peines,
Songe au moins, songe au sang qui coule dans tes veines :
C'est le sang de vingt rois, tous chrétiens comme moi ;
660 C'est le sang des héros, défenseurs de ma loi ;
C'est le sang des martyrs… Ô fille encor trop chère !
Connais-tu ton destin ? sais-tu quelle est ta mère ?
Sais-tu bien qu'à l'instant que son flanc mit au jour
Ce triste et dernier fruit d'un malheureux amour,
665 Je la vis massacrer par la main forcenée,
Par la main des brigands à qui tu t'es donnée ?
Tes frères, ces martyrs égorgés à mes yeux,
T'ouvrent leurs bras sanglants tendus du haut des cieux.
Ton Dieu que tu trahis, ton Dieu que tu blasphèmes,
670 Pour toi, pour l'univers, est mort en ces lieux mêmes,
En ces lieux où mon bras le servit tant de fois,
En ces lieux où mon sang te parle par ma voix.
Vois ces murs, vois ce temple envahi par tes maîtres :
Tout annonce le Dieu qu'ont vengé tes ancêtres.
675 Tourne les yeux, sa tombe est près de ce palais ;
C'est ici la montagne où lavant nos forfaits,
Il voulut expirer sous les coups de l'impie ;
C'est là que de sa tombe il rappela sa vie.
Tu ne saurais marcher dans cet auguste lieu,
680 Tu n'y peux faire un pas, sans y trouver ton Dieu ;
Et tu n'y peux rester sans renier ton père,
Ton honneur qui te parle, et ton Dieu qui t'éclaire.
Je te vois dans mes bras et pleurer et frémir ;
Sur ton front pâlissant Dieu met le repentir :

685 Je vois la vérité dans ton cœur descendue ;
Je retrouve ma fille après l'avoir perdue ;
Et je reprends ma gloire et ma félicité,
En dérobant mon sang à l'infidélité.

NÉRESTAN

Je revois donc ma sœur !… Et son âme…

ZAÏRE

Ah, mon père !
690 Cher auteur de mes jours, parlez, que dois-je faire ?

LUSIGNAN

M'ôter, par un seul mot, ma honte et mes ennuis,
Dire, Je suis chrétienne.

ZAÏRE

Oui… Seigneur… Je le suis.

LUSIGNAN

Dieu, reçois son aveu du sein de ton empire.

Scène IV

Zaïre, Lusignan, Châtillon,
Nérestan, Corasmin

CORASMIN

Madame, le soudan m'ordonne de vous dire,
695 Qu'à l'instant de ces lieux il faut vous retirer,
Et de ces vils Chrétiens [18] surtout vous séparer.
Vous, Français, suivez-moi : de vous je dois répondre.

CHÂTILLON

Où sommes-nous, grand Dieu ! Quel coup vient nous
[confondre ?

LUSIGNAN

Notre courage, amis, doit ici s'animer.

ZAÏRE

700 Hélas, Seigneur !

LUSIGNAN

Ô vous que je n'ose nommer,
Jurez-moi de garder un secret si funeste.

ZAÏRE

Je vous le jure.

LUSIGNAN

Allez, le ciel fera le reste.

ACTE III

Scène première

Orosmane, Corasmin

OROSMANE

Vous étiez, Corasmin, trompé par vos alarmes ;
Non, Louis contre moi ne tourne point ses armes ;
705 Les Français sont lassés de chercher désormais
Des climats que pour eux le destin n'a point faits ;
Ils n'abandonnent point leur fertile patrie,
Pour languir aux déserts de l'aride Arabie [19],
Et venir arroser de leur sang odieux,
710 Ces palmes que pour nous Dieu fait croître en ces lieux.
Ils couvrent de vaisseaux la mer de la Syrie.
Louis, des bords de Chypre, épouvante l'Asie ;
Mais j'apprends que ce roi s'éloigne de nos ports ;
De la féconde Égypte il menace les bords ;
715 J'en reçois à l'instant la première nouvelle.
Contre les Mamelus [20] son courage l'appelle ;
Il cherche Mélédin [21], mon secret ennemi ;
Sur leurs divisions mon trône est affermi.
Je ne crains plus enfin l'Égypte, ni la France.

720 Nos communs ennemis cimentent ma puissance ;
Et prodigues d'un sang qu'ils devraient ménager,
Prennent, en s'immolant, le soin de me venger.
Relâche ces Chrétiens ; ami, je les délivre ;
Je veux plaire à leur maître, et leur permets de vivre :
725 Je veux que sur la mer on les mène à leur roi,
Que Louis me connaisse, et respecte ma foi.
Mène-lui Lusignan ; dis-lui que je lui donne
Celui que la naissance allie à sa couronne,
Celui que par deux fois mon père avait vaincu,
730 Et qu'il tint enchaîné tandis qu'il a vécu.

CORASMIN

Son nom cher aux Chrétiens…

OROSMANE

Son nom n'est point à craindre.

CORASMIN

Mais, Seigneur, si Louis…

OROSMANE

Il n'est plus temps de feindre.
Zaïre l'a voulu ; c'est assez : et mon cœur,
En donnant Lusignan, le donne à mon vainqueur.
735 Louis est peu pour moi ; je fais tout pour Zaïre ;
Nul autre sur mon cœur n'aurait pris cet empire.
Je viens de l'affliger, c'est à moi d'adoucir
Le déplaisir mortel qu'elle a dû ressentir,
Quand, sur les faux avis des desseins de la France,
740 J'ai fait à ces Chrétiens un peu de violence.
Que dis-je ? Ces moments perdus dans mon conseil,
Ont de ce grand hymen suspendu l'appareil :
D'une heure encore, ami, mon bonheur se diffère :
Mais j'emploierai du moins ce temps à lui complaire.
745 Zaïre ici demande un secret entretien
Avec ce Nérestan, ce généreux Chrétien…

CORASMIN

Et vous avez, Seigneur, encor cette indulgence ?

OROSMANE

Ils ont été tous deux esclaves dans l'enfance ;
Ils ont porté mes fers, ils ne se verront plus ;
750 Zaïre enfin de moi n'aura point un refus.
Je ne m'en défends point, je foule aux pieds pour elle
Des rigueurs du sérail la contrainte cruelle.
J'ai méprisé ces lois dont l'âpre austérité
Fait d'une vertu triste une nécessité.
755 Je ne suis point formé du sang asiatique ;
Né parmi les rochers au sein de la Taurique [22],
Des Scythes mes aïeux je garde la fierté,
Leurs mœurs, leurs passions, leur générosité :
Je consens qu'en partant Nérestan la revoie ;
760 Je veux que tous les cœurs soient heureux de ma joie.
Après ce peu d'instants volés à mon amour,
Tous ses moments, ami, sont à moi sans retour.
Va, ce Chrétien attend, et tu peux l'introduire.
Presse son entretien, obéis à Zaïre.

Scène II

Corasmin, Nérestan

CORASMIN

765 En ces lieux, un moment, tu peux encor rester.
Zaïre à tes regards viendra se présenter.

Scène III

Nérestan

En quel état, ô ciel ! en quels lieux je la laisse !
Ô ma religion ! ô mon père ! ô tendresse !
Mais je la vois.

Scène IV

Zaïre, Nérestan

NÉRESTAN

Ma sœur, je puis donc vous parler ?
770 Ah ! dans quel temps le ciel nous voulut rassembler !
Vous ne reverrez plus un trop malheureux père.

ZAÏRE

Dieu, Lusignan !

NÉRESTAN

Il touche à son heure dernière.
Sa joie, en nous voyant, par de trop grands efforts,
De ses sens affaiblis a rompu les ressorts ;
775 Et cette émotion, dont son âme est remplie,
A bientôt épuisé les sources de sa vie.
Mais pour comble d'horreurs, à ces derniers moments,
Il doute de sa fille, et de ses sentiments ;
Il meurt dans l'amertume, et son âme incertaine
780 Demande en soupirant si vous êtes chrétienne.

ZAÏRE

Quoi ! je suis votre sœur, et vous pouvez penser
Qu'à mon sang, à ma loi, j'aille ici renoncer ?

NÉRESTAN

Ah, ma sœur ! cette loi n'est pas la vôtre encore ;
Le jour qui vous éclaire est pour vous à l'aurore ;
785 Vous n'avez point reçu ce gage précieux,
Qui nous lave du crime, et nous ouvre les cieux.
Jurez par nos malheurs, et par votre famille,
Par ces martyrs sacrés, de qui vous êtes fille,
Que vous voulez ici recevoir aujourd'hui
790 Le sceau du Dieu vivant qui nous attache à lui.

ZAÏRE

Oui, je jure en vos mains, par ce Dieu que j'adore,
Par sa loi que je cherche, et que mon cœur ignore,

De vivre désormais sous cette sainte loi…
Mais, mon cher frère… Hélas ! que veut-elle de moi ?
795 Que faut-il ?

NÉRESTAN

Détester l'empire de vos maîtres,
Servir, aimer ce Dieu qu'ont aimé nos ancêtres,
Qui né près de ces murs est mort ici pour nous,
Qui nous a rassemblés, qui m'a conduit vers vous.
Est-ce à moi d'en parler ? Moins instruit que fidèle,
800 Je ne suis qu'un soldat, et je n'ai que du zèle.
Un pontife sacré viendra jusqu'en ces lieux
Vous apporter la vie, et dessiller vos yeux.
Songez à vos serments, et que l'eau du baptême
Ne vous apporte point la mort et l'anathème.
805 Obtenez qu'avec lui je puisse revenir.
Mais à quel titre, ô ciel ! faut-il donc l'obtenir ?
À qui le demander dans ce sérail profane ?…
Vous, le sang de vingt rois, esclave d'Orosmane !
Parente de Louis ! fille de Lusignan !
810 Vous chrétienne, et ma sœur, esclave d'un soudan !
Vous m'entendez… Je n'ose en dire davantage :
Dieu, nous réserviez-vous à ce dernier outrage ?

ZAÏRE

Ah, cruel ! poursuivez, vous ne connaissez pas
Mon secret, mes tourments, mes vœux, mes attentats.
815 Mon frère, ayez pitié d'une sœur égarée,
Qui brûle, qui gémit, qui meurt désespérée.
Je suis chrétienne, hélas !… j'attends avec ardeur
Cette eau sainte, cette eau [23] qui peut guérir mon cœur.
Non, je ne serai point indigne de mon frère,
820 De mes aïeux, de moi, de mon malheureux père.
Mais parlez à Zaïre, et ne lui cachez rien,
Dites… quelle est la loi de l'empire chrétien ?…
Quel est le châtiment pour une infortunée,
Qui loin de ses parents aux fers abandonnée,
825 Trouvant chez un barbare un généreux appui,
Aurait touché son âme, et s'unirait à lui ?

NÉRESTAN

Ô ciel ! que dites-vous ? Ah ! la mort la plus prompte
Devrait…

ZAÏRE

C'en est assez ; frappe, et préviens ta honte.

NÉRESTAN

Qui vous, ma sœur ?

ZAÏRE

C'est moi que je viens d'accuser.
830 Orosmane m'adore… et j'allais l'épouser.

NÉRESTAN

L'épouser ! Est-il vrai, ma sœur ? Est-ce vous-même ?
Vous, la fille des rois ?

ZAÏRE

Frappe, dis-je ; je l'aime.

NÉRESTAN

Opprobre malheureux du sang dont vous sortez,
Vous demandez la mort, et vous la méritez :
835 Et si je n'écoutais que ta honte et ma gloire,
L'honneur de ma maison, mon père, sa mémoire,
Si la loi de ton Dieu, que tu ne connais pas,
Si ma religion ne retenait mon bras,
J'irais dans ce palais, j'irais au moment même,
840 Immoler de ce fer un barbare qui t'aime,
De son indigne flanc le plonger dans le tien,
Et ne l'en retirer que pour percer le mien.
Ciel ! tandis que Louis, l'exemple de la terre,
Au Nil épouvanté ne va porter la guerre,
845 Que pour venir bientôt, frappant des coups plus sûrs,
Délivrer ton Dieu même, et lui rendre ces murs :
Zaïre, cependant, ma sœur, son alliée,
Au tyran d'un sérail par l'hymen est liée ?
Et je vais donc apprendre à Lusignan trahi,
850 Qu'un Tartare est le Dieu que sa fille a choisi ?

Dans ce moment affreux, hélas ! ton père expire,
En demandant à Dieu le salut de Zaïre.

ZAÏRE

Arrête, mon cher frère… Arrête, connais-moi ;
Peut-être que Zaïre est digne encor de toi.
855 Mon frère, épargne-moi cet horrible langage ;
Ton courroux, ton reproche est un plus grand outrage,
Plus sensible pour moi, plus dur que ce trépas,
Que je te demandais, et que je n'obtiens pas.
L'état où tu me vois accable ton courage ;
860 Tu souffres, je le vois ; je souffre davantage.
Je voudrais que du ciel le barbare secours,
De mon sang, dans mon cœur, eût arrêté le cours ;
Le jour qu'empoisonné d'une flamme profane,
Ce pur sang des Chrétiens brûla pour Orosmane,
865 Le jour que de ta sœur Orosmane charmé…
Pardonnez-moi, Chrétiens ; qui ne l'aurait aimé ?
Il faisait tout pour moi ; son cœur m'avait choisie ;
Je voyais sa fierté pour moi seule adoucie.
C'est lui qui des Chrétiens a ranimé l'espoir :
870 C'est à lui que je dois le bonheur de te voir :
Pardonne ; ton courroux, mon père, ma tendresse,
Mes serments, mon devoir, mes remords, ma faiblesse,
Me servent de supplice, et ta sœur en ce jour
Meurt de son repentir plus que de son amour.

NÉRESTAN

875 Je te blâme, et te plains ; crois-moi, la providence
Ne te laissera point périr sans innocence :
Je te pardonne, hélas ! ces combats odieux ;
Dieu ne t'a point prêté son bras victorieux :
Ce bras, qui rend la force aux plus faibles courages,
880 Soutiendra ce roseau plié par les orages.
Il ne souffrira pas qu'à son culte engagé,
Entre un barbare et lui ton cœur soit partagé.
Le baptême éteindra ces feux dont il soupire,
Et tu vivras fidèle, ou périras martyre.
885 Achève donc ici ton serment commencé ;
Achève, et dans l'horreur dont ton cœur est pressé,

Promets au roi Louis, à l'Europe, à ton père,
Au Dieu qui déjà parle à ce cœur si sincère,
De ne point accomplir cet hymen odieux,
890 Avant que le pontife ait éclairé tes yeux,
Avant qu'en ma présence il te fasse chrétienne,
Et que Dieu par ses mains t'adopte et te soutienne.
Le promets-tu, Zaïre ?

ZAÏRE

Oui, je te le promets :
Rends-moi chrétienne et libre ; à tout je me soumets.
895 Va, d'un père expirant, va fermer la paupière ;
Va, je voudrais te suivre, et mourir la première.

NÉRESTAN

Je pars ; adieu, ma sœur, adieu : puisque mes vœux
Ne peuvent t'arracher à ce palais honteux,
Je reviendrai bientôt, par un heureux baptême,
900 T'arracher aux enfers, et te rendre à toi-même.

Scène V

Zaïre, *seule.*

Me voilà seule, ô Dieu ! que vais-je devenir ?
Dieu, commande à mon cœur de ne te point trahir.
Hélas ! suis-je en effet, ou Française, ou sultane ?
Fille de Lusignan, ou femme d'Orosmane ?
905 Suis-je amante, ou chrétienne ? Ô serments que j'ai faits !
Mon père, mon pays, vous serez satisfaits.
Fatime ne vient point. Quoi ! dans ce trouble extrême,
L'univers m'abandonne ! on me laisse à moi-même !
Mon cœur peut-il porter seul, et privé d'appui,
910 Le fardeau des devoirs qu'on m'impose aujourd'hui ?
À ta loi, Dieu puissant, oui, mon âme est rendue ;
Mais fais que mon amant s'éloigne de ma vue.
Cher amant, ce matin l'aurais-je pu prévoir,
Que je dusse aujourd'hui redouter de te voir ?
915 Moi, qui de tant de feux justement possédée,

N'avais d'autre bonheur, d'autre soin, d'autre idée,
Que de t'entretenir, d'écouter ton amour,
Te voir, te souhaiter, attendre ton retour ?
Hélas ! et je t'adore ; et t'aimer est un crime.

Scène VI

Zaïre, Orosmane

OROSMANE

920 Paraissez, tout est prêt ; et l'ardeur qui m'anime,
Ne souffre plus, Madame, aucun retardement ;
Les flambeaux de l'hymen brillent pour votre amant ;
Les parfums de l'encens remplissent la mosquée ;
Du Dieu de Mahomet la puissance invoquée
925 Confirme mes serments, et préside à mes feux.
Mon peuple prosterné pour vous offre ses vœux,
Tout tombe à vos genoux ; vos superbes rivales,
Qui disputaient mon cœur, et marchaient vos égales,
Heureuses de vous suivre, et de vous obéir,
930 Devant vos volontés vont apprendre à fléchir.
Le trône, les festins, et la cérémonie,
Tout est prêt ; commencez le bonheur de ma vie.

ZAÏRE

Où suis-je, malheureuse ? ô tendresse ! ô douleur !

OROSMANE

Venez.

ZAÏRE

Où me cacher ?

OROSMANE

Que dites-vous ?

ZAÏRE

Seigneur…

OROSMANE

935 Donnez-moi votre main ; daignez, belle Zaïre…

ZAÏRE

Dieu de mon père ! hélas ! que pourrai-je lui dire ?

OROSMANE

Que j'aime à triompher de ce tendre embarras !
Qu'il redouble ma flamme et mon bonheur !…

ZAÏRE

Hélas !

OROSMANE

Ce trouble à mes désirs vous rend encor plus chère ;
940 D'une vertu modeste il est le caractère.
Digne et charmant objet de ma constante foi,
Venez, ne tardez plus.

ZAÏRE

Fatime, soutiens-moi…
Seigneur…

OROSMANE

Ô ciel ! eh quoi !

ZAÏRE

Seigneur, cet hyménée
Était un bien suprême à mon âme étonnée.
945 Je n'ai point recherché le trône et la grandeur.
Qu'un sentiment plus juste occupait tout mon cœur !
Hélas ! j'aurais voulu qu'à vos vertus unie,
Et méprisant pour vous les trônes de l'Asie,
Seule, et dans un désert auprès de mon époux,
950 J'eusse pu sous mes pieds les fouler avec vous.
Mais… seigneur… ces Chrétiens…

OROSMANE

Ces Chrétiens… Quoi ! Madame ?
Qu'auraient donc de commun cette secte et ma flamme ?

ZAÏRE

Lusignan, ce vieillard accablé de douleurs,
Termine en ces moments sa vie et ses malheurs.

OROSMANE

955 Eh bien ! quel intérêt si pressant et si tendre,
À ce vieillard chrétien votre cœur peut-il prendre ?
Vous n'êtes point chrétienne ; élevée en ces lieux,
Vous suivez dès longtemps la foi de mes aïeux.
Un vieillard qui succombe au poids de ses années
960 Peut-il troubler ici vos belles destinées ?
Cette aimable pitié, qu'il s'attire de vous,
Doit se perdre avec moi dans des moments si doux.

ZAÏRE

Seigneur, si vous m'aimez, si je vous étais chère…

OROSMANE

Si vous l'êtes, ah Dieu !

ZAÏRE

Souffrez que l'on diffère…
965 Permettez que ces nœuds par vos mains assemblés…

OROSMANE

Que dites-vous ? Ô ciel ! est-ce vous qui parlez,
Zaïre ?

ZAÏRE

Je ne puis soutenir sa colère.

OROSMANE

Zaïre !

ZAÏRE

Il m'est affreux, Seigneur, de vous déplaire ;
Excusez ma douleur… Non, j'oublie à la fois,
970 Et tout ce que je suis, et tout ce que je dois.
Je ne puis soutenir cet aspect qui me tue.
Je ne puis… Ah ! souffrez que loin de votre vue,

Seigneur, j'aille cacher mes larmes, mes ennuis,
Mes vœux, mon désespoir, et l'horreur où je suis.

Elle sort.

Scène VII

Orosmane, Corasmin

OROSMANE

975 Je demeure immobile, et ma langue glacée
Se refuse aux transports de mon âme offensée.
Est-ce à moi que l'on parle ? Ai-je bien entendu ?
Est-ce moi qu'elle fuit ? ô ciel ! et qu'ai-je vu ?
Corasmin, quel est donc ce changement extrême ?
980 Je la laisse échapper ! je m'ignore moi-même.

CORASMIN

Vous seul causez son trouble, et vous vous en [plaignez.
Vous accusez, Seigneur, un cœur où vous régnez !

OROSMANE

Mais pourquoi donc ces pleurs, ces regrets, cette fuite,
Cette douleur si sombre en ses regards écrite ?
985 Si c'était ce Français !... Quel soupçon ! quelle horreur !
Quelle lumière affreuse a passé dans mon cœur !
Hélas ! je repoussais ma juste défiance :
Un barbare, un esclave aurait cette insolence ?
Cher ami, je verrais un cœur comme le mien,
990 Réduit à redouter un esclave chrétien ?
Mais parle, tu pouvais observer son visage,
Tu pouvais de ses yeux entendre le langage :
Ne me déguise rien, mes feux sont-ils trahis ?
Apprends-moi mon malheur... Tu trembles... tu frémis...
995 C'en est assez.

CORASMIN

Je crains d'irriter vos alarmes.

Il est vrai que ses yeux ont versé quelques larmes ;
Mais, Seigneur, après tout, je n'ai rien observé
Qui doive…

OROSMANE

À cet affront je serais réservé ?
Non, si Zaïre, ami, m'avait fait cette offense,
1000 Elle eût avec plus d'art trompé ma confiance.
Le déplaisir secret de son cœur agité,
Si ce cœur est perfide, aurait-il éclaté ?
Écoute, garde-toi de soupçonner Zaïre.
Mais, dis-tu, ce Français gémit, pleure, soupire :
1005 Que m'importe après tout le sujet de ses pleurs ?
Qui sait si l'amour même entre dans ses douleurs ?
Et qu'ai-je à redouter d'un esclave infidèle,
Qui demain pour jamais se va séparer d'elle ?

CORASMIN

N'avez-vous pas, Seigneur, permis, malgré nos lois,
1010 Qu'il jouît de sa vue une seconde fois ?
Qu'il revînt en ces lieux ?

OROSMANE

Qu'il revînt ? Lui ce traître,
Qu'aux yeux de ma maîtresse il osât reparaître ?
Oui, je le lui rendrais, mais mourant, mais puni,
Mais versant à ses yeux le sang qui m'a trahi :
1015 Déchiré devant elle, et ma main dégouttante
Confondrait dans son sang le sang de son amante…
Excuse les transports de ce cœur offensé ;
Il est né violent, il aime, il est blessé.
Je connais mes fureurs, et je crains ma faiblesse ;
1020 À des troubles honteux je sens que je m'abaisse.
Non, c'est trop sur Zaïre arrêter un soupçon ;
Non, son cœur n'est point fait pour une trahison :
Mais ne crois pas non plus que le mien s'avilisse
À souffrir des rigueurs, à gémir d'un caprice,
1025 À me plaindre, à reprendre, à redonner ma foi ;
Les éclaircissements sont indignes de moi.
Il vaut mieux sur mes sens reprendre un juste empire ;

Il vaut mieux oublier jusqu'au nom de Zaïre.
Allons, que le sérail soit fermé pour jamais ;
1030 Que la terreur habite aux portes du palais ;
Que tout ressente ici le frein de l'esclavage.
Des rois de l'Orient suivons l'antique usage.
On peut pour son esclave, oubliant sa fierté,
Laisser tomber sur elle un regard de bonté ;
1035 Mais il est trop honteux de craindre une maîtresse ;
Aux mœurs de l'Occident laissons cette bassesse.
Ce sexe dangereux, qui veut tout asservir,
S'il règne dans l'Europe, ici doit obéir.

ACTE IV

Scène première

Zaïre, Fatime

FATIME

Que je vous plains, Madame, et que je vous admire !
1040 C'est le Dieu des Chrétiens, c'est Dieu qui vous inspire ;
Il donnera la force à vos bras languissants,
De briser des liens si chers et si puissants.

ZAÏRE

Eh ! pourrai-je achever ce fatal sacrifice ?

FATIME

Vous demandez sa grâce, il vous doit sa justice :
1045 De votre cœur docile il doit prendre le soin.

ZAÏRE

Jamais de son appui je n'eus tant de besoin.

FATIME

Si vous ne voyez plus votre auguste famille,
Le Dieu que vous servez vous adopte pour fille :
Vous êtes dans ses bras, il parle à votre cœur ;

1050 Et quand ce saint pontife, organe du Seigneur,
Ne pourrait aborder dans ce palais profane...

ZAÏRE

Ah ! j'ai porté la mort dans le sein d'Orosmane.
J'ai pu désespérer le cœur de mon amant !
Quel outrage, Fatime, et quel affreux moment !
1055 Mon Dieu, vous l'ordonnez, j'eusse été trop heureuse.

FATIME

Quoi ! vous regretteriez cette chaîne honteuse ?
Hasarder la victoire, ayant tant combattu ?

ZAÏRE

Victoire infortunée ! inhumaine vertu !
Non, tu ne connais pas ce que je sacrifie.
1060 Cet amour si puissant, ce charme de ma vie,
Dont j'espérais, hélas ! tant de félicité,
Dans toute son ardeur n'avait point éclaté.
Fatime, j'offre à Dieu mes blessures cruelles ;
Je mouille devant lui de larmes criminelles
1065 Ces lieux, où tu m'as dit qu'il choisit son séjour ;
Je lui crie en pleurant : Ôte-moi mon amour,
Arrache-moi mes vœux, remplis-moi de toi-même ;
Mais, Fatime, à l'instant les traits de ce que j'aime,
Ces traits chers et charmants, que toujours je revois,
1070 Se montrent dans mon âme entre le ciel et moi.
Eh bien, race des rois, dont le ciel me fit naître,
Père, mère, Chrétiens, vous, mon Dieu, vous, mon maître,
Vous qui de mon amant me privez aujourd'hui,
Terminez donc mes jours, qui ne sont plus pour lui.
1075 Que j'expire innocente, et qu'une main si chère
De ces yeux qu'il aimait ferme au moins la paupière.
Ah ! que fait Orosmane ? Il ne s'informe pas,
Si j'attends loin de lui la vie ou le trépas ;
Il me fuit, il me laisse, et je n'y peux survivre.

FATIME

1080 Quoi vous ! fille des rois, que vous prétendez suivre,
Vous dans les bras d'un Dieu, votre éternel appui ?...

ZAÏRE

Eh ! pourquoi mon amant n'est-il pas né pour lui ?
Orosmane est-il fait pour être sa victime ?
Dieu pourrait-il haïr un cœur si magnanime ?
1085 Généreux, bienfaisant, juste, plein de vertus,
S'il était né chrétien, que serait-il de plus ?
Et plût à Dieu du moins que ce saint interprète,
Ce ministre sacré, que mon âme souhaite,
Du trouble où tu me vois vînt bientôt me tirer !
1090 Je ne sais ; mais enfin, j'ose encore espérer,
Que ce Dieu, dont cent fois on m'a peint la clémence,
Ne réprouverait point une telle alliance ;
Peut-être de Zaïre en secret adoré,
Il pardonne aux combats de ce cœur déchiré ;
1095 Peut-être en me laissant au trône de Syrie,
Il soutiendrait par moi les Chrétiens de l'Asie.
Fatime, tu le sais, ce puissant Saladin,
Qui ravit à mon sang l'empire du Jourdain,
Qui fit comme Orosmane admirer sa clémence,
1100 Au sein d'une Chrétienne il avait pris naissance [24].

FATIME

Ah ! ne voyez-vous pas que pour vous consoler…

ZAÏRE

Laisse-moi ; je vois tout ; je meurs sans m'aveugler :
Je vois que mon pays, mon sang, tout me condamne :
Que je suis Lusignan, que j'adore Orosmane ;
1105 Que mes vœux, que mes jours à ses jours sont liés.
Je voudrais quelquefois me jeter à ses pieds,
De tout ce que je suis faire un aveu sincère.

FATIME

Songez que cet aveu peut perdre votre frère,
Expose les Chrétiens, qui n'ont que vous d'appui,
1110 Et va trahir le Dieu, qui vous rappelle à lui.

ZAÏRE

Ah ! si tu connaissais le grand cœur d'Orosmane !

FATIME

Il est le protecteur de la loi musulmane ;
Et plus il vous adore, et moins il peut souffrir
Qu'on vous ose annoncer un Dieu qu'il doit haïr.
1115 Le pontife à vos yeux en secret va se rendre,
Et vous avez promis…

ZAÏRE

Eh bien, il faut l'attendre.
J'ai promis, j'ai juré de garder ce secret :
Hélas ! qu'à mon amant je le tais à regret !
Et pour comble d'horreur je ne suis plus aimée.

Scène II

Orosmane, Zaïre

OROSMANE

1120 Madame, il fut un temps où mon âme charmée,
Écoutant sans rougir des sentiments trop chers,
Se fit une vertu de languir dans vos fers.
Je croyais être aimé, Madame, et votre maître,
Soupirant à vos pieds, devait s'attendre à l'être :
1125 Vous ne m'entendrez point, amant faible et jaloux,
En reproches honteux éclater contre vous ;
Cruellement blessé, mais trop fier pour me plaindre,
Trop généreux, trop grand, pour m'abaisser à feindre,
Je viens vous déclarer que le plus froid mépris
1130 De vos caprices vains sera le digne prix.
Ne vous préparez point à tromper ma tendresse,
À chercher des raisons dont la flatteuse adresse,
À mes yeux éblouis colorant vos refus,
Vous ramène un amant qui ne vous connaît plus ;
1135 Et qui craignant surtout qu'à rougir on l'expose,
D'un refus outrageant veut ignorer la cause.
Madame, c'en est fait, une autre va monter
Au rang que mon amour vous daignait présenter ;
Une autre aura des yeux, et va du moins connaître

1140 De quel prix mon amour et ma main devaient être.
Il pourra m'en coûter, mais mon cœur s'y résout.
Apprenez qu'Orosmane est capable de tout,
Que j'aime mieux vous perdre, et loin de votre vue
Mourir désespéré de vous avoir perdue,
1145 Que de vous posséder, s'il faut qu'à votre foi
Il en coûte un soupir qui ne soit pas pour moi.
Allez, mes yeux jamais ne reverront vos charmes.

ZAÏRE

Tu m'as donc tout ravi, Dieu témoin de mes larmes !
Tu veux commander seul à mes sens éperdus…
1150 Eh bien, puisqu'il est vrai que vous ne m'aimez plus,
Seigneur…

OROSMANE

Il est trop vrai que l'honneur me l'ordonne,
Que je vous adorai, que je vous abandonne,
Que je renonce à vous, que vous le désirez,
Que sous une autre loi… Zaïre, vous pleurez [25] ?

ZAÏRE

1155 Ah ! Seigneur ! ah ! du moins gardez de jamais croire,
Que du rang d'un soudan je regrette la gloire :
Je sais qu'il faut vous perdre, et mon sort l'a voulu :
Mais, Seigneur, mais mon cœur ne vous est pas connu.
Me punisse à jamais ce ciel qui me condamne,
1160 Si je regrette rien que le cœur d'Orosmane !

OROSMANE

Zaïre, vous m'aimez !

ZAÏRE

Dieu ! si je l'aime, hélas !

OROSMANE

Quel caprice étonnant que je ne conçois pas !
Vous m'aimez ? Eh, pourquoi vous forcez-vous, cruelle,
À déchirer le cœur d'un amant si fidèle ?
1165 Je me connaissais mal ; oui, dans mon désespoir,

J'avais cru sur moi-même avoir plus de pouvoir.
Va, mon cœur est bien loin d'un pouvoir si funeste.
Zaïre, que jamais la vengeance céleste
Ne donne à ton amant enchaîné sous ta loi,
1170 La force d'oublier l'amour qu'il a pour toi !
Qui, moi ? que sur mon trône une autre fût placée !
Non, je n'en eus jamais la fatale pensée :
Pardonne à mon courroux, à mes sens interdits,
Ces dédains affectés, et si bien démentis ;
1175 C'est le seul déplaisir que jamais dans ta vie,
Le ciel aura voulu que ta tendresse essuie.
Je t'aimerai toujours… Mais d'où vient que ton cœur,
En partageant mes feux, différait mon bonheur ?
Parle. Était-ce un caprice ? Est-ce crainte d'un maître,
1180 D'un soudan, qui pour toi veut renoncer à l'être ?
Serait-ce un artifice ? Épargne-toi ce soin ;
L'art n'est pas fait pour toi, tu n'en as pas besoin :
Qu'il ne souille jamais le saint nœud qui nous lie !
L'art le plus innocent tient de la perfidie.
1185 Je n'en connus jamais, et mes sens déchirés,
Pleins d'un amour si vrai…

ZAÏRE

Vous me désespérez.
Vous m'êtes cher, sans doute, et ma tendresse extrême
Est le comble des maux pour ce cœur qui vous aime.

OROSMANE

Ô ciel ! expliquez-vous. Quoi ! toujours me troubler ?
1190 Se peut-il ?…

ZAÏRE

Dieu puissant, que ne puis-je parler ?

OROSMANE

Quel étrange secret me cachez-vous, Zaïre ?
Est-il quelque Chrétien qui contre moi conspire ?
Me trahit-on ? Parlez.

ZAÏRE

Eh ! peut-on vous trahir ?
Seigneur, entre eux et vous vous me verriez courir :
1195 On ne vous trahit point, pour vous rien n'est à craindre ;
Mon malheur est pour moi, je suis la seule à plaindre.

OROSMANE

Vous, à plaindre, grand Dieu !

ZAÏRE

Souffrez qu'à vos genoux
Je demande en tremblant une grâce de vous.

OROSMANE

Une grâce ! ordonnez, et demandez ma vie.

ZAÏRE

1200 Plût au ciel qu'à vos jours la mienne fût unie !
Orosmane… Seigneur… permettez qu'aujourd'hui,
Seule, loin de vous-même, et toute à mon ennui,
D'un œil plus recueilli contemplant ma fortune,
Je cache à votre oreille une plainte importune…
1205 Demain tous mes secrets vous seront révélés.

OROSMANE

De quelle inquiétude, ô ciel, vous m'accablez !
Pouvez-vous ?…

ZAÏRE

Si pour moi l'amour vous parle encore,
Ne me refusez pas la grâce que j'implore.

OROSMANE

Eh bien, il faut vouloir tout ce que vous voulez ;
1210 J'y consens ; il en coûte à mes sens désolés.
Allez, souvenez-vous que je vous sacrifie
Les moments les plus beaux, les plus chers de ma vie.

ZAÏRE

En me parlant ainsi, vous me percez le cœur.

OROSMANE

Eh bien, vous me quittez, Zaïre ?

ZAÏRE

Hélas ! Seigneur !

Scène III

Orosmane, Corasmin

OROSMANE

1215 Ah ! c'est trop tôt chercher ce solitaire asile,
C'est trop tôt abuser de ma bonté facile ;
Et plus j'y pense, ami, moins je puis concevoir
Le sujet si caché de tant de désespoir.
Quoi donc ! par ma tendresse élevée à l'empire,
1220 Dans le sein du bonheur que son âme désire,
Près d'un amant qu'elle aime, et qui brûle à ses pieds,
Ses yeux remplis d'amour, de larmes sont noyés.
Je suis bien indigné de voir tant de caprices.
Mais moi-même après tout eus-je moins d'injustices ?
1225 Ai-je été moins coupable à ses yeux offensés ?
Est-ce à moi de me plaindre ? On m'aime, c'est assez.
Il me faut expier, par un peu d'indulgence,
De mes transports jaloux l'injurieuse offense.
Je me rends ; je le vois, son cœur est sans détours ;
1230 La nature naïve anime ses discours.
Elle est dans l'âge heureux où règne l'innocence ;
À sa sincérité je dois ma confiance.
Elle m'aime sans doute ; oui, j'ai lu devant toi,
Dans ses yeux attendris, l'amour qu'elle a pour moi ;
1235 Et son âme éprouvant cette ardeur qui me touche,
Vingt fois pour me le dire a volé sur sa bouche.
Qui peut avoir un cœur assez traître, assez bas,
Pour montrer tant d'amour, et ne le sentir pas ?

Scène IV

Orosmane, Corasmin, Mélédor

MÉLÉDOR

Cette lettre, Seigneur, à Zaïre adressée,
1240 Par vos gardes saisie, et dans mes mains laissée…

OROSMANE

Donne… qui la portait ?… Donne.

MÉLÉDOR

Un de ces Chrétiens
Dont vos bontés, Seigneur, ont brisé les liens.
Au sérail, en secret, il allait s'introduire ;
On l'a mis dans les fers.

OROSMANE

Hélas ! que vais-je lire ?
1245 Laisse-nous… Je frémis.

Scène V

Orosmane, Corasmin

CORASMIN

Cette lettre, Seigneur,
Pourra vous éclaircir, et calmer votre cœur.

OROSMANE

Ah ! lisons ; ma main tremble, et mon âme étonnée
Prévoit que ce billet contient ma destinée.
Lisons… *Chère Zaïre, il est temps de nous voir*
1250 *Il est vers la mosquée une secrète issue,*
Où vous pouvez sans bruit, et sans être aperçue,
Tromper vos surveillants, et remplir notre espoir :
Il faut tout hasarder ; vous connaissez mon zèle :
Je vous attends ; je meurs, si vous n'êtes fidèle.
1255 Eh bien ! cher Corasmin, que dis-tu ?

CORASMIN

Moi, Seigneur ?
Je suis épouvanté de ce comble d'horreur.

OROSMANE

Tu vois comme on me traite.

CORASMIN

Ô trahison horrible !
Seigneur, à cet affront vous êtes insensible ?
Vous, dont le cœur tantôt, sur un simple soupçon,
1260 D'une douleur si vive a reçu le poison ?
Ah ! sans doute l'horreur d'une action si noire
Vous guérit d'un amour qui blessait votre gloire.

OROSMANE

Cours chez elle à l'instant, va, vole, Corasmin :
Montre-lui cet écrit... Qu'elle tremble... et soudain
1265 De cent coups de poignard que l'infidèle meure.
Mais avant de frapper... Ah ! cher ami, demeure,
Demeure, il n'est pas temps. Je veux que ce Chrétien
Devant elle amené... non... je ne veux plus rien...
Je me meurs... Je succombe à l'excès de ma rage.

CORASMIN

1270 On ne reçut jamais un si sanglant outrage.

OROSMANE

Le voilà donc connu, ce secret plein d'horreur !
Ce secret qui pesait à son infâme cœur !
Sous le voile emprunté d'une crainte ingénue,
Elle veut quelque temps se soustraire à ma vue.
1275 Je me fais cet effort, je la laisse sortir ;
Elle part en pleurant... et c'est pour me trahir.
Quoi, Zaïre !

CORASMIN

Tout sert à redoubler son crime.
Seigneur, n'en soyez pas l'innocente victime,
Et de vos sentiments rappelant la grandeur...

OROSMANE

1280 C'est là ce Nérestan, ce héros plein d'honneur,
Ce Chrétien si vanté, qui remplissait Solyme
De ce faste imposant de sa vertu sublime !
Je l'admirais moi-même, et mon cœur combattu
S'indignait qu'un Chrétien m'égalât en vertu.
1285 Ah ! qu'il va me payer sa fourbe abominable !
Mais Zaïre, Zaïre est cent fois plus coupable.
Une esclave chrétienne, et que j'ai pu [26] laisser
Dans les plus vils emplois languir sans l'abaisser !
Une esclave ! Elle sait ce que j'ai fait pour elle.
1290 Ah malheureux !

CORASMIN

Seigneur, si vous souffrez mon zèle,
Si, parmi les horreurs qui doivent vous troubler,
Vous vouliez…

OROSMANE

Oui, je veux la voir et lui parler.
Allez, volez, esclave, et m'amenez Zaïre.

CORASMIN

Hélas ! en cet état que pourrez-vous lui dire ?

OROSMANE

1295 Je ne sais, cher ami, mais je prétends la voir.

CORASMIN

Ah ! Seigneur, vous allez, dans votre désespoir,
Vous plaindre, menacer, faire couler ses larmes.
Vos bontés contre vous lui donneront des armes ;
Et votre cœur séduit, malgré tous vos soupçons,
1300 Pour la justifier cherchera des raisons.
M'en croirez-vous ? cachez cette lettre à sa vue.
Prenez pour la lui rendre une main inconnue.
Par-là, malgré la fraude et les déguisements,
Vos yeux démêleront ses secrets sentiments,
1305 Et des plis de son cœur verront tout l'artifice.

OROSMANE

Penses-tu qu'en effet Zaïre me trahisse ?...
Allons, quoi qu'il en soit, je vais tenter mon sort,
Et pousser la vertu jusqu'au dernier effort.
Je veux voir à quel point une femme hardie
1310 Saura de son côté pousser la perfidie.

CORASMIN

Seigneur, je crains pour vous ce funeste entretien ;
Un cœur tel que le vôtre...

OROSMANE

Ah ! n'en redoute rien.
À son exemple, hélas ! ce cœur ne saurait feindre.
Mais j'ai la fermeté de savoir me contraindre :
1315 Oui, puisqu'elle m'abaisse à connaître un rival...
Tiens, reçois ce billet à tous trois si fatal :
Va, choisis pour le rendre un esclave fidèle,
Mets en de sûres mains cette lettre cruelle ;
Va, cours... Je ferai plus, j'éviterai ses yeux ;
1320 Qu'elle n'approche pas... C'est elle, justes cieux !

Scène VI

Orosmane, Zaïre

ZAÏRE

Seigneur, vous m'étonnez ; quelle raison soudaine,
Quel ordre si pressant près de vous me ramène ?

OROSMANE

Eh bien, Madame, il faut que vous m'éclaircissiez :
Cet ordre est important plus que vous ne croyez ;
1325 Je me suis consulté... Malheureux l'un par l'autre,
Il faut régler d'un mot et mon sort et le vôtre.
Peut-être qu'en effet ce que j'ai fait pour vous,
Mon orgueil oublié, mon sceptre à vos genoux,
Mes bienfaits, mon respect, mes soins, ma confiance,

1330 Ont arraché de vous quelque reconnaissance.
Votre cœur, par un maître attaqué chaque jour,
Vaincu par mes bienfaits, crut l'être par l'amour.
Dans votre âme, avec vous, il est temps que je lise ;
Il faut que ses replis s'ouvrent à ma franchise.
1335 Jugez-vous : répondez avec la vérité
Que vous devez au moins à ma sincérité.
Si de quelque autre amour l'invincible puissance
L'emporte sur mes soins, ou même les balance,
Il faut me l'avouer, et dans ce même instant,
1340 Ta grâce est dans mon cœur ; prononce, elle t'attend.
Sacrifie à ma foi l'insolent qui t'adore :
Songe que je te vois, que je te parle encore,
Que ma foudre à ta voix pourra se détourner,
Que c'est le seul moment où je peux pardonner.

ZAÏRE

1345 Vous, Seigneur ! vous osez me tenir ce langage ?
Vous, cruel !... Apprenez que ce cœur qu'on outrage,
Et que par tant d'horreurs le ciel veut éprouver,
S'il ne vous aimait pas, est né pour vous braver.
Je ne crains rien ici que ma funeste flamme ;
1350 N'imputez qu'à ce feu qui brûle encor mon âme,
N'imputez qu'à l'amour, que je dois oublier,
La honte où je descends de me justifier.
J'ignore si le ciel, qui m'a toujours trahie,
A destiné pour vous ma malheureuse vie.
1355 Quoi qu'il puisse arriver, je jure par l'honneur,
Qui non moins que l'amour est gravé dans mon cœur,
Je jure que Zaïre à soi-même rendue,
Des rois les plus puissants détesterait la vue,
Que tout autre, après vous, me serait odieux.
1360 Voulez-vous plus savoir, et me connaître mieux ?
Voulez-vous que ce cœur, à l'amertume en proie,
Ce cœur désespéré devant vous se déploie ?
Sachez donc qu'en secret il pensait malgré lui
Tout ce que devant vous il déclare aujourd'hui ;
1365 Qu'il soupirait pour vous, avant que vos tendresses
Vinssent justifier mes naissantes faiblesses ;
Qu'il prévint vos bienfaits, qu'il brûlait à vos pieds,

Qu'il vous aimait enfin, lorsque vous m'ignoriez ;
Qu'il n'eut jamais que vous, n'aura que vous pour maître.
1370 J'en atteste le ciel, que j'offense peut-être ;
Et si j'ai mérité son éternel courroux,
Si mon cœur fut coupable, ingrat, c'était pour vous.

OROSMANE

Quoi ! des plus tendres feux sa bouche encor m'assure !
Quel excès de noirceur ! Zaïre !… ah la parjure !
1375 Quand de sa trahison j'ai la preuve en ma main !

ZAÏRE

Que dites-vous ? Quel trouble agite votre sein ?

OROSMANE

Je ne suis point troublé. Vous m'aimez ?

ZAÏRE

Votre bouche
Peut-elle me parler avec ce ton farouche,
D'un feu si tendrement déclaré chaque jour ?
1380 Vous me glacez de crainte, en me parlant d'amour.

OROSMANE

Vous m'aimez ?

ZAÏRE

Vous pouvez douter de ma tendresse !
Mais encore une fois quelle fureur vous presse ?
Quels regards effrayants vous me lancez ! hélas !
Vous doutez de mon cœur ?

OROSMANE

Non, je n'en doute pas.
1385 Allez, rentrez, Madame.

Scène VII

Orosmane, Corasmin

OROSMANE

Ami, sa perfidie
Au comble de l'horreur ne s'est pas démentie ;
Tranquille dans le crime, et fausse avec douceur,
Elle a jusques au bout soutenu sa noirceur.
As-tu trouvé l'esclave ? as-tu servi ma rage ?
1390 Connaîtrai-je à la fois son crime et mon outrage ?

CORASMIN

Oui, je viens d'obéir ; mais vous ne pouvez pas
Soupirer désormais pour ses traîtres appas :
Vous la verrez sans doute avec indifférence,
Sans que le repentir succède à la vengeance,
1395 Sans que l'amour sur vous en repousse les traits.

OROSMANE

Corasmin, je l'adore encor plus que jamais.

CORASMIN

Vous ? ô ciel ! vous ?

OROSMANE

Je vois un rayon d'espérance.
Cet odieux Chrétien, l'élève de la France,
Est jeune, impatient, léger, présomptueux,
1400 Il peut croire aisément ses téméraires vœux :
Son amour indiscret, et plein de confiance,
Aura de ses soupirs hasardé l'insolence :
Un regard de Zaïre aura pu l'aveugler :
Sans doute il est aisé de s'en laisser troubler :
1405 Il croit qu'il est aimé, c'est lui seul qui m'offense ;
Peut-être ils ne sont point tous deux d'intelligence :
Zaïre n'a point vu ce billet criminel,
Et j'en croyais trop tôt mon déplaisir mortel.
Corasmin, écoutez… Dès que la nuit plus sombre
1410 Aux crimes des mortels viendra prêter son ombre,

Sitôt que ce Chrétien chargé de mes bienfaits,
Nérestan, paraîtra sous les murs du palais,
Ayez soin qu'à l'instant la garde le saisisse,
Qu'on prépare pour lui le plus honteux supplice,
1415 Et que chargé de fers il me soit présenté.
Laissez surtout, laissez Zaïre en liberté.
Tu vois mon cœur, tu vois à quel excès je l'aime.
Ma fureur est plus grande, et j'en tremble moi-même.
J'ai honte des douleurs où je me suis plongé ;
1420 Mais malheur aux ingrats qui m'auront outragé !

ACTE V

Scène première

Orosmane, Corasmin, un esclave

OROSMANE

On l'a fait avertir, l'ingrate va paraître.
Songe que dans tes mains est le sort de ton maître ;
Donne-lui le billet de ce traître chrétien ;
Rends-moi compte de tout, examine-la bien.
1425 Porte-moi sa réponse. On approche… C'est elle.

À Corasmin.

Viens, d'un malheureux prince ami tendre et fidèle,
Viens m'aider à cacher ma rage et mes ennuis.

Scène II

Zaïre, Fatime, l'esclave

ZAÏRE

Eh qui peut me parler dans l'état où je suis ?
À tant d'horreurs, hélas ! qui pourra me soustraire ?
1430 Le sérail est fermé ! Dieu ! si c'était mon frère !

Si la main de ce Dieu, pour soutenir ma foi,
Par des chemins cachés, le conduisait vers moi !
Quel esclave inconnu se présente à ma vue ?

L'ESCLAVE

Cette lettre en secret à mes mains parvenue,
1435 Pourra vous assurer de ma fidélité.

ZAÏRE

Donne.

Elle lit.

FATIME, *à part, pendant que Zaïre lit.*

Dieu tout-puissant, éclate en ta bonté,
Fais descendre ta grâce en ce séjour profane,
Arrache ma princesse au barbare Orosmane.

ZAÏRE, *à Fatime.*

Je voudrais te parler.

FATIME, *à l'esclave.*

Allez, retirez-vous ;
1440 On vous rappellera, soyez prêt, laissez-nous.

Scène III

Zaïre, Fatime

ZAÏRE

Lis ce billet : hélas ! dis-moi ce qu'il faut faire ;
Je voudrais obéir aux ordres de mon frère.

FATIME

Dites plutôt, Madame, aux ordres éternels
D'un Dieu qui vous demande au pied de ses autels.
1445 Ce n'est point Nérestan, c'est Dieu qui vous appelle.

ZAÏRE

Je le sais, à sa voix je ne suis point rebelle,

J'en ai fait le serment : mais puis-je m'engager,
Moi, les Chrétiens, mon frère, en un si grand danger ?

FATIME

Ce n'est point leur danger dont vous êtes troublée,
1450 Votre amour parle seul à votre âme ébranlée.
Je connais votre cœur ; il penserait comme eux,
Il hasarderait tout, s'il n'était amoureux.
Ah ! connaissez du moins l'erreur qui vous engage.
Vous tremblez d'offenser l'amant qui vous outrage.
1455 Quoi ! ne voyez-vous pas toutes ses cruautés,
Et l'âme d'un Tartare, à travers ses bontés ?
Ce tigre, encor farouche au sein de sa tendresse,
Même en vous adorant, menaçait sa maîtresse…
Et votre cœur encor ne s'en peut détacher ?
1460 Vous soupirez pour lui ?

ZAÏRE

Qu'ai-je à lui reprocher ?
C'est moi qui l'offensais, moi qu'en cette journée
Il a vu souhaiter ce fatal hyménée ;
Le trône était tout prêt, le temple était paré,
Mon amant m'adorait, et j'ai tout différé.
1465 Moi, qui devais ici trembler sous sa puissance,
J'ai de ses sentiments bravé la violence ;
J'ai soumis son amour, il fait ce que je veux,
Il m'a sacrifié ses transports amoureux.

FATIME

Ce malheureux amour, dont votre âme est blessée,
1470 Peut-il en ce moment remplir votre pensée ?

ZAÏRE

Ah ! Fatime, tout sert à me désespérer.
Je sais que du sérail rien ne peut me tirer :
Je voudrais des Chrétiens voir l'heureuse contrée,
Quitter ce lieu funeste à mon âme égarée ;
1475 Et je sens qu'à l'instant, prompte à me démentir,
Je fais des vœux secrets pour n'en jamais sortir.
Quel état ! quel tourment ! Non, mon âme inquiète

Ne sait ce qu'elle doit, ni ce qu'elle souhaite ;
Une terreur affreuse est tout ce que je sens.
1480 Dieu, détourne de moi ces noirs pressentiments ;
Prends soin de nos Chrétiens, et veille sur mon frère ;
Prends soin, du haut des cieux, d'une tête si chère.
Oui, je le vais trouver, je lui vais obéir :
Mais dès que de Solyme il aura pu partir,
1485 Par son absence alors à parler enhardie,
J'apprends à mon amant le secret de ma vie :
Je lui dirai le culte où mon cœur est lié ;
Il lira dans ce cœur, il en aura pitié.
Mais dussé-je au supplice être ici condamnée,
1490 Je ne trahirai point le sang dont je suis née.
Va, tu peux amener mon cher frère en ces lieux.
Rappelle cet esclave.

Scène IV

ZAÏRE, *seule.*

Ô Dieu de mes aïeux,
Dieu de tous mes parents, de mon malheureux père,
Que ta main me conduise, et que ton œil m'éclaire !

Scène V

Zaïre, l'esclave

ZAÏRE

1495 Allez dire au Chrétien qui marche sur vos pas
Que mon cœur aujourd'hui ne le trahira pas,
Que Fatime en ces lieux va bientôt l'introduire.

À part.

Allons, rassure-toi, malheureuse Zaïre !

Scène VI

Orosmane, Corasmin, l'esclave

OROSMANE

Que ces moments, grand Dieu, sont lents pour ma fureur !

À l'esclave.

1500 Eh bien, que t'a-t-on dit ? Réponds. Parle.

L'ESCLAVE

Seigneur,

On n'a jamais senti de si vives alarmes.
Elle a pâli, tremblé, ses yeux versaient des larmes ;
Elle m'a fait sortir, elle m'a rappelé,
Et d'une voix tremblante, et d'un cœur tout troublé,
1505 Près de ces lieux, Seigneur, elle a promis d'attendre
Celui qui cette nuit à ses yeux doit se rendre.

OROSMANE

Allez, il me suffit.

À Corasmin.

Ôte-toi de mes yeux,
Laisse-moi : tout mortel me devient odieux.
Laisse-moi seul, te dis-je, à ma fureur extrême.
1510 Je hais le monde entier, je m'abhorre moi-même.

Scène VII

Orosmane, *seul.*

Où suis-je ? ô ciel, où suis-je ? où porté-je mes vœux ?
Zaïre, Nérestan… couple ingrat, couple affreux,
Traîtres, arrachez-moi ce jour que je respire,
Ce jour souillé par vous… Misérable Zaïre,
1515 Tu ne jouiras pas… Corasmin, revenez.

Scène VIII

Orosmane, Corasmin

Ah ! trop cruel ami, quoi, vous m'abandonnez ?
Venez ; a-t-il paru, ce rival, ce coupable ?

CORASMIN

Rien ne paraît encore.

OROSMANE

Ô nuit ! nuit effroyable !
Peux-tu prêter ton voile à de pareils forfaits ?
1520 Zaïre !... l'infidèle... après tant de bienfaits !
J'aurais d'un œil serein, d'un front inaltérable,
Contemplé de mon rang la chute épouvantable :
J'aurais su, dans l'horreur de la captivité,
Conserver mon courage et ma tranquillité ;
1525 Mais me voir à ce point trompé par ce que j'aime !...

CORASMIN

Eh ! que prétendez-vous dans cette horreur extrême ?
Quel est votre dessein ?

OROSMANE

N'entends-tu pas des cris ?

CORASMIN

Seigneur...

OROSMANE

Un bruit affreux a frappé mes esprits.
On vient.

CORASMIN

Non, jusqu'ici nul mortel ne s'avance ;
1530 Le sérail est plongé dans un profond silence ;
Tout dort, tout est tranquille, et l'ombre de la nuit...

OROSMANE

Hélas ! le crime veille, et son horreur me suit.
À ce coupable excès porter sa hardiesse !
Tu ne connaissais pas mon cœur et ma tendresse,
1535 Combien je t'adorais ! quels feux ! Ah, Corasmin !
Un seul de ses regards aurait fait mon destin.
Je ne puis être heureux, ni souffrir que par elle.
Prends pitié de ma rage. Oui, cours… Ah, la cruelle !

CORASMIN

Est-ce vous qui pleurez ? Vous, Orosmane ? Ô cieux !

OROSMANE

1540 Voilà les premiers pleurs qui coulent de mes yeux.
Tu vois mon sort, tu vois la honte où je me livre :
Mais ces pleurs sont cruels, et la mort va les suivre :
Plains Zaïre, plains-moi ; l'heure approche, ces pleurs
Du sang qui va couler sont les avant-coureurs.

CORASMIN

1545 Ah ! je tremble pour vous.

OROSMANE

Frémis de mes souffrances,
Frémis de mon amour, frémis de mes vengeances.
Approche, viens, j'entends… je ne me trompe pas.

CORASMIN

Sous les murs du palais quelqu'un porte ses pas.

OROSMANE

Va saisir Nérestan va, dis-je, qu'on l'enchaîne ;
1550 Que tout chargé de fers à mes yeux on l'entraîne.

Scène IX

Orosmane, Zaïre et Fatime,
marchant pendant la nuit dans l'enfoncement du théâtre.

ZAÏRE

Viens, Fatime.

OROSMANE

Qu'entends-je ! Est-ce là cette voix
Dont les sons enchanteurs m'ont séduit tant de fois ?
Cette voix qui trahit un feu si légitime ?
Cette voix infidèle, et l'organe du crime ?
1555 Perfide !... Vengeons-nous... Quoi ! c'est elle ? ô [destin !

Il tire son poignard.

Zaïre ! ah Dieu !... ce fer échappe de ma main.

ZAÏRE, *à Fatime.*

C'est ici le chemin, viens, soutiens mon courage.

FATIME

Il va venir.

OROSMANE

Ce mot me rend toute ma rage.

ZAÏRE

Je marche en frissonnant, mon cœur est éperdu...
1560 Est-ce vous, Nérestan, que j'ai tant attendu ?

OROSMANE, *courant à Zaïre.*

C'est moi que tu trahis : tombe à mes pieds, parjure.

ZAÏRE, *tombant dans la coulisse.*

Je me meurs, ô mon Dieu !

OROSMANE

J'ai vengé mon injure.

Ôtons-nous de ces lieux. Je ne puis… Qu'ai-je fait ?…
Rien que de juste… Allons, j'ai puni son forfait.
1565 Ah ! voici son amant, que mon destin m'envoie,
Pour remplir ma vengeance et ma cruelle joie.

Scène dernière

Orosmane, Zaïre, Nérestan, Corasmin, Fatime, esclaves

OROSMANE

Approche, malheureux, qui viens de m'arracher,
De m'ôter pour jamais ce qui me fut si cher ;
Méprisable ennemi, qui fais encor paraître
1570 L'audace d'un héros avec l'âme d'un traître ;
Tu m'imposais ici pour me déshonorer.
Va, le prix en est prêt ; tu peux t'y préparer.
Tes maux vont égaler les maux où tu m'exposes,
Et ton ingratitude, et l'horreur que tu causes.
1575 Avez-vous ordonné son supplice ?

CORASMIN

Oui, Seigneur.

OROSMANE

Il commence déjà dans le fond de ton cœur.
Tes yeux cherchent partout, et demandent encore
La perfide qui t'aime, et qui me déshonore.
Regarde, elle est ici.

NÉRESTAN

Que dis-tu ? Quelle erreur…

OROSMANE

1580 Regarde-la, te dis-je.

NÉRESTAN

Ah ! que vois-je ! Ah, ma sœur !
Zaïre !… Elle n'est plus ! Ah, monstre ! Ah, jour horrible !

OROSMANE

Sa sœur ! Qu'ai-je entendu ? Dieu, serait-il possible ?

NÉRESTAN

Barbare, il est trop vrai : viens épuiser mon flanc
Du reste infortuné de cet auguste sang.
1585 Lusignan, ce vieillard, fut son malheureux père,
Il venait dans mes bras d'achever sa misère,
Et d'un père expiré j'apportais en ces lieux
La volonté dernière, et les derniers adieux ;
Je venais, dans un cœur trop faible et trop sensible,
1590 Rappeler des Chrétiens le culte incorruptible.
Hélas ! elle offensait notre Dieu, notre loi ;
Et ce Dieu la punit d'avoir brûlé pour toi.

OROSMANE

Zaïre !... Elle m'aimait ? Est-il bien vrai, Fatime ?
Sa sœur ?... J'étais aimé ?

FATIME

Cruel ! voilà son crime.
1595 Tigre altéré de sang[27], tu viens de massacrer
Celle qui malgré soi constante à t'adorer,
Se flattait, espérait que le Dieu de ses pères
Recevrait le tribut de ses larmes sincères ;
Qu'il verrait en pitié cet amour malheureux,
1600 Que peut-être il voudrait vous réunir tous deux.
Hélas ! à cet excès son cœur l'avait trompée ;
De cet espoir trop tendre elle était occupée ;
Tu balançais son Dieu dans son cœur alarmé.

OROSMANE

Tu m'en as dit assez. Ô ciel ! j'étais aimé !
1605 Va, je n'ai pas besoin d'en savoir davantage...

NÉRESTAN

Cruel ! qu'attends-tu donc pour assouvir ta rage ?
Il ne reste que moi de ce sang glorieux,
Dont ton père et ton bras ont inondé ces lieux ;

Rejoins un malheureux à sa triste famille,
1610 Au héros dont tu viens d'assassiner la fille.
Tes tourments sont-ils prêts ? Je puis braver tes coups ;
Tu m'as fait éprouver le plus cruel de tous.
Mais la soif de mon sang, qui toujours te dévore,
Permet-elle à l'honneur de te parler encore ?
1615 En m'arrachant le jour, souviens-toi des Chrétiens,
Dont tu m'avais juré de briser les liens ;
Dans sa férocité ton cœur impitoyable,
De ce trait généreux serait-il bien capable ?
Parle ; à ce prix encor je bénis mon trépas.

OROSMANE, *allant vers le corps de Zaïre.*

1620 Zaïre !

CORASMIN

Hélas ! Seigneur, où portez-vous vos pas ?
Rentrez, trop de douleur de votre âme s'empare.
Souffrez que Nérestan…

NÉRESTAN

Qu'ordonnes-tu, barbare ?

OROSMANE, *après une longue pause.*

Qu'on détache ses fers. Écoutez, Corasmin,
Que tous ses compagnons soient délivrés soudain.
1625 Aux malheureux Chrétiens prodiguez mes largesses ;
Comblés de mes bienfaits, chargés de mes richesses,
Jusqu'au port de Joppé [28] vous conduirez leurs pas.

CORASMIN

Mais, Seigneur…

OROSMANE

Obéis, et ne réplique pas ;
Vole, et ne trahis point la volonté suprême
1630 D'un soudan qui commande, et d'un ami qui t'aime ;
Va, ne perds point de temps, sors, obéis…

À Nérestan.

Et toi,
Guerrier infortuné, mais moins encor que moi,
Quitte ces lieux sanglants ; remporte en ta patrie
Cet objet que ma rage a privé de la vie.
1635 Ton roi, tous tes Chrétiens, apprenant tes malheurs,
N'en parleront jamais sans répandre des pleurs.
Mais si la vérité par toi se fait connaître,
En détestant mon crime, on me plaindra peut-être.
Porte aux tiens ce poignard, que mon bras égaré
1640 A plongé dans un sein qui dut [29] m'être sacré ;
Dis-leur que j'ai donné la mort la plus affreuse
À la plus digne femme, à la plus vertueuse,
Dont le ciel ait formé les innocents appas ;
Dis-leur qu'à ses genoux j'avais mis mes États ;
1645 Dis-leur que dans son sang cette main s'est plongée ;
Dis que je l'adorais, et que je l'ai vengée [30].

Il se tue.
Aux siens.

Respectez ce héros, et conduisez ses pas.

NÉRESTAN

Guide-moi, Dieu puissant, je ne me connais pas.
Faut-il qu'à t'admirer ta fureur me contraigne,
1650 Et que dans mon malheur ce soit moi qui te plaigne ?

LE FANATISME
OU MAHOMET LE PROPHÈTE

PRÉSENTATION

Histoire et tragédie

Un spécialiste anglo-saxon estimait, dans les années 1960, que *Mahomet* restait la seule pièce (re)présentable du théâtre voltairien, en raison de son actualité politique ! Il songeait manifestement aux dictatures fascistes et marxistes. La flambée de l'intégrisme religieux dans le monde islamique ne peut que renforcer ce jugement évidemment très sévère, qui ressemble plus à une extermination qu'à une dilection. Mais avant toute application contemporaine, il faut entrer dans la visée de la pièce. Car Mahomet en tragédie relève d'autres dispositifs que le Mahomet de l'*Essai sur les mœurs*, ouvrage historique. S'il n'y a pas de tragédie classique sans Histoire, l'Histoire n'y obéit pas aux règles des historiens. « Je ne demande pas qu'ils [les personnages] fassent sur la scène ce qu'ils ont réellement fait dans leur vie ; mais je me crois en droit d'exiger qu'ils ne fassent rien qui ne soit dans leurs mœurs : c'est là ce qu'on appelle la vérité théâtrale. » De sorte que l'écart entre tragédie et Histoire peut devenir un des plaisirs du spectateur : « J'avoue que j'aime à voir dans un ouvrage dramatique les mœurs de l'Antiquité, et à comparer les héros qu'on met sur le théâtre avec la conduite et le caractère que les historiens leur attribuent » (Préface du *Triumvirat*, représenté le 5 juillet 1764).

Vérité des mœurs et falsification des faits caractérisent l'écriture tragique au profit d'une vérité spécifique, la vérité théâtrale, au croisement des intentions de l'auteur et de l'image que le public se fait, avant le spectacle, des personnages historiques qu'il s'apprête à découvrir, dans leur ressemblance/dissemblance artistiquement agencée.

La religion comme politique

La pièce saisit Mahomet dans le cours de sa marche triomphale, juste avant la conquête de La Mecque. Le double titre l'indique assez, il s'agit moins d'héroïser un grand homme que de tracer le portrait effrayant d'un prophète armé et d'un imposteur, d'un politique aussi rusé que cruel. Ses deux armes favorites sont le fanatisme religieux et la force – force des armes, et force des âmes embrasées par la foi aveugle. Foi dans la doctrine, et foi dans l'homme qui la prêche. Il est donc tout à fait exclu d'imaginer que Voltaire puisse, à travers Mahomet, songer à la personne du Christ. Mais une chose est Jésus, autre chose le christianisme. Il va de soi que le propos de la tragédie ne concerne pas que le seul islam. Le christianisme et le judaïsme, aux yeux de Voltaire, n'ont rien à lui envier en matière de fanatisme, de violence et d'imposture. En fait, toute religion dégénère en « enthousiasme », en passion dangereuse, dès qu'elle s'empare de l'âme superstitieuse des femmes et du peuple. De même que toute religion cristallisée en rites et dogmes sert d'abord des intérêts politiques et matériels – la soif de puissance, de considération, de richesses qui anime le clergé, porté par nature vers la théocratie. Il ne s'agit en aucune façon, pour Voltaire, de mettre en scène les croyances musulmanes, pas plus qu'*Athalie* ne traite de la religion juive.

É. Deschanel, on l'a vu, s'étonne de l'étourderie voltairienne, incapable de comprendre – c'est la faute aux Lumières – que seule la foi déplace les montagnes, dresse cathédrales et mosquées (voir l'Introduction, p. 27). Mais l'éminent professeur au Collège de France feint d'ignorer que le thème de la religion comme fraude politique remonte, *via* les libertins et Machiavel, jusqu'à l'Antiquité : pas de fondation d'État sans recours aux dieux, pas de pérennité politique sans le secours de la croyance, sans le ciment du sacré (Numa à Rome comme Moïse au désert tiennent leurs lois du ciel, la cité rousseauiste du *Contrat social* exige une religion civile...). Ainsi formulée, la thèse voltairienne vaut bien, et largement, la pieuse trivialité moderne et professorale. Rousseau crédite d'ailleurs Mahomet d'avoir su, bien mieux que le christianisme, réunir en un seul faisceau les pouvoirs religieux et politique (*Du contrat social*, IV, VIII). Qu'importe au demeurant que Mahomet croie ou ne croie pas en ses dogmes évidemment révélés, si tous croient en lui, comme le montre la pièce ? Ce n'est pas sa foi qui fait sa force, mais celle de ses adeptes ! Et que ferait cette foi collective si Mahomet n'avait pas les qualités politiques et militaires d'un bâtisseur d'empire, d'un conducteur d'hommes ? Or, croit-on sérieusement que de telles qualités puissent s'exercer sans ruse ni cynisme, sans calculs ? Qui est alors le plus naïf, l'homme des Lumières, ou l'homme du Collège qui joue à peu de frais au penseur ? En voulant faire le malin aux dépens des Lumières et de Voltaire, Deschanel énonce tout simplement une sottise sentencieuse. Il n'est bien entendu pas le seul, comme le montre la préface éditoriale des *Œuvres complètes* toutes récentes.

Il n'y a d'ailleurs pas dans la pièce que l'admiration naïve de Palmire et l'obéissance juvénilement aveugle de Séïde, qui font pendant, remarquons-le, à la haine et au mépris tout aussi bornés de Zopire. La très belle scène 4 de l'acte I propose par la bouche d'Omar, lieutenant de Mahomet, le portrait saisissant d'un « grand homme », « né/Pour changer l'univers » (v. 251-252), couronné par les victoires (v. 319), suivi et servi, comme le sera Napoléon et comme le fut Alexandre, dans la fascination du génie et le désir exaltant de participer à des « travaux immenses » (v. 257) qui bouleversent la vie des peuples et le cœur des hommes. Ces lieutenants de Mahomet – Ali, Morad, Hercide, Hammon, représentés par Omar – ne sont pas seulement les apôtres d'une nouvelle religion. Ou plutôt, cette religion armée ouvre l'accès « Des trônes, des autels » (v. 258), des « trésors » (v. 298). S'imaginerait-on par hasard que ces éternels aiguillons de l'action humaine furent absents de la conquête musulmane et des croisades chrétiennes, qu'on pourrait se contenter d'invoquer la « foi », comme Molière le « poumon » ? Mahomet et ses hommes partagent chez Voltaire une même passion dévorante : l'ambition.

Le dieu caché de l'amour

Mais Voltaire estime impossible de construire sur elle seule sa tragédie. Il dote son personnage d'un autre désir tout aussi enflammé – l'amour, défini comme son véritable « Dieu » caché (II, 5, v. 485). L'amour de Palmire pour Séïde blesse chez le chef absolu, outre la passion amoureuse, l'orgueil, frère de la jalousie (v. 490), sans compter la haine qu'il éprouve pour Zopire, meurtrier de son fils, et dont il détient à leur insu les deux enfants. Jalousie, orgueil, haine, vengeance, ambition : cette conjonction forcenée illustre éloquemment la théorie et la pratique voltairiennes de la tragédie, comme incandescence paroxystique des émotions. Il est difficile de douter que Voltaire ait vu dans la multiplication des passions et des liaisons entre personnages un facteur fondamental de l'intensité tragique, dont l'absence ou l'affaiblissement lui paraissait une des faiblesses récurrentes de la tradition française. Le retour permanent, dès *Œdipe* (1718), du thème de l'inceste et du parricide involontaires relève à mon sens bien moins de motifs personnels inconscients (régal invérifiable de la psychocritique) que de calculs poétiques devenus au fil des ans quasi mécaniques. De même, le goût évident pour les reconnaissances peut se réclamer des tragédies grecques et de la *Poétique* d'Aristote. Ce qui revient à dire que Voltaire, comme les Grecs, est disposé à sacrifier une part de la vraisemblance au profit de l'émotion. De ce point de vue, il est plus proche de Corneille, à qui il ne ménage pas les critiques (*Commentaires sur Corneille*), que de Racine, considéré comme un maître indépassable. En revanche, il ne paraît pas certain que la référence si souvent faite au mélodrame à venir en toute fin de siècle éclaire réellement le travail voltairien.

Comment concilier passion amoureuse, grandeur du héros et intensité tragique ? Car il ne me semble pas, contrairement à ce qu'on a parfois dit, que la vraisemblance ou la cohérence soient ici en cause. Pourquoi en effet Mahomet, maître d'un sérail et qui promet à ses guerriers un paradis peuplé de vierges étourdissantes, n'éprouverait-il pas le désir que lui prête le dramaturge pour les besoins de la cause tragique ? Qu'on sache, sa religion, contrairement au christianisme, ne porte nul soupçon sur la chair et ses plaisirs ! De fait, Voltaire a joliment combiné son affaire. Mahomet caresse l'idée, incontestablement réjouissante, de tuer Zopire par la main de son propre fils. Mais c'est bien parce qu'il a joué au père adoptif et maintenu le secret sur la naissance de Séïde et Palmire que celle-ci ne peut l'aimer. Crainte, admiration, vénération étouffent toute possibilité de sentiment amoureux. Ce qui a si bien servi à faire de Séïde un croyant fanatique, au point de transformer un nom propre en mot de la langue, interdit du même coup l'accès du cœur de Palmire. Au fond, c'est la grandeur même de Mahomet qui l'empêche d'être aimé, et c'est son désir de vengeance (à l'égard de Zopire et Séïde) qui, après avoir favorisé l'amour des deux jeunes gens, le retient d'en dévoiler le caractère incestueux. Tuer le père par le fils, tout en se débarrassant ensuite du rival par empoisonnement, tel est le calcul, parmi d'autres, d'un des plus grands brasseurs d'hommes que l'Histoire ait connus. Mais l'art du « Tartuffe armé » va encore plus loin, puisque Mahomet parvient à désarmer le peuple révolté de La Mecque en métamorphosant sa ruse meurtrière en miracle éclatant et public. Il est dommage que le dramaturge n'en soit pas resté là, au lieu de céder à ce qu'il appelait lui-même une « pantalonnade », la tirade obligée des remords. Il faudrait sans doute, dans une représentation moderne qu'on attend, la retrancher sans regret.

La tolérance intolérante

Mais aurait-on le droit de jouer actuellement une telle pièce, sans violer la politique dite correcte, ou de correction ? À en croire les autorités genevoises, il ne semble pas. Elles ont supprimé toute subvention au metteur en scène H. Loichemol, qui voulait par cette tragédie honorer la mémoire et l'actualité de Voltaire pour le tricentenaire de sa naissance, alors que la communauté musulmane de la ville se déclarait choquée d'une telle peinture de Mahomet ! Ainsi, l'ironie de l'Histoire veut que la tolérance moderne produise le même effet que l'intolérance du parlement de Paris au siècle des Lumières. Les parlementaires croyaient reconnaître le christianisme sous le masque musulman. Les édiles genevois s'effraient que le Mahomet voltairien soit bien Mahomet. On voit ici apparaître une intolérance au nom de la tolérance, comme si les communautés de croyants avaient désormais un droit de regard moral, une quasi-propriété sur leurs figures et emblèmes sacrés. Il existerait un droit auquel les révolutions américaine et française n'avaient pas songé – le droit de ne pas être choqué par l'art, qui autorise de plaider devant les tribunaux, non plus au nom du blasphème et du sacrilège qui conduisirent le jeune chevalier de La Barre à la mort, mais de la susceptibilité morale, de la délicatesse outragée des consciences.

Voltaire interdit de fait au nom de la tolérance, voilà bien l'humour suisse ! Décidément, le vieillard endiablé n'aura apporté que des tracas à ses sages voisins. Mais ne sourions pas trop vite. Aurait-on le droit, en France, d'étudier sans remous *Mahomet* en classe républicaine, gratuite et laïque ? On pourrait bien conseiller à l'enseignant téméraire d'aller voir ailleurs, chez Corneille ou Racine, au nom de la laïcité, du respect des consciences en ces temps de troubles, de la fraternité des cultures, de la modération fille de la prudence et sœur de la sagesse…

Laissons le dernier mot à Voltaire, sans être certain que ce propos arrange son affaire : « Il n'appartenait qu'aux musulmans de se plaindre, car j'ai fait Mahomet un peu plus méchant qu'il n'était. Aussi milord Maréchal me mande-t-il que sa jeune Turque qu'il a menée à *Mahomet* a été très scandalisée. Elle prétend que je lui avais dit beaucoup de bien de son prophète à Berlin. Cela peut être, car il faut être poli. Comment ne pas louer Mahomet devant les femmes qui sont notre récompense dans son paradis ? » (19 juillet 1741)

LE FANATISME
OU MAHOMET LE PROPHÈTE

Tragédie

1741

AVIS DE L'ÉDITEUR[1]

J'ai cru rendre service aux amateurs des belles-lettres, de publier une tragédie du *Fanatisme*, si défigurée en France par deux éditions subreptices[2]. Je sais très certainement qu'elle fut composée par l'auteur en 1736[3], et que dès lors il en envoya une copie au Prince Royal, depuis Roi de Prusse[4], qui cultivait les lettres avec des succès surprenants, et qui en fait encore son délassement principal.

J'étais à Lille en 1741 quand M. de Voltaire y vint passer quelques jours ; il y avait la meilleure troupe d'acteurs qui ait jamais été en province[5]. Elle représenta cet ouvrage d'une manière qui satisfit beaucoup une très nombreuse assemblée ; le Gouverneur de la province et l'Intendant y assistèrent plusieurs fois. On trouva que cette pièce était d'un goût si nouveau, et ce sujet si délicat parut traité avec tant de sagesse, que plusieurs prélats voulurent en voir une représentation par les mêmes acteurs dans une maison particulière[6]. Ils en jugèrent comme le public.

L'auteur fut encore assez heureux pour faire parvenir son manuscrit entre les mains d'un des premiers hommes de l'Europe et de l'Église*, qui soutenait le poids des affaires avec fermeté, et qui jugeait des ouvrages d'esprit avec un goût très sûr, dans un âge où les hommes parviennent rarement, et où l'on conserve encore plus rarement son esprit et sa délicatesse. Il dit que la pièce était écrite avec toute la circonspection

* Le cardinal de Fleury.

convenable, et qu'on ne pouvait éviter plus sagement les écueils du sujet ; mais que pour ce qui regardait la poésie, il y avait encore des choses à corriger. Je sais en effet, que l'auteur les a retouchées avec beaucoup de soin. Ce fut aussi le sentiment d'un homme qui tient le même rang, et qui n'a pas moins de lumières [7].

Enfin, l'ouvrage, approuvé d'ailleurs selon toutes les formes ordinaires, fut représenté à Paris le 9 d'août 1742. Il y avait une loge entière remplie des premiers magistrats de cette ville ; des ministres y furent présents. Ils pensèrent tous comme les hommes éclairés que j'ai déjà cités.

Il se trouva* à cette première représentation quelques personnes qui ne furent pas de ce sentiment unanime. Soit que dans la rapidité de la représentation ils n'eussent pas suivi assez le fil de l'ouvrage, soit qu'ils fussent peu accoutumés au théâtre, ils furent blessés que Mahomet ordonnât un meurtre, et se servît de sa religion pour encourager à l'assassinat un jeune homme qu'il fait l'instrument de son crime. Ces personnes, frappées de cette atrocité, ne firent pas assez réflexion, qu'elle est donnée dans la pièce comme le plus horrible de tous les crimes, et que même il est moralement impossible qu'elle puisse être donnée autrement. En un mot, ils ne virent qu'un côté ; ce qui est la manière la plus ordinaire de se tromper. Ils avaient raison assurément d'être scandalisés, en ne considérant que ce côté qui les révoltait. Un peu plus d'attention les aurait aisément ramenés. Mais dans la première chaleur de leur zèle ils dirent que la pièce était un ouvrage très dangereux, fait pour former des Ravaillac et des Jacques Clément [8].

On est bien surpris d'un tel jugement : et ces Messieurs l'ont désavoué sans doute. Ce serait dire qu'Hermione enseigne à assassiner un roi, qu'Électre apprend à tuer sa mère, que Cléopâtre et Médée montrent à tuer leurs enfants. Ce serait dire qu'Harpagon forme des avares, *Le*

* Le fait est que l'abbé Desfontaines et quelques hommes aussi méchants que lui, dénoncèrent cet ouvrage comme scandaleux et impie ; et cela fit tant de bruit, que le cardinal de Fleury, premier ministre, qui avait lu et approuvé la pièce, fut obligé de conseiller à l'auteur de la retirer.

Joueur des joueurs, *Tartuffe* des hypocrites [9]. L'injustice même contre *Mahomet* serait bien plus grande que contre toutes ces pièces ; car le crime du faux prophète y est mis dans un jour beaucoup plus odieux que ne l'est aucun des vices et des dérèglements que toutes ces pièces représentent. C'est précisément contre les Ravaillac et les Jacques Clément que la pièce est composée ; ce qui a fait dire à un homme de beaucoup d'esprit que si *Mahomet* avait été écrit du temps de Henri III et de Henri IV, cet ouvrage leur aurait sauvé la vie. Est-il possible qu'on ait pu faire un tel reproche à l'auteur de *La Henriade* [10], lui qui a élevé sa voix si souvent dans ce poème et ailleurs, je ne dis pas seulement contre de tels attentats, mais contre toutes les maximes qui peuvent y conduire ?

J'avoue, que plus j'ai lu les ouvrages de cet écrivain, plus je les ai trouvés caractérisés par l'amour du bien public ; il inspire partout l'horreur contre les emportements de la rébellion, de la persécution et du fanatisme. Y a-t-il un bon citoyen qui n'adopte toutes les maximes de *La Henriade* ? Ce poème ne fait-il pas aimer la véritable vertu ? *Mahomet* me paraît écrit entièrement dans le même esprit, et je suis persuadé que ses plus grands ennemis en conviendront.

Il vit bientôt, qu'il se formait contre lui une cabale dangereuse ; les plus ardents avaient parlé à des hommes en place, qui ne pouvant voir la représentation de la pièce, devaient les en croire. L'illustre Molière, la gloire de la France, s'était trouvé autrefois à peu près dans le même cas, lorsqu'on joua le *Tartuffe* ; il eut recours directement à Louis le Grand, dont il était connu et aimé. L'autorité de ce monarque dissipa bientôt les interprétations sinistres qu'on donnait au *Tartuffe*. Mais les temps sont différents ; la protection qu'on accorde à des arts tout nouveaux, ne peut pas être toujours la même après que ces arts ont été longtemps cultivés. D'ailleurs, tel artiste n'est pas à portée d'obtenir ce qu'un autre a eu aisément. Il eût fallu des mouvements, des discussions, un nouvel examen. L'auteur jugea plus à propos de retirer sa pièce lui-même, après la troisième représentation, attendant que le temps adoucît quelques esprits prévenus ; ce qui ne peut manquer d'arriver dans une nation aussi spirituelle et aussi éclairée que la française*[11]. On mit dans les nouvelles publiques que la tragédie de *Mahomet* avait été défendue par le gouvernement. Je puis assurer, qu'il n'y a rien de plus faux[12]. Non seulement il n'y a pas eu le moindre ordre donné à ce sujet, mais il s'en faut beaucoup que les premières têtes de l'État, qui virent la représentation, aient varié un moment sur la sagesse qui règne dans cet ouvrage.

Quelques personnes ayant transcrit à la hâte plusieurs scènes aux représentations, et ayant eu un ou deux rôles des acteurs, en ont fabriqué les éditions qu'on a faites clandestinement. Il est aisé de voir à quel point elles diffèrent du véritable ouvrage que je donne ici. Cette tragédie est précédée de plusieurs pièces intéressantes, dont une des plus curieuses, à mon gré, est la lettre que l'auteur écrivit à Sa Majesté le roi de Prusse, lorsqu'il repassa par la Hollande, après être allé rendre ses respects à ce monarque[13]. C'est dans de telles lettres, qui ne sont pas d'abord destinées à être publiques, qu'on voit les véritables sentiments des hommes. J'espère qu'elles feront aux véritables philosophes le même plaisir qu'elles m'ont fait.

* Ce que l'éditeur semblait espérer en 1742 est arrivé en 1751. La pièce fut représentée alors avec un prodigieux concours. Les cabales et les persécutions cédèrent au cri public, d'autant plus qu'on commençait à sentir quelque honte d'avoir forcé à quitter sa patrie un homme qui travaillait pour elle.

PERSONNAGES

MAHOMET.
ZOPIRE, sheik ou shérif de La Mecque.
OMAR, lieutenant de Mahomet.
SÉÏDE } esclaves de Mahomet.
PALMIRE }
PHANOR, sénateur de La Mecque.
Troupe de Mecquois.
Troupe de Musulmans.

La scène est à La Mecque [1].

ACTE PREMIER

Scène première

Zopire, Phanor

ZOPIRE

Qui moi, baisser les yeux devant ses faux prodiges ?
Moi de ce fanatique encenser les prestiges ?
L'honorer dans La Mecque après l'avoir banni ?
Non. Que des justes dieux Zopire soit puni,
5 Si tu vois cette main, jusqu'ici libre et pure,
Caresser la révolte et flatter l'imposture !

PHANOR

Nous chérissons en vous ce zèle paternel
De chef auguste et saint du sénat d'Ismaël [2] :
Mais ce zèle est funeste ; et tant de résistance,
10 Sans lasser Mahomet, irrite sa vengeance.
Contre ses attentats vous pouviez autrefois
Lever impunément le fer sacré des lois,
Et des embrasements d'une guerre immortelle
Étouffer sous vos pieds la première étincelle.
15 Mahomet citoyen ne parut à vos yeux
Qu'un novateur obscur, un vil séditieux :

Aujourd'hui, c'est un prince ; il triomphe, il domine ;
Imposteur à La Mecque, et prophète à Médine,
Il sait faire adorer à trente nations
20 Tous ces mêmes forfaits qu'ici nous détestons.
Que dis-je ? en ces murs même une troupe égarée,
Des poisons de l'erreur avec zèle enivrée,
De ses miracles faux soutient l'illusion,
Répand le fanatisme et la sédition,
25 Appelle son armée, et croit qu'un dieu terrible
L'inspire, le conduit, et le rend invincible.
Tous nos vrais citoyens avec vous sont unis ;
Mais les meilleurs conseils sont-ils toujours suivis ?
L'amour des nouveautés, le faux zèle, la crainte,
30 De La Mecque alarmée ont désolé l'enceinte ;
Et ce peuple, en tout temps chargé de vos bienfaits,
Crie encore à son père, et demande la paix.

ZOPIRE

La paix avec ce traître ? Ah ! peuple sans courage,
N'en attendez jamais qu'un horrible esclavage.
35 Allez, portez en pompe, et servez à genoux
L'idole dont le poids va vous écraser tous.
Moi, je garde à ce fourbe une haine éternelle ;
De mon cœur ulcéré la plaie est trop cruelle ;
Lui-même a contre moi trop de ressentiments.
40 Le cruel fit périr ma femme et mes enfants ;
Et moi jusqu'en son camp j'ai porté le carnage ;
La mort de son fils même honora mon courage.
Les flambeaux de la haine entre nous allumés,
Jamais des mains du temps ne seront consumés.

PHANOR

45 Ne les éteignez point : mais cachez-en la flamme :
Immolez au public les douleurs de votre âme.
Quand vous verrez ces lieux par ses mains ravagés,
Vos malheureux enfants seront-ils mieux vengés ?
Vous avez tout perdu, fils, frère, épouse, fille :
50 Ne perdez point l'État ; c'est là votre famille.

ZOPIRE

On ne perd les États que par timidité.

PHANOR

On périt quelquefois par trop de fermeté.

ZOPIRE

Périssons, s'il le faut.

PHANOR

Ah ! quel triste courage,
Quand vous touchez au port, vous expose au naufrage ?
55 Le ciel, vous le voyez, a remis en vos mains
De quoi fléchir encor ce tyran des humains.
Cette jeune Palmire en ses camps élevée,
Dans vos derniers combats par vous-même enlevée,
Semble un ange de paix descendu parmi nous,
60 Qui peut de Mahomet apaiser le courroux.
Déjà par ses hérauts il l'a redemandée.

ZOPIRE

Tu veux qu'à ce barbare elle soit accordée ?
Tu veux que d'un si cher et si noble trésor
Ses criminelles mains s'enrichissent encor ?
65 Quoi ! lorsqu'il nous apporte et la fraude et la guerre,
Lorsque son bras enchaîne et ravage la terre,
Les plus tendres appas brigueront sa faveur,
Et la beauté sera le prix de la fureur ?
Ce n'est pas qu'à mon âge, aux bornes de ma vie,
70 Je porte à Mahomet une honteuse envie ;
Ce cœur triste et flétri, que les ans ont glacé,
Ne peut sentir les feux d'un désir insensé ;
Mais soit qu'en tous les temps un objet né pour plaire,
Arrache de nos vœux l'hommage involontaire ;
75 Soit que privé d'enfants je cherche à dissiper
Cette nuit de douleurs qui vient m'envelopper ;
Je ne sais quel penchant pour cette infortunée
Remplit le vide affreux de mon âme étonnée.
Soit faiblesse ou raison, je ne puis sans horreur

80 La voir aux mains d'un monstre, artisan de l'erreur.
Je voudrais qu'à mes vœux heureusement docile,
Elle-même en secret pût chérir cet asile ;
Je voudrais que son cœur, sensible à mes bienfaits,
Détestât Mahomet autant que je le hais.
85 Elle veut me parler sous ces sacrés portiques,
Non loin de cet autel de nos dieux domestiques ;
Elle vient, et son front, siège de la candeur,
Annonce en rougissant les vertus de son cœur.

Scène II

Zopire, Palmire

ZOPIRE

Jeune et charmant objet, dont le sort de la guerre,
90 Propice à ma vieillesse, honora cette terre,
Vous n'êtes point tombée en de barbares mains ;
Tout respecte avec moi vos malheureux destins,
Votre âge, vos beautés, votre aimable innocence :
Parlez ; et s'il me reste encor quelque puissance,
95 De vos justes désirs si je remplis les vœux,
Ces derniers de mes jours seront des jours heureux.

PALMIRE

Seigneur, depuis deux mois sous vos lois prisonnière,
Je dus à mes destins pardonner ma misère :
Vos généreuses mains s'empressent d'effacer
100 Les larmes que le ciel me condamne à verser.
Par vous, par vos bienfaits, à parler enhardie,
C'est de vous que j'attends le bonheur de ma vie.
Aux vœux de Mahomet j'ose ajouter les miens.
Il vous a demandé de briser mes liens ;
105 Puissiez-vous l'écouter, et puissé-je lui dire,
Qu'après le ciel et lui je dois tout à Zopire !

ZOPIRE

Ainsi de Mahomet vous regrettez les fers,
Ce tumulte des camps, ces horreurs des déserts,
Cette patrie errante au trouble abandonnée.

PALMIRE

110 La patrie est aux lieux où l'âme est enchaînée.
Mahomet a formé mes premiers sentiments,
Et ses femmes en paix guidaient mes faibles ans ;
Leur demeure est un temple, où ces femmes sacrées
Lèvent au ciel des mains de leur maître adorées.
115 Le jour de mon malheur, hélas, fut le seul jour,
Où le sort des combats a troublé leur séjour.
Seigneur, ayez pitié d'une âme déchirée,
Toujours présente aux lieux dont je suis séparée.

ZOPIRE

J'entends : vous espérez partager quelque jour
120 De ce maître orgueilleux et la main et l'amour.

PALMIRE

Seigneur, je le révère, et mon âme tremblante
Croit voir dans Mahomet un Dieu qui m'épouvante.
Non, d'un si grand hymen mon cœur n'est point flatté ;
Tant d'éclat convient mal à tant d'obscurité.

ZOPIRE

125 Ah ! qui que vous soyez, il n'est point né peut-être
Pour être votre époux, encor moins votre maître ;
Et vous semblez d'un sang fait pour donner des lois
À l'Arabe insolent qui marche égal aux rois.

PALMIRE

Nous ne connaissons point l'orgueil de la naissance ;
130 Sans parents, sans patrie, esclaves dès l'enfance,
Dans notre égalité nous chérissons nos fers ;
Tout nous est étranger, hors le Dieu que je sers.

ZOPIRE

Tout vous est étranger ! cet état peut-il plaire ?
Quoi ! vous servez un maître, et n'avez point de père ?
135 Dans mon triste palais, seul et privé d'enfants,
J'aurais pu voir en vous l'appui de mes vieux ans.
Le soin de vous former des destins plus propices

Eût adouci des miens les longues injustices.
Mais non, vous abhorrez ma patrie et ma loi.

PALMIRE

140 Comment puis-je être à vous ? je ne suis point à moi.
Vous aurez mes regrets, votre bonté m'est chère.
Mais enfin Mahomet m'a tenu lieu de père.

ZOPIRE

Quel père ! justes dieux ! Lui ? ce monstre imposteur ?

PALMIRE

Ah, quels noms inouïs lui donnez-vous, Seigneur ?
145 Lui dans qui tant d'États adorent leur prophète ?
Lui, l'envoyé du ciel, et son seul interprète ?

ZOPIRE

Étrange aveuglement des malheureux mortels !
Tout m'abandonne ici, pour dresser des autels
À ce coupable heureux qu'épargna ma justice,
150 Et qui courut au trône échappé du supplice.

PALMIRE

Vous me faites frémir, Seigneur ; et de mes jours
Je n'avais entendu ces horribles discours.
Mon penchant, je l'avoue, et ma reconnaissance,
Vous donnaient sur mon cœur une juste puissance ;
155 Vos blasphèmes affreux contre mon protecteur,
À ce penchant si doux font succéder l'horreur.

ZOPIRE

Ô superstition ! tes rigueurs inflexibles
Privent d'humanité les cœurs les plus sensibles.
Que je vous plains, Palmire, et que sur vos erreurs
160 Ma pitié malgré moi me fait verser de pleurs !

PALMIRE

Et vous me refusez !

ZOPIRE

Oui. Je ne puis vous rendre
Au tyran qui trompa ce cœur flexible et tendre.
Oui, je crois voir en vous un bien trop précieux,
Qui me rend Mahomet encor plus odieux.

Scène III

Zopire, Palmire, Phanor

ZOPIRE

165 Que voulez-vous, Phanor ?

PHANOR

Aux portes de la ville
D'où l'on voit de Moad la campagne fertile,
Omar est arrivé.

ZOPIRE

Qui ? ce farouche Omar,
Que l'erreur aujourd'hui conduit après son char,
Qui combattit longtemps le tyran qu'il adore,
170 Qui vengea son pays [3] ?

PHANOR

Peut-être il l'aime encore.
Moins terrible à nos yeux, cet insolent guerrier,
Portant entre ses mains le glaive et l'olivier,
De la paix à nos chefs a présenté le gage.
On lui parle, il demande, il reçoit un otage.
175 Séïde est avec lui.

PALMIRE

Grand Dieu ! destin plus doux !
Quoi ? Séïde ?

PHANOR

Omar vient, il s'avance vers vous.

ZOPIRE

Il le faut écouter. Allez, jeune Palmire.

Palmire sort.

Omar devant mes yeux ! Qu'osera-t-il me dire ?
Ô dieux de mon pays, qui depuis trois mille ans
180 Protégiez d'Ismaël les généreux enfants,
Soleil, sacré flambeau, qui dans votre carrière,
Image de ces dieux, nous prêtez la lumière,
Voyez et soutenez la juste fermeté
Que j'opposai toujours contre l'iniquité.

Scène IV

Zopire, Omar, Phanor, suite

ZOPIRE

185 Eh bien, après six ans tu revois ta patrie,
Que ton bras défendit, que ton cœur a trahie.
Ces murs sont encor pleins de tes premiers exploits.
Déserteur de nos dieux, déserteur de nos lois,
Persécuteur nouveau de cette cité sainte,
190 D'où vient que ton audace en profane l'enceinte ?
Ministre d'un brigand qu'on dût [4] exterminer,
Parle ; que me veux-tu ?

OMAR

Je veux te pardonner.
Le prophète d'un Dieu, par pitié pour ton âge,
Pour tes malheurs passés, surtout pour ton courage,
195 Te présente une main qui pourrait t'écraser,
Et j'apporte la paix qu'il daigne proposer.

ZOPIRE

Un vil séditieux prétend avec audace
Nous accorder la paix, et non demander grâce !
Souffrirez-vous, grands dieux, qu'au gré de ses forfaits
200 Mahomet nous ravisse ou nous rende la paix ?
Et vous, qui vous chargez des volontés d'un traître,

Ne rougissez-vous point de servir un tel maître ?
Ne l'avez-vous pas vu, sans honneur et sans biens,
Ramper au dernier rang des derniers citoyens ?
205 Qu'alors il était loin de tant de renommée !

OMAR

À tes viles grandeurs ton âme accoutumée
Juge ainsi du mérite, et pèse les humains
Au poids que la fortune avait mis dans tes mains.
Ne sais-tu pas encore, homme faible et superbe,
210 Que l'insecte insensible [5], enseveli sous l'herbe [6],
Et l'aigle impérieux, qui plane au haut du ciel,
Rentrent dans le néant aux yeux de l'Éternel ?
Les mortels sont égaux ; ce n'est point la naissance,
C'est la seule vertu qui fait leur différence.
215 Il est de ces esprits favorisés des cieux,
Qui sont tout par eux-mêmes, et rien par leurs aïeux.
Tel est l'homme en un mot que j'ai choisi pour maître ;
Lui seul dans l'univers a mérité de l'être.
Tout mortel à sa loi doit un jour obéir,
220 Et j'ai donné l'exemple aux siècles à venir.

ZOPIRE

Je te connais, Omar ; en vain ta politique
Vient m'étaler ici ce tableau fanatique.
En vain tu peux ailleurs éblouir les esprits,
Ce que ton peuple adore excite mes mépris.
225 Bannis toute imposture, et d'un coup d'œil plus sage
Regarde ce prophète à qui tu rends hommage.
Vois l'homme en Mahomet, conçois par quel degré
Tu fais monter aux cieux ton fantôme adoré.
Enthousiaste ou fourbe, il faut cesser de l'être ;
230 Sers-toi de ta raison, juge avec moi ton maître.
Tu verras de chameaux un grossier conducteur,
Chez sa première épouse insolent imposteur,
Qui sous le vain appât d'un songe ridicule,
Des plus vils des humains tente la foi crédule,
235 Comme un séditieux à mes pieds amené,
Par quarante vieillards à l'exil condamné ;
Trop léger châtiment qui l'enhardit au crime.

De caverne en caverne il fuit avec Fatime [7].
Ses disciples errants de cités en déserts,
240 Proscrits, persécutés, bannis, chargés de fers,
Promènent leur fureur qu'ils appellent divine.
De leurs venins bientôt ils infectent Médine.
Toi-même alors, toi-même, écoutant la raison,
Tu voulus dans sa source arrêter le poison.
245 Je te vis plus heureux, et plus juste, et plus brave,
Attaquer le tyran dont je te vois l'esclave.
S'il est un vrai prophète, osas-tu le punir ?
S'il est un imposteur, oses-tu le servir ?

OMAR

Je voulus le punir, quand mon peu de lumière
250 Méconnut ce grand homme entré dans la carrière.
Mais enfin, quand j'ai vu que Mahomet est né
Pour changer l'univers à ses pieds consterné ;
Quand mes yeux éclairés du feu de son génie,
Le virent s'élever dans sa course infinie,
255 Éloquent, intrépide, admirable en tout lieu,
Agir, parler, punir, ou pardonner en dieu,
J'associai ma vie à ses travaux immenses ;
Des trônes, des autels en sont les récompenses.
Je fus, je te l'avoue, aveugle comme toi.
260 Ouvre les yeux, Zopire, et change ainsi que moi :
Et sans plus me vanter les fureurs de ton zèle,
Ta persécution, si vaine et si cruelle,
Nos frères gémissants, notre Dieu blasphémé,
Tombe aux pieds d'un héros par toi-même opprimé.
265 Viens baiser cette main qui porte le tonnerre.
Tu me vois après lui le premier de la terre ;
Le poste qui te reste est encore assez beau,
Pour fléchir noblement sous ce maître nouveau.
Vois ce que nous étions, et vois ce que nous sommes.
270 Le peuple aveugle et faible est né pour les grands hommes,
Pour admirer, pour croire, et pour nous obéir.
Viens régner avec nous, si tu crains de servir ;
Partage nos grandeurs, au lieu de t'y soustraire,
Et las de l'imiter, fais trembler le vulgaire [8].

ZOPIRE

275 Ce n'est qu'à Mahomet, à ses pareils, à toi,
Que je prétends, Omar, inspirer quelque effroi.
Tu veux que du sénat le shérif [9] infidèle
Encense un imposteur, et couronne un rebelle !
Je ne te nierai point que ce fier séducteur [10]
280 N'ait beaucoup de prudence et beaucoup de valeur.
Je connais comme toi les talents de ton maître ;
S'il était vertueux, c'est un héros peut-être :
Mais ce héros, Omar, est un traître, un cruel,
Et de tous les tyrans c'est le plus criminel.
285 Cesse de m'annoncer sa trompeuse clémence ;
Le grand art qu'il possède est l'art de la vengeance.
Dans le cours de la guerre un funeste destin
Le priva de son fils, que fit périr ma main ;
Mon bras perça le fils, ma voix bannit le père ;
290 Ma haine est inflexible, ainsi que sa colère ;
Pour rentrer dans La Mecque il doit m'exterminer,
Et le juste aux méchants ne doit point pardonner.

OMAR

Eh bien, pour te montrer que Mahomet pardonne,
Pour te faire embrasser l'exemple qu'il te donne,
295 Partage avec lui-même, et donne à tes tribus
Les dépouilles des rois que nous avons vaincus.
Mets un prix à la paix, mets un prix à Palmire ;
Nos trésors sont à toi.

ZOPIRE

Tu penses me séduire,
Me vendre ici ma honte, et marchander la paix,
300 Par ses trésors honteux, le prix de ses forfaits ?
Tu veux que sous ses lois Palmire se remette ?
Elle a trop de vertus pour être sa sujette ;
Et je veux l'arracher aux tyrans imposteurs,
Qui renversent les lois, et corrompent les mœurs.

OMAR

305 Tu me parles toujours comme un juge implacable,
Qui sur son tribunal intimide un coupable.

Pense et parle en ministre, agis, traite avec moi,
Comme avec l'envoyé d'un grand homme et d'un roi.

ZOPIRE

Qui l'a fait roi ? qui l'a couronné ?

OMAR

La victoire.
310 Ménage sa puissance, et respecte sa gloire.
Aux noms de conquérant et de triomphateur,
Il veut joindre le nom de pacificateur.
Son armée est encore aux bords du Saïbare [11] ;
Des murs où je suis né le siège se prépare.
315 Sauvons, si tu m'en crois, le sang qui va couler ;
Mahomet veut ici te voir et te parler.

ZOPIRE

Lui ! Mahomet ?

OMAR

Lui-même ; il t'en conjure.

ZOPIRE

Traître !
Si de ces lieux sacrés j'étais l'unique maître,
C'est en te punissant que j'aurais répondu.

OMAR

320 Zopire, j'ai pitié de ta fausse vertu.
Mais puisqu'un vil sénat insolemment partage
De ton gouvernement le fragile avantage,
Puisqu'il règne avec toi, je cours m'y présenter.

ZOPIRE

Je t'y suis : nous verrons qui l'on doit écouter.
325 Je défendrai mes lois, mes dieux, et ma patrie ;
Viens-y contre ma voix prêter ta voix impie
Au dieu persécuteur, effroi du genre humain,
Qu'un fourbe ose annoncer les armes à la main.

À Phanor.

Toi, viens m'aider, Phanor, à repousser un traître ;
330 Le souffrir parmi nous, et l'épargner, c'est l'être.
Renversons ses desseins, confondons son orgueil,
Préparons son supplice, ou creusons mon cercueil.
Je vais, si le sénat m'écoute et me seconde,
Délivrer d'un tyran ma patrie et le monde.

ACTE II

Scène première

Séïde, Palmire

PALMIRE

335 Dans ma prison cruelle est-ce un dieu qui te guide ?
Mes maux sont-ils finis ? te revois-je, Séïde ?

SÉÏDE

Ô charme de ma vie et de tous mes malheurs !
Palmire, unique objet qui m'a coûté des pleurs ;
Depuis ce jour de sang, qu'un ennemi barbare,
340 Près des camps du prophète, aux bords du Saïbare,
Vint arracher sa proie à mes bras tout sanglants,
Qu'étendu loin de toi sur des corps expirants,
Mes cris mal entendus sur cette infâme rive,
Invoquèrent la mort sourde à ma voix plaintive !
345 Ô ma chère Palmire, en quel gouffre d'horreur
Tes périls et ma perte ont abîmé mon cœur !
Que mes feux, que ma crainte, et mon impatience,
Accusaient la lenteur des jours de la vengeance !
Que je hâtais l'assaut si longtemps différé,
350 Cette heure de carnage où de sang enivré
Je devais de mes mains brûler la ville impie,
Où Palmire a pleuré sa liberté ravie !
Enfin de Mahomet les sublimes desseins,

Que n'ose approfondir l'humble esprit des humains,
355 Ont fait entrer Omar en ce lieu d'esclavage ;
Je l'apprends, et j'y vole. On demande un otage[12] ;
J'entre, je me présente, on accepte ma foi,
Et je me rends captif, ou je meurs avec toi.

PALMIRE

Séïde, au moment même, avant que ta présence
360 Vînt de mon désespoir calmer la violence,
Je me jetais aux pieds de mon fier ravisseur.
Vous voyez, ai-je dit, les secrets de mon cœur :
Ma vie est dans les camps dont vous m'avez tirée ;
Rendez-moi le seul bien dont je suis séparée.
365 Mes pleurs, en lui parlant, ont arrosé ses pieds ;
Ses refus ont saisi mes esprits effrayés.
J'ai senti dans mes yeux la lumière obscurcie ;
Mon cœur sans mouvement, sans chaleur, et sans vie,
D'aucune ombre d'espoir n'était plus secouru ;
370 Tout finissait pour moi quand Séïde a paru.

SÉÏDE

Quel est donc ce mortel insensible à tes larmes ?

PALMIRE

C'est Zopire ; il semblait touché de mes alarmes ;
Mais le cruel enfin vient de me déclarer,
Que des lieux où je suis rien ne peut me tirer.

SÉÏDE

375 Le barbare se trompe, et Mahomet mon maître,
Et l'invincible Omar, et ton amant peut-être,
(Car j'ose me nommer après ces noms fameux,
Pardonne à ton amant cet espoir orgueilleux)
Nous briserons ta chaîne, et tarirons tes larmes.
380 Le Dieu de Mahomet, protecteur de nos armes,
Le Dieu dont j'ai porté les sacrés étendards,
Le Dieu, qui de Médine a détruit les remparts,
Renversera La Mecque à nos pieds abattue.
Omar est dans la ville, et le peuple à sa vue
385 N'a point fait éclater ce trouble et cette horreur

Qu'inspire aux ennemis un ennemi vainqueur.
Au nom de Mahomet un grand dessein l'amène.

PALMIRE

Mahomet nous chérit ; il briserait ma chaîne ;
Il unirait nos cœurs ; nos cœurs lui sont offerts ;
390 Mais il est loin de nous, et nous sommes aux fers.

Scène II

Palmire, Séïde, Omar

OMAR

Vos fers seront brisés, soyez pleins d'espérance.
Le ciel vous favorise, et Mahomet s'avance.

SÉÏDE

Lui !

PALMIRE

Notre auguste père !

OMAR

Au conseil assemblé
L'esprit de Mahomet par ma bouche a parlé.
395 « Ce favori du Dieu, qui préside aux batailles,
Ce grand homme, ai-je dit, est né dans vos murailles.
Il s'est rendu des rois le maître et le soutien,
Et vous lui refusez le rang de citoyen !
Vient-il vous enchaîner, vous perdre, vous détruire ?
400 Il vient vous protéger, mais surtout vous instruire.
Il vient dans vos cœurs même établir son pouvoir. »
Plus d'un juge à ma voix a paru s'émouvoir ;
Les esprits s'ébranlaient ; l'inflexible Zopire,
Qui craint de la raison l'inévitable empire,
405 Veut convoquer le peuple, et s'en faire un appui.
On l'assemble, j'y cours, et j'arrive avec lui.
Je parle aux citoyens, j'intimide, j'exhorte ;
J'obtiens qu'à Mahomet on ouvre enfin la porte.

Après quinze ans d'exil il revoit ses foyers ;
410 Il entre accompagné des plus braves guerriers,
D'Ali, d'Hammon, d'Hercide, et de sa noble élite ;
Il entre, et sur ses pas chacun se précipite.
Chacun porte un regard comme un cœur différent ;
L'un croit voir un héros, l'autre voir un tyran.
415 Celui-ci le blasphème, et le menace encore ;
Cet autre est à ses pieds, les embrasse et l'adore.
Nous faisons retentir à ce peuple agité
Les noms sacrés de Dieu, de paix, de liberté.
De Zopire éperdu la cabale impuissante
420 Vomit en vain les feux de sa rage expirante.
Au milieu de leurs cris, le front calme et serein,
Mahomet marche en maître, et l'olive à la main :
La trêve est publiée ; et le voici lui-même.

Scène III

Mahomet, Omar, Ali, Hercide, etc., Séïde, Palmire, suite

MAHOMET

Invincibles soutiens de mon pouvoir suprême,
425 Noble et sublime Ali, Morad, Hercide, Hammon [13],
Retournez vers ce peuple, instruisez-le en mon nom.
Promettez, menacez, que la vérité règne ;
Qu'on adore mon Dieu, mais surtout qu'on le craigne.
Vous, Séïde, en ces lieux !

SÉÏDE

Ô mon père ! ô mon roi !
430 Le Dieu qui vous inspire a marché devant moi.
Prêt à mourir pour vous, prêt à tout entreprendre,
J'ai prévenu votre ordre.

MAHOMET

Il eût fallu l'attendre.
Qui fait plus qu'il ne doit, ne sait point me servir.
J'obéis à mon Dieu ; vous, sachez m'obéir.

PALMIRE

435 Ah ! Seigneur, pardonnez à son impatience.
Élevés près de vous dans notre tendre enfance,
Les mêmes sentiments nous animent tous deux.
Hélas ! mes tristes jours sont assez malheureux.
Loin de vous, loin de lui, j'ai langui prisonnière ;
440 Mes yeux de pleurs noyés s'ouvraient à la lumière.
Empoisonneriez-vous l'instant de mon bonheur ?

MAHOMET

Palmire, c'est assez ; je lis dans votre cœur ;
Que rien ne vous alarme, et rien ne vous étonne.
Allez ; malgré les soins de l'autel et du trône,
445 Mes yeux sur vos destins seront toujours ouverts ;
Je veillerai sur vous comme sur l'univers.

À Séïde.

Vous, suivez mes guerriers ; et vous, jeune Palmire,
En servant votre Dieu ne craignez que Zopire.

Scène IV

Mahomet, Omar

MAHOMET

Toi, reste, brave Omar ; il est temps que mon cœur
450 De ses derniers replis t'ouvre la profondeur.
D'un siège encor douteux la lenteur ordinaire
Peut retarder ma course, et borner ma carrière.
Ne donnons point le temps aux mortels détrompés,
De rassurer leurs yeux de tant d'éclat frappés.
455 Les préjugés, ami, sont les rois du vulgaire.
Tu connais quel oracle, et quel bruit populaire
Ont promis l'univers à l'envoyé d'un Dieu,
Qui, reçu dans La Mecque, et vainqueur en tout lieu,
Entrerait dans ces murs en écartant la guerre ;
460 Je viens mettre à profit les erreurs de la terre :
Mais tandis que les miens, par de nouveaux efforts,

De ce peuple inconstant font mouvoir les ressorts,
De quel œil revois-tu Palmire avec Séïde ?

OMAR

Parmi tous ces enfants enlevés par Hercide,
465 Qui, formés sous ton joug, et nourris dans ta loi,
N'ont de Dieu que le tien, n'ont de père que toi,
Aucun ne te servit avec moins de scrupule,
N'eut un cœur plus docile, un esprit plus crédule ;
De tous tes Musulmans ce sont les plus soumis.

MAHOMET

470 Cher Omar, je n'ai point de plus grands ennemis.
Ils s'aiment ; c'est assez.

OMAR

Blâmes-tu leurs tendresses ?

MAHOMET

Ah ! connais mes fureurs, et toutes mes faiblesses.

OMAR

Comment ?

MAHOMET

Tu sais assez quel sentiment vainqueur
Parmi mes passions règne au fond de mon cœur.
475 Chargé du soin du monde, environné d'alarmes,
Je porte l'encensoir, et le sceptre, et les armes :
Ma vie est un combat [14], et ma frugalité
Asservit la nature à mon austérité.
J'ai banni loin de moi cette liqueur traîtresse
480 Qui nourrit des humains la brutale mollesse [15] :
Dans des sables brûlants, sur des rochers déserts,
Je supporte avec toi l'inclémence des airs.
L'amour seul me console ; il est ma récompense,
L'objet de mes travaux, l'idole que j'encense,
485 Le Dieu de Mahomet ; et cette passion
Est égale aux fureurs de mon ambition.
Je préfère en secret Palmire à mes épouses.

Conçois-tu bien l'excès de mes fureurs jalouses,
Quand Palmire à mes pieds, par un aveu fatal,
490 Insulte à Mahomet, et lui donne un rival ?

OMAR

Et tu n'es pas vengé ?

MAHOMET

Juge, si je dois l'être.
Pour le mieux détester apprends à le connaître.
De mes deux ennemis apprends tous les forfaits :
Tous deux sont nés ici du tyran que je hais.

OMAR

495 Quoi ! Zopire…

MAHOMET

Est leur père. Hercide en ma puissance
Remit depuis quinze ans leur malheureuse enfance.
J'ai nourri dans mon sein ces serpents dangereux ;
Déjà sans se connaître ils m'outragent tous deux.
J'attisai de mes mains leurs feux illégitimes.
500 Le ciel voulut ici rassembler tous les crimes.
Je veux… Leur père vient, ses yeux lancent vers nous
Les regards de la haine et les traits du courroux.
Observe tout, Omar, et qu'avec son escorte
Le vigilant Hercide assiège cette porte.
505 Reviens me rendre compte, et voir s'il faut hâter
Ou retenir les coups que je dois lui porter.

Scène V

Zopire, Mahomet

ZOPIRE

Ah ! quel fardeau cruel à ma douleur profonde [16] !
Moi, recevoir ici cet ennemi du monde !

MAHOMET

Approche, et puisqu'enfin le ciel veut nous unir,
510 Vois Mahomet sans crainte, et parle sans rougir.

ZOPIRE

Je rougis pour toi seul, pour toi dont l'artifice
A traîné ta patrie au bord du précipice ;
Pour toi de qui la main sème ici les forfaits,
Et fait naître la guerre au milieu de la paix.
515 Ton nom seul parmi nous divise les familles,
Les époux, les parents, les mères et les filles ;
Et la trêve pour toi n'est qu'un moyen nouveau,
Pour venir dans nos cœurs enfoncer le couteau.
La discorde civile est partout sur ta trace ;
520 Assemblage inouï de mensonge et d'audace,
Tyran de ton pays, est-ce ainsi qu'en ce lieu
Tu viens donner la paix, et m'annoncer un Dieu ?

MAHOMET

Si j'avais à répondre à d'autres qu'à Zopire,
Je ne ferais parler que le Dieu qui m'inspire.
525 Le glaive et l'Alcoran dans mes sanglantes mains,
Imposeraient silence au reste des humains.
Ma voix ferait sur eux les effets du tonnerre,
Et je verrais leurs fronts attachés à la terre :
Mais je te parle en homme, et sans rien déguiser :
530 Je me sens assez grand pour ne pas t'abuser.
Vois quel est Mahomet ; nous sommes seuls, écoute :
Je suis ambitieux ; tout homme l'est sans doute ;
Mais jamais roi, pontife, ou chef, ou citoyen,
Ne conçut un projet aussi grand que le mien.
535 Chaque peuple à son tour a brillé sur la terre,
Par les lois, par les arts, et surtout par la guerre.
Le temps de l'Arabie est à la fin venu.
Ce peuple généreux, trop longtemps inconnu,
Laissait dans ses déserts ensevelir sa gloire ;
540 Voici les jours nouveaux marqués pour la victoire.
Vois du nord au midi l'univers désolé,
La Perse encor sanglante, et son trône ébranlé,

L'Inde esclave et timide, et l'Égypte abaissée,
Des murs de Constantin la splendeur éclipsée ;
545 Vois l'Empire romain tombant de toutes parts,
Ce grand corps déchiré, dont les membres épars
Languissent dispersés sans honneur et sans vie ;
Sur ces débris du monde élevons l'Arabie.
Il faut un nouveau culte, il faut de nouveaux fers ;
550 Il faut un nouveau Dieu pour l'aveugle univers.
En Égypte Osiris, Zoroastre en Asie,
Chez les Crétois Minos, Numa dans l'Italie [17],
À des peuples sans mœurs, et sans culte et sans rois,
Donnèrent aisément d'insuffisantes lois.
555 Je viens après mille ans changer ces lois grossières.
J'apporte un joug plus noble aux nations entières.
J'abolis les faux dieux, et mon culte épuré
De ma grandeur naissante est le premier degré.
Ne me reproche point de tromper ma patrie ;
560 Je détruis sa faiblesse et son idolâtrie.
Sous un roi, sous un dieu, je viens la réunir ;
Et pour la rendre illustre, il la faut asservir.

ZOPIRE

Voilà donc tes desseins ! c'est donc toi dont l'audace
De la terre à ton gré prétend changer la face !
565 Tu veux, en apportant le carnage et l'effroi,
Commander aux humains de penser comme toi ?
Tu ravages le monde, et tu prétends l'instruire ?
Ah ! si par des erreurs il s'est laissé séduire,
Si la nuit du mensonge a pu nous égarer,
570 Par quels flambeaux affreux veux-tu nous éclairer ?
Quel droit as-tu reçu d'enseigner, de prédire,
De porter l'encensoir, et d'affecter l'empire ?

MAHOMET

Le droit qu'un esprit vaste, et ferme en ses desseins,
A sur l'esprit grossier des vulgaires humains.

ZOPIRE

575 Eh quoi ! tout factieux qui pense avec courage,
Doit donner aux mortels un nouvel esclavage ?
Il a droit de tromper, s'il trompe avec grandeur ?

MAHOMET

Oui ; je connais ton peuple, il a besoin d'erreur ;
Ou véritable ou faux, mon culte est nécessaire.
580 Que t'ont produit tes dieux ? Quel bien t'ont-ils pu faire ?
Quels lauriers vois-tu croître au pied de leurs autels ?
Ta secte obscure et basse avilit les mortels,
Énerve le courage, et rend l'homme stupide [18] ;
La mienne élève l'âme, et la rend intrépide.
585 Ma loi fait des héros.

ZOPIRE

Dis plutôt des brigands.
Porte ailleurs tes leçons, l'école des tyrans.
Va vanter l'imposture à Médine où tu règnes,
Où tes maîtres séduits marchent sous tes enseignes,
Où tu vois tes égaux à tes pieds abattus.

MAHOMET

590 Des égaux, dès longtemps Mahomet n'en a plus.
Je fais trembler La Mecque, et je règne à Médine ;
Crois-moi, reçois la paix, si tu crains ta ruine.

ZOPIRE

La paix est dans ta bouche, et ton cœur en est loin ;
Penses-tu me tromper ?

MAHOMET

Je n'en ai pas besoin.
595 C'est le faible qui trompe, et le puissant commande.
Demain j'ordonnerai ce que je te demande ;
Demain je peux te voir à mon joug asservi :
Aujourd'hui Mahomet veut être ton ami.

ZOPIRE

Nous amis ! nous ? cruel ! ah quel nouveau prestige [19] !
600 Connais-tu quelque dieu qui fasse un tel prodige ?

MAHOMET

J'en connais un puissant, et toujours écouté,
Qui te parle avec moi.

ZOPIRE

Qui ?

MAHOMET

La nécessité,

Ton intérêt.

ZOPIRE

Avant qu'un tel nœud nous rassemble,
Les enfers et les cieux seront unis ensemble.
605 L'intérêt est ton Dieu, le mien est l'équité ;
Entre ces ennemis il n'est point de traité.
Quel serait le ciment [20], réponds-moi, si tu l'oses,
De l'horrible amitié qu'ici tu me proposes ?
Réponds ; est-ce ton fils que mon bras te ravit ?
610 Est-ce le sang des miens que ta main répandit ?

MAHOMET

Oui, ce sont tes fils même. Oui, connais un mystère,
Dont seul dans l'univers je suis dépositaire :
Tu pleures tes enfants, ils respirent tous deux.

ZOPIRE

Ils vivraient ! qu'as-tu dit ? ô ciel ! ô jour heureux !
615 Ils vivraient ! c'est de toi qu'il faut que je l'apprenne !

MAHOMET

Élevés dans mon camp tous deux sont dans ma chaîne.

ZOPIRE

Mes enfants dans tes fers ! ils pourraient te servir !

MAHOMET

Mes bienfaisantes mains ont daigné les nourrir.

ZOPIRE

Quoi ! tu n'as point sur eux étendu ta colère ?

MAHOMET

620 Je ne les punis point des fautes de leur père.

ZOPIRE

Achève, éclaircis-moi, parle, quel est leur sort ?

MAHOMET

Je tiens entre mes mains et leur vie et leur mort ;
Tu n'as qu'à dire un mot, et je t'en fais l'arbitre.

ZOPIRE

Moi, je puis les sauver ! à quel prix ? à quel titre ?
625 Faut-il donner mon sang ? faut-il porter leurs fers ?

MAHOMET

Non. Mais il faut m'aider à dompter l'univers.
Il faut rendre La Mecque, abandonner ton temple,
De la crédulité donner à tous l'exemple,
Annoncer l'Alcoran aux peuples effrayés,
630 Me servir en prophète, et tomber à mes pieds :
Je te rendrai ton fils, et je serai ton gendre.

ZOPIRE

Mahomet, je suis père, et je porte un cœur tendre.
Après quinze ans d'ennuis retrouver mes enfants,
Les revoir, et mourir dans leurs embrassements,
635 C'est le premier des biens pour mon âme attendrie :
Mais s'il faut à ton culte asservir ma patrie,
Ou de ma propre main les immoler tous deux,
Connais-moi, Mahomet, mon choix n'est pas douteux.
Adieu.

MAHOMET, *seul.*

Fier citoyen, vieillard inexorable,
640 Je serai plus que toi cruel, impitoyable.

Scène VI

Mahomet, Omar

OMAR

Mahomet, il faut l'être, ou nous sommes perdus.
Les secrets des tyrans me sont déjà vendus.

Demain la trêve expire, et demain l'on t'arrête ;
Demain Zopire est maître, et fait tomber ta tête.
645 La moitié du sénat vient de te condamner ;
N'osant pas te combattre, on t'ose assassiner.
Ce meurtre d'un héros, ils le nomment supplice,
Et ce complot obscur, ils l'appellent justice.

MAHOMET

Ils sentiront la mienne. Ils verront ma fureur.
650 La persécution fit toujours ma grandeur.
Zopire périra.

OMAR

Cette tête funeste,
En tombant à tes pieds, fera fléchir le reste.
Mais ne perds point de temps.

MAHOMET

Mais, malgré mon courroux,
Je dois cacher la main qui va lancer les coups,
655 Et détourner de moi les soupçons du vulgaire.

OMAR

Il est trop méprisable.

MAHOMET

Il faut pourtant lui plaire :
Et j'ai besoin d'un bras qui, par ma voix conduit,
Soit seul chargé du meurtre, et m'en laisse le fruit.

OMAR

Pour un tel attentat je réponds de Séïde.

MAHOMET

660 De lui ?

OMAR

C'est l'instrument d'un pareil homicide.
Otage de Zopire, il peut seul aujourd'hui
L'aborder en secret, et te venger de lui.

Tes autres favoris, zélés avec prudence,
Pour s'exposer à tout ont trop d'expérience ;
665 Ils sont tous dans cet âge, où la maturité
Fait tomber le bandeau de la crédulité.
Il faut un cœur plus simple, aveugle avec courage,
Un esprit amoureux de son propre esclavage.
La jeunesse est le temps de ces illusions ;
670 Séïde est tout en proie aux superstitions ;
C'est un lion docile à la voix qui le guide.

MAHOMET

Le frère de Palmire ?

OMAR

Oui, lui-même. Oui, Séïde,
De ton fier ennemi le fils audacieux,
De son maître offensé rival incestueux.

MAHOMET

675 Je déteste Séïde, et son nom seul m'offense.
La cendre de mon fils me crie encor vengeance.
Mais tu connais l'objet de mon fatal amour ;
Tu connais dans quel sang elle a puisé le jour.
Tu vois que dans ces lieux environnés d'abîmes,
680 Je viens chercher un trône, un autel, des victimes ;
Qu'il faut d'un peuple fier enchanter les esprits,
Qu'il faut perdre Zopire, et perdre encor son fils.
Allons, consultons bien mon intérêt, ma haine,
L'amour, l'indigne amour, qui malgré moi m'entraîne,
685 Et la religion, à qui tout est soumis,
Et la nécessité, par qui tout est permis.

ACTE III

Scène première

Séïde, Palmire

PALMIRE

Demeure. Quel est donc ce secret sacrifice ?
Quel sang a demandé l'éternelle justice ?
Ne m'abandonne pas.

SÉÏDE

Dieu daigne m'appeler.
690 Mon bras doit le servir, mon cœur va lui parler.
Omar veut à l'instant, par un serment terrible,
M'attacher de plus près à ce maître invincible.
Je vais jurer à Dieu de mourir pour sa loi,
Et mes seconds serments ne seront que pour toi.

PALMIRE

695 D'où vient qu'à ce serment je ne suis point présente ?
Si je t'accompagnais, j'aurais moins d'épouvante.
Omar, ce même Omar, loin de me consoler,
Parle de trahison, de sang prêt à couler,
Des fureurs du sénat, des complots de Zopire.
700 Les feux sont allumés, bientôt la trêve expire.
Le fer cruel est prêt, on s'arme, on va frapper ;
Le prophète l'a dit, il ne peut nous tromper.
Je crains tout de Zopire, et je crains pour Séïde.

SÉÏDE

Croirai-je que Zopire ait un cœur si perfide ?
705 Ce matin, comme otage à ses yeux présenté,
J'admirais sa noblesse et son humanité.
Je sentais qu'en secret une force inconnue
Enlevait jusqu'à lui mon âme prévenue.
Soit respect pour son nom, soit qu'un dehors heureux
710 Me cachât de son cœur les replis dangereux ;
Soit que dans ces moments où je t'ai rencontrée,

Mon âme tout entière à son bonheur livrée,
Oubliant ses douleurs, et chassant tout effroi,
Ne connût, n'entendît, ne vît plus rien que toi.
715 Je me trouvais heureux d'être auprès de Zopire.
Je le hais d'autant plus qu'il m'avait su séduire ;
Mais, malgré le courroux dont je dois m'animer,
Qu'il est dur de haïr ceux qu'on voulait aimer !

PALMIRE

Ah ! que le ciel en tout a joint nos destinées !
720 Qu'il a pris soin d'unir nos âmes enchaînées !
Hélas ! sans mon amour, sans ce tendre lien,
Sans cet instinct charmant qui joint mon cœur au tien,
Sans la religion que Mahomet m'inspire,
J'aurais eu des remords en accusant Zopire.

SÉÏDE

725 Laissons ces vains remords, et nous abandonnons
À la voix de ce Dieu qu'à l'envi nous servons.
Je sors. Il faut prêter ce serment redoutable ;
Le Dieu qui m'entendra nous sera favorable ;
Et le pontife roi, qui veille sur nos jours,
730 Bénira de ses mains de si chastes amours.
Adieu. Pour être à toi, je vais tout entreprendre.

Scène II

Palmire, *seule*.

D'un noir pressentiment je ne puis me défendre.
Cet amour dont l'idée avait fait mon bonheur,
Ce jour tant souhaité n'est qu'un jour de terreur.
735 Quel est donc ce serment qu'on attend de Séïde ?
Tout m'est suspect ici ; Zopire m'intimide.
J'invoque Mahomet, et cependant mon cœur
Éprouve à son nom même une secrète horreur.
Dans les profonds respects que ce héros m'inspire,
740 Je sens que je le crains presque autant que Zopire.
Délivre-moi, grand Dieu, de ce trouble où je suis.

Craintive je te sers, aveugle je te suis ;
Hélas ! daigne essuyer les pleurs où je me noie.

Scène III

Mahomet, Palmire

PALMIRE

C'est vous qu'à mon secours un Dieu propice envoie,
745 Seigneur. Séïde…

MAHOMET

Eh bien, d'où vous vient cet effroi ?
Et que craint-on pour lui quand on est près de moi ?

PALMIRE

Ô ciel ! vous redoublez la douleur qui m'agite.
Quel prodige inouï ! votre âme est interdite ;
Mahomet est troublé pour la première fois.

MAHOMET

750 Je devrais l'être au moins du trouble où je vous vois.
Est-ce ainsi qu'à mes yeux votre simple innocence
Ose avouer un feu qui peut-être m'offense ?
Votre cœur a-t-il pu, sans être épouvanté,
Avoir un sentiment que je n'ai pas dicté ?
755 Ce cœur que j'ai formé n'est-il plus qu'un rebelle,
Ingrat à mes bienfaits, à mes lois infidèle ?

PALMIRE

Que dites-vous ? surprise et tremblante à vos pieds,
Je baisse en frémissant mes regards effrayés.
Eh quoi, n'avez-vous pas daigné, dans ce lieu même,
760 Vous rendre à nos souhaits, et consentir qu'il m'aime ?
Ces nœuds, ces chastes nœuds, que Dieu formait en nous,
Sont un lien de plus qui nous attache à vous.

MAHOMET

Redoutez des liens formés par l'imprudence.
Le crime quelquefois suit de près l'innocence.

765 Le cœur peut se tromper ; l'amour et ses douceurs
Pourront coûter, Palmire, et du sang et des pleurs.

PALMIRE

N'en doutez pas, mon sang coulerait pour Séïde.

MAHOMET

Vous l'aimez à ce point ?

PALMIRE

Depuis le jour qu'Hercide
Nous soumit l'un et l'autre à votre joug sacré,
770 Cet instinct tout-puissant, de nous-même ignoré,
Devançant la raison, croissant avec notre âge,
Du ciel, qui conduit tout, fut le secret ouvrage.
Nos penchants, dites-vous, ne viennent que de lui.
Dieu ne saurait changer ; pourrait-il aujourd'hui
775 Réprouver un amour, que lui-même il fit naître ?
Ce qui fut innocent peut-il cesser de l'être ?
Pourrais-je être coupable ?

MAHOMET

Oui. Vous devez trembler.
Attendez les secrets que je dois révéler ;
Attendez que ma voix veuille enfin vous apprendre
780 Ce qu'on peut approuver, ce qu'on doit se défendre.
Ne croyez que moi seul.

PALMIRE

Et qui croire que vous ?
Esclave de vos lois, soumise à vos genoux,
Mon cœur d'un saint respect ne perd point l'habitude.

MAHOMET

Trop de respect souvent mène à l'ingratitude.

PALMIRE

785 Non, si de vos bienfaits je perds le souvenir,
Que Séïde à vos yeux s'empresse à m'en punir !

MAHOMET

Séïde !

PALMIRE

Ah ! quel courroux arme votre œil sévère ?

MAHOMET

Allez, rassurez-vous, je n'ai point de colère.
C'est éprouver assez vos sentiments secrets ;
790 Reposez-vous sur moi de vos vrais intérêts.
Je suis digne du moins de votre confiance ;
Vos destins dépendront de votre obéissance.
Si j'eus soin de vos jours, si vous m'appartenez,
Méritez des bienfaits qui vous sont destinés.
795 Quoi que la voix du ciel ordonne de Séïde,
Affermissez ses pas où son devoir le guide :
Qu'il garde ses serments, qu'il soit digne de vous.

PALMIRE

N'en doutez point, mon père, il les remplira tous.
Je réponds de son cœur, ainsi que de moi-même.
800 Séïde vous adore encor plus qu'il ne m'aime.
Il voit en vous son roi, son père, son appui ;
J'en atteste à vos pieds l'amour que j'ai pour lui.
Je cours à vous servir encourager son âme.

Scène IV

MAHOMET

Quoi ! je suis malgré moi confident de sa flamme ?
805 Quoi ! sa naïveté, confondant ma fureur,
Enfonce innocemment le poignard dans mon cœur ?
Père, enfants, destinés au malheur de ma vie,
Race toujours funeste, et toujours ennemie,
Vous allez éprouver, dans cet horrible jour,
810 Ce que peut à la fois ma haine et mon amour.

Scène V

Mahomet, Omar

OMAR

Enfin voici le temps, et de ravir Palmire,
Et d'envahir La Mecque, et de punir Zopire.
Sa mort seule à tes pieds mettra nos citoyens ;
Tout est désespéré, si tu ne le préviens.
815 Le seul Séïde ici te peut servir sans doute [21] ;
Il voit souvent Zopire, il lui parle, il l'écoute.
Tu vois cette retraite, et cet obscur détour
Qui peut de ton palais conduire à son séjour ;
Là, cette nuit Zopire à ses dieux fantastiques [22]
820 Offre un encens frivole, et des vœux chimériques.
Là, Séïde enivré du zèle de ta loi,
Va l'immoler au Dieu qui lui parle par toi.

MAHOMET

Qu'il l'immole, il le faut, il est né pour le crime.
Qu'il en soit l'instrument, qu'il en soit la victime.
825 Ma vengeance, mes feux, ma loi, ma sûreté,
L'irrévocable arrêt de la fatalité,
Tout le veut : mais crois-tu que son jeune courage,
Nourri du fanatisme, en ait toute la rage ?

OMAR

Lui seul était formé pour remplir ton dessein.
830 Palmire à te servir excite encor sa main.
L'amour, le fanatisme, aveuglent sa jeunesse ;
Il sera furieux par excès de faiblesse.

MAHOMET

Par les nœuds des serments as-tu lié son cœur ?

OMAR

Du plus saint appareil la ténébreuse horreur,
835 Les autels, les serments, tout enchaîne Séïde.
J'ai mis un fer sacré dans sa main parricide,

Et la religion le remplit de fureur.
Il vient.

Scène VI

Mahomet, Omar, Séïde

MAHOMET

Enfant d'un Dieu qui parle à votre cœur,
Écoutez par ma voix sa volonté suprême ;
840 Il faut venger son culte, il faut venger Dieu même.

SÉÏDE

Roi, pontife et prophète, à qui je suis voué,
Maître des nations par le ciel avoué,
Vous avez sur mon être une entière puissance ;
Éclairez seulement ma docile ignorance.
845 Un mortel venger Dieu !

MAHOMET

C'est par vos faibles mains
Qu'il veut épouvanter les profanes humains.

SÉÏDE

Ah ! sans doute ce Dieu, dont vous êtes l'image,
Va d'un combat illustre honorer mon courage.

MAHOMET

Faites ce qu'il ordonne, il n'est point d'autre honneur.
850 De ses décrets divins aveugle exécuteur,
Adorez, et frappez ; vos mains seront armées
Par l'ange de la mort, et le Dieu des armées.

SÉÏDE

Parlez : quels ennemis vous faut-il immoler ?
Quel tyran faut-il perdre, et quel sang doit couler ?

MAHOMET

855 Le sang du meurtrier que Mahomet abhorre,
Qui nous persécuta, qui nous poursuit encore,

Qui combattit mon Dieu, qui massacra mon fils ;
Le sang du plus cruel de tous nos ennemis,
De Zopire.

SÉÏDE

De lui ! quoi mon bras…

MAHOMET

Téméraire,
860 On devient sacrilège alors qu'on délibère.
Loin de moi les mortels assez audacieux
Pour juger par eux-mêmes, et pour voir par leurs yeux.
Quiconque ose penser n'est pas né pour me croire.
Obéir en silence est votre seule gloire.
865 Savez-vous qui je suis ? Savez-vous en quels lieux
Ma voix vous a chargé des volontés des cieux ?
Si, malgré ses erreurs et son idolâtrie,
Des peuples d'Orient La Mecque est la patrie [23] ;
Si ce temple du monde est promis à ma loi,
870 Si Dieu m'en a créé le pontife et le roi ;
Si La Mecque est sacrée, en savez-vous la cause ?
Ibrahim y naquit, et sa cendre y repose ⋆ [24] :
Ibrahim, dont le bras docile à l'Éternel
Traîna son fils unique [25] aux marches de l'autel,
875 Étouffant pour son Dieu les cris de la nature.
Et quand ce Dieu par vous veut venger son injure,
Quand je demande un sang à lui seul adressé,
Quand Dieu vous a choisi, vous avez balancé !
Allez, vil idolâtre, et né pour toujours l'être,
880 Indigne Musulman, cherchez un autre maître.
Le prix était tout prêt, Palmire était à vous ;
Mais vous bravez Palmire, et le ciel en courroux.
Lâche et faible instrument des vengeances suprêmes,
Les traits que vous portez vont tomber sur vous-mêmes ;
885 Fuyez, servez, rampez sous mes fiers ennemis.

SÉÏDE

Je crois entendre Dieu ; tu parles, j'obéis.

⋆ Les Musulmans croient avoir à La Mecque le tombeau d'Abraham.

MAHOMET

Obéissez, frappez : teint du sang d'un impie,
Méritez par sa mort une éternelle vie.

À Omar.

Ne l'abandonne pas ; et, non loin de ces lieux,
890 Sur tous ses mouvements ouvre toujours les yeux.

Scène VII

Séïde, *seul.*

Immoler un vieillard, de qui je suis l'otage,
Sans armes, sans défense, appesanti par l'âge !
N'importe ; une victime amenée à l'autel,
Y tombe sans défense, et son sang plaît au ciel.
895 Enfin, Dieu m'a choisi pour ce grand sacrifice ;
J'en ai fait le serment, il faut qu'il s'accomplisse.
Venez à mon secours, ô vous de qui les bras
Aux tyrans de la terre ont donné le trépas ;
Ajoutez vos fureurs à mon zèle intrépide,
900 Affermissez ma main saintement homicide.
Ange de Mahomet, ange exterminateur,
Mets ta férocité dans le fond de mon cœur.
Ah ! que vois-je ?

Scène VIII

Zopire, Séïde

ZOPIRE

À mes yeux tu te troubles, Séïde !
Vois d'un œil plus content le dessein qui me guide ;
905 Otage infortuné, que le sort m'a remis,
Je te vois à regret parmi mes ennemis.
La trêve a suspendu le moment du carnage ;
Ce torrent retenu peut s'ouvrir un passage :
Je ne t'en dis pas plus ; mais mon cœur malgré moi,

910 A frémi des dangers assemblés près de toi.
Cher Séïde, en un mot, dans cette horreur publique,
Souffre que ma maison soit ton asile unique.
Je réponds de tes jours, ils me sont précieux ;
Ne me refuse pas.

SÉÏDE

Ô mon devoir ! ô cieux !
915 Ah ! Zopire, est-ce vous qui n'avez d'autre envie
Que de me protéger, de veiller sur ma vie ?
Prêt à verser son sang, qu'ai-je ouï ? qu'ai-je vu ?
Pardonne, Mahomet, tout mon cœur s'est ému.

ZOPIRE

De ma pitié pour toi tu t'étonnes peut-être ;
920 Mais enfin je suis homme [26] et c'est assez de l'être,
Pour aimer à donner ses soins compatissants
À des cœurs malheureux que l'on croit innocents.
Exterminez, grands dieux de la terre où nous sommes,
Quiconque avec plaisir répand le sang des hommes [27] !

SÉÏDE

925 Que ce langage est cher à mon cœur combattu !
L'ennemi de mon Dieu connaît donc la vertu !

ZOPIRE

Tu la connais bien peu, puisque tu t'en étonnes.
Mon fils, à quelle erreur, hélas tu t'abandonnes !
Ton esprit, fasciné par les lois d'un tyran,
930 Pense que tout est crime hors d'être Musulman.
Cruellement docile aux leçons de ton maître,
Tu m'avais en horreur avant de me connaître ;
Avec un joug de fer, un affreux préjugé
Tient ton cœur innocent dans le piège engagé.
935 Je pardonne aux erreurs où Mahomet t'entraîne.
Mais peux-tu croire un Dieu qui commande la haine ?

SÉÏDE

Ah ! je sens qu'à ce Dieu je vais désobéir ;
Non, seigneur ; non, mon cœur ne saurait vous haïr.

ZOPIRE

Hélas, plus je lui parle, et plus il m'intéresse [28] ;
940 Son âge, sa candeur, ont surpris ma tendresse.
Se peut-il qu'un soldat de ce monstre imposteur
Ait trouvé malgré lui le chemin de mon cœur ?
Quel es-tu ? de quel sang les dieux t'ont-ils fait naître ?

SÉÏDE

Je n'ai point de parents, Seigneur, je n'ai qu'un maître,
945 Que jusqu'à ce moment j'avais toujours servi,
Mais qu'en vous écoutant ma faiblesse a trahi.

ZOPIRE

Quoi, tu ne connais point de qui tu tiens la vie ?

SÉÏDE

Son camp fut mon berceau, son temple est ma patrie ;
Je n'en connais point d'autre ; et parmi ces enfants,
950 Qu'en tribut à mon maître on offre tous les ans,
Nul n'a plus que Séïde éprouvé sa clémence.

ZOPIRE

Je ne puis le blâmer de sa reconnaissance.
Oui, les bienfaits, Séïde, ont des droits sur un cœur.
Ciel ! pourquoi Mahomet fut-il son bienfaiteur ?
955 Il t'a servi de père, aussi bien qu'à Palmire ;
D'où vient que tu frémis, et que ton cœur soupire ?
Tu détournes de moi ton regard égaré ;
De quelque grand remords tu sembles déchiré.

SÉÏDE

Eh, qui n'en aurait pas dans ce jour effroyable !

ZOPIRE

960 Si tes remords sont vrais, ton cœur n'est plus coupable.
Viens, le sang va couler, je veux sauver le tien.

SÉÏDE

Juste ciel ! et c'est moi qui répandrais le sien !
Ô serments ! ô Palmire ! ô vous, Dieu des vengeances !

ZOPIRE

Remets-toi dans mes mains, tremble, si tu balances ;
965 Pour la dernière fois, viens, ton sort en dépend.

Scène IX

Zopire, Séïde, Omar, suite

OMAR, *entrant avec précipitation.*

Traître, que faites-vous, Mahomet vous attend.

SÉÏDE

Où suis-je ? ô ciel ! où suis-je ? et que dois-je résoudre ?
D'un et d'autre côté je vois tomber la foudre.
Où courir ? où porter un trouble si cruel ?
970 Où fuir ?

OMAR

Aux pieds du roi qu'a choisi l'Éternel.

SÉÏDE

Oui, j'y cours abjurer un serment que j'abhorre.

Scène X

Zopire, *seul*

Ah ! Séïde, où vas-tu ? Mais il me fuit encore.
Il sort désespéré, frappé d'un sombre effroi,
Et mon cœur qui le suit s'échappe loin de moi.
975 Ses remords, ma pitié, son aspect, son absence,
À mes sens déchirés font trop de violence.
Suivons ses pas.

Scène XI

Zopire, Phanor

PHANOR

Lisez ce billet important,
Qu'un Arabe en secret m'a donné dans l'instant.

ZOPIRE

Hercide ! qu'ai-je lu ? Grands dieux, votre clémence
980 Répare-t-elle enfin soixante ans de souffrance ?
Hercide veut me voir ! lui, dont le bras cruel
Arracha mes enfants à ce sein paternel !
Ils vivent ! Mahomet les tient sous sa puissance,
Et Séïde et Palmire ignorent leur naissance ?
985 Mes enfants ! Tendre espoir, que je n'ose écouter ;
Je suis trop malheureux, je crains de me flatter.
Pressentiments confus, faut-il que je vous croie ?
Ô mon sang, où porter mes larmes et ma joie ?
Mon cœur ne peut suffire à tant de mouvements ;
990 Je cours, et je suis prêt d'embrasser mes enfants.
Je m'arrête, j'hésite, et ma douleur craintive
Prête à la voix du sang une oreille attentive.
Allons. Voyons Hercide au milieu de la nuit ;
Qu'il soit sous cette voûte en secret introduit,
995 Au pied de cet autel, où les pleurs de ton maître
Ont fatigué les dieux qui s'apaisent peut-être.
Dieux, rendez-moi mes fils ; dieux, rendez aux vertus
Deux cœurs nés généreux, qu'un traître a corrompus.
S'ils ne sont point à moi, si telle est ma misère,
000 Je les veux adopter ; je veux être leur père.

ACTE IV

Scène première

Mahomet, Omar

OMAR

Oui, de ce grand secret la trame est découverte ;
Ta gloire est en danger, ta tombe est entrouverte.
Séïde obéira ; mais avant que son cœur,
Raffermi par ta voix, eût repris sa fureur,
1005 Séïde a révélé cet horrible mystère.

MAHOMET

Ô ciel !

OMAR

Hercide l'aime : il lui tient lieu de père.

MAHOMET

Eh bien, que pense Hercide ?

OMAR

Il paraît effrayé ;
Il semble pour Zopire avoir quelque pitié.

MAHOMET

Hercide est faible ; ami, le faible est bientôt traître.
1010 Qu'il tremble, il est chargé du secret de son maître.
Je sais comme on écarte un témoin dangereux.
Suis-je en tout obéi ?

OMAR

J'ai fait ce que tu veux.

MAHOMET

Préparons donc le reste. Il faut que dans une heure
On nous traîne au supplice, ou que Zopire meure.
1015 S'il meurt, c'en est assez ; tout ce peuple éperdu

Adorera mon Dieu, qui m'aura défendu.
Voilà le premier pas ; mais sitôt que Séïde
Aura rougi ses mains de ce grand homicide,
Réponds-tu qu'au trépas Séïde soit livré ?
1020 Réponds-tu du poison qui lui fut préparé ?

OMAR

N'en doute point.

MAHOMET

Il faut que nos mystères sombres
Soient cachés dans la mort, et couverts de ses ombres.
Mais tout prêt à frapper, prêt à percer le flanc
Dont Palmire a tiré la source de son sang,
1025 Prends soin de redoubler son heureuse ignorance :
Épaississons la nuit qui voile sa naissance,
Pour son propre intérêt, pour moi, pour mon bonheur.
Mon triomphe en tout temps est fondé sur l'erreur.
Elle naquit en vain de ce sang que j'abhorre.
1030 On n'a point de parents alors qu'on les ignore.
Les cris du sang, sa force et ses impressions
Des cœurs toujours trompés sont les illusions.
La nature à mes yeux n'est rien que l'habitude ;
Celle de m'obéir fit son unique étude :
1035 Je lui tiens lieu de tout. Qu'elle passe en mes bras,
Sur la cendre des siens qu'elle ne connaît pas.
Son cœur même en secret, ambitieux peut-être,
Sentira quelque orgueil à captiver son maître.
Mais déjà l'heure approche où Séïde en ces lieux
1040 Doit m'immoler son père à l'aspect de ses dieux.
Retirons-nous.

OMAR

Tu vois sa démarche égarée :
De l'ardeur d'obéir son âme est dévorée.

Scène II

Mahomet et Omar, *sur le devant, mais retirés de côté ;*
Séïde, *dans le fond.*

SÉÏDE

Il le faut donc remplir ce terrible devoir ?

MAHOMET

Viens, et par d'autres coups assurons mon pouvoir.

Il sort avec Omar.

SÉÏDE, *seul.*

1045 À tout ce qu'ils m'ont dit je n'ai rien à répondre.
Un mot de Mahomet suffit pour me confondre.
Mais quand il m'accablait de cette sainte horreur,
La persuasion n'a point rempli mon cœur.
Si le ciel a parlé, j'obéirai sans doute.
1050 Mais quelle obéissance ! ô ciel ! et qu'il en coûte !

Scène III

Séïde, Palmire

SÉÏDE

Palmire, que veux-tu ? Quel funeste transport !
Qui t'amène en ces lieux consacrés à la mort ?

PALMIRE

Séïde, la frayeur et l'amour sont mes guides ;
Mes pleurs baignent tes mains saintement homicides.
1055 Quel sacrifice horrible, hélas ! faut-il offrir ?
À Mahomet, à Dieu, tu vas donc obéir ?

SÉÏDE

Ô de mes sentiments souveraine adorée,
Parlez, déterminez ma fureur égarée !
Éclairez mon esprit, et conduisez mon bras ;
1060 Tenez-moi lieu d'un Dieu, que je ne comprends pas.

Pourquoi m'a-t-il choisi ? Ce terrible prophète
D'un ordre irrévocable est-il donc l'interprète ?

PALMIRE

Tremblons d'examiner. Mahomet voit nos cœurs,
Il entend nos soupirs, il observe mes pleurs.
1065 Chacun redoute en lui la divinité même.
C'est tout ce que je sais, le doute est un blasphème ;
Et le Dieu qu'il annonce avec tant de hauteur,
Séïde, est le vrai Dieu, puisqu'il le rend vainqueur.

SÉÏDE

Il l'est, puisque Palmire et le croit et l'adore.
1070 Mais mon esprit confus ne conçoit point encore,
Comment ce Dieu si bon, ce père des humains,
Pour un meurtre effroyable a réservé mes mains.
Je ne le sais que trop, que mon doute est un crime,
Qu'un prêtre sans remords égorge sa victime,
1075 Que par la voix du ciel Zopire est condamné,
Qu'à soutenir ma loi j'étais prédestiné.
Mahomet s'expliquait, il a fallu me taire ;
Et tout fier de servir la céleste colère,
Sur l'ennemi de Dieu je portais le trépas :
1080 Un autre Dieu peut-être a retenu mon bras.
Du moins lorsque j'ai vu ce malheureux Zopire,
De ma religion j'ai senti moins l'empire.
Vainement mon devoir au meurtre m'appelait ;
À mon cœur éperdu l'humanité parlait.
1085 Mais avec quel courroux, avec quelle tendresse,
Mahomet de mes sens accuse la faiblesse !
Avec quelle grandeur, et quelle autorité,
Sa voix vient d'endurcir ma sensibilité !
Que la religion est terrible et puissante !
1090 J'ai senti la fureur en mon cœur renaissante ;
Palmire, je suis faible, et du meurtre effrayé :
De ces saintes fureurs je passe à la pitié ;
De sentiments confus une foule m'assiège ;
Je crains d'être barbare ou d'être sacrilège.
1095 Je ne me sens point fait pour être un assassin.
Mais quoi ! Dieu me l'ordonne, et j'ai promis ma main ;

J'en verse encor des pleurs de douleur et de rage.
Vous me voyez, Palmire, en proie à cet orage,
Nageant dans le reflux des contrariétés,
1100 Qui pousse et qui retient mes faibles volontés.
C'est à vous de fixer mes fureurs incertaines ;
Nos cœurs sont réunis par les plus fortes chaînes :
Mais sans ce sacrifice, à mes mains imposé,
Le nœud qui nous unit est à jamais brisé.
1105 Ce n'est qu'à ce seul prix que j'obtiendrai Palmire.

PALMIRE

Je suis le prix du sang du malheureux Zopire !

SÉÏDE

Le ciel et Mahomet ainsi l'ont arrêté.

PALMIRE

L'amour est-il donc fait pour tant de cruauté ?

SÉÏDE

Ce n'est qu'au meurtier que Mahomet te donne.

PALMIRE

1110 Quelle effroyable dot !

SÉÏDE

Mais si le ciel l'ordonne,
Si je sers et l'amour et la religion ?

PALMIRE

Hélas !

SÉÏDE

Vous connaissez la malédiction
Qui punit à jamais la désobéissance.

PALMIRE

Si Dieu même en tes mains a remis sa vengeance,
1115 S'il exige le sang que ta bouche a promis ?

SÉÏDE

Eh bien, pour être à toi que faut-il ?

PALMIRE

Je frémis.

SÉÏDE

Je t'entends, son arrêt est parti de ta bouche.

PALMIRE

Qui moi ?

SÉÏDE

Tu l'as voulu.

PALMIRE

Dieu, quel arrêt farouche !

Que t'ai-je dit ?

SÉÏDE

Le ciel vient d'emprunter ta voix ;

1120 C'est son dernier oracle, et j'accomplis ses lois.
Voici l'heure où Zopire à cet autel funeste
Doit prier en secret des dieux que je déteste.
Palmire, éloigne-toi.

PALMIRE

Je ne puis te quitter.

SÉÏDE

Ne vois point l'attentat qui va s'exécuter :
1125 Ces moments sont affreux. Va, fuis, cette retraite
Est voisine des lieux qu'habite le prophète.
Va, dis-je.

PALMIRE

Ce vieillard va donc être immolé !

SÉÏDE

De ce grand sacrifice ainsi l'ordre est réglé :
Il le faut de ma main traîner sur la poussière,
1130 De trois coups dans le sein lui ravir la lumière,
Renverser dans son sang cet autel dispersé.

PALMIRE

Lui mourir par tes mains ! tout mon sang s'est glacé.
Le voici. Juste ciel…

Le fond du théâtre s'ouvre. On voit un autel.

Scène IV

Zopire, Séïde, Palmire, *sur le devant.*

ZOPIRE, *près de l'autel.*

Ô dieux de ma patrie !
Dieux prêts à succomber sous une secte impie,
1135 C'est pour vous-même ici que ma débile voix
Vous implore aujourd'hui pour la dernière fois.
La guerre va renaître, et ses mains meutrières
De cette faible paix vont briser les barrières.
Dieux ! si d'un scélérat vous respectez le sort…

SÉÏDE, *à Palmire.*

1140 Tu l'entends qui blasphème ?

ZOPIRE

Accordez-moi la mort ;
Mais rendez-moi mes fils à mon heure dernière ;
Que j'expire en leurs bras, qu'ils ferment ma paupière.
Hélas ! si j'en croyais mes secrets sentiments,
Si vos mains en ces lieux ont conduit mes enfants…

PALMIRE, *à Séïde.*

1145 Que dit-il ? Ses enfants ?

ZOPIRE

Ô mes dieux que j'adore !
Je mourrais du plaisir de les revoir encore.
Arbitre des destins, daignez veiller sur eux ;
Qu'ils pensent comme moi, mais qu'ils soient plus heureux !

SÉÏDE

Il court à ses faux dieux ! Frappons.

Il tire son poignard.

PALMIRE

Que vas-tu faire ?

1150 Hélas !

SÉÏDE

Servir le ciel, te mériter, te plaire.
Ce glaive à notre Dieu vient d'être consacré.
Que l'ennemi de Dieu soit par lui massacré !
Marchons. Ne vois-tu pas dans ces demeures sombres
Ces traits de sang, ce spectre, et ces errantes ombres ?

PALMIRE

1155 Que dis-tu ?

SÉÏDE

Je vous suis, ministres du trépas ;
Vous me montrez l'autel ; vous conduisez mon bras.
Allons.

PALMIRE

Non, trop d'horreur entre nous deux s'assemble.
Demeure.

SÉÏDE

Il n'est plus temps, avançons ; l'autel tremble.

PALMIRE

Le ciel se manifeste, il n'en faut pas douter.

SÉÏDE

1160 Me pousse-t-il au meurtre, ou veut-il m'arrêter ?
Du prophète de Dieu la voix se fait entendre ;
Il me reproche un cœur trop flexible et trop tendre.
Palmire !

PALMIRE

Eh bien ?

SÉÏDE

Au ciel adressez tous vos vœux.
Je vais frapper.

Il sort, et va derrière l'autel où est Zopire.

PALMIRE

Je meurs. Ô moment douloureux !
1165 Quelle effroyable voix dans mon âme s'élève ?
D'où vient que tout mon sang malgré moi se soulève ?
Si le ciel veut un meurtre, est-ce à moi d'en juger ?
Est-ce à moi de m'en plaindre, et de l'interroger ?
J'obéis. D'où vient donc que le remords m'accable ?
1170 Ah ! quel cœur sait jamais s'il est juste ou coupable ?
Je me trompe, ou les coups sont portés cette fois ;
J'entends les cris plaintifs d'une mourante voix.
Séïde… hélas !…

SÉÏDE, *revient d'un air égaré.*

Où suis-je ? et quelle voix m'appelle ?
Je ne vois point Palmire ; un Dieu m'a privé d'elle.

PALMIRE

1175 Eh quoi ? méconnais-tu celle qui vit pour toi ?

SÉÏDE

Où sommes-nous ?

PALMIRE

Eh bien, cette effroyable loi,
Cette triste promesse est-elle enfin remplie ?

SÉÏDE

Que me dis-tu ?

PALMIRE

Zopire a-t-il perdu la vie ?

SÉIDE

Qui ? Zopire ?

PALMIRE

Ah grand Dieu ! Dieu de sang altéré,
1180 Ne persécutez point son esprit égaré.
Fuyons d'ici.

SÉÏDE

Je sens que mes genoux s'affaissent.

Il s'assied.

Ah ! je revois le jour, et mes forces renaissent.
Quoi ! c'est vous ?

PALMIRE

Qu'as-tu fait ?

SÉÏDE

Il se relève.

Moi ! je viens d'obéir…
D'un bras désespéré je viens de le saisir.
1185 Par ses cheveux blanchis j'ai traîné ma victime.
Ô ciel ! tu l'as voulu, peux-tu vouloir un crime ?
Tremblant, saisi d'effroi, j'ai plongé dans son flanc
Ce glaive consacré, qui dut verser son sang.
J'ai voulu redoubler : ce vieillard vénérable
1190 A jeté dans mes bras un cri si lamentable ;
La nature a tracé dans ses regards mourants,
Un si grand caractère, et des traits si touchants !…
De tendresse et d'effroi mon âme s'est remplie,
Et plus mourant que lui je déteste ma vie.

PALMIRE

1195 Fuyons vers Mahomet, qui doit nous protéger :
Près de ce corps sanglant vous êtes en danger.
Suivez-moi.

SÉÏDE

Je ne puis. Je me meurs. Ah Palmire !

PALMIRE

Quel trouble épouvantable à mes yeux le déchire ?

SÉÏDE, *en pleurant.*

Ah ! si tu l'avais vu, le poignard dans le sein,
1200 S'attendrir à l'aspect de son lâche assassin !
Je fuyais. Croirais-tu que sa voix affaiblie,
Pour m'appeler encore a ranimé sa vie ?
Il retirait ce fer de ses flancs malheureux.
Hélas ! il m'observait d'un regard douloureux.
1205 Cher Seïde, a-t-il dit, infortuné Séïde !
Cette voix, ces regards, ce poignard homicide,
Ce vieillard attendri, tout sanglant à mes pieds,
Poursuivent devant toi mes regards effrayés.
Qu'avons-nous fait ?

PALMIRE

On vient, je tremble pour ta vie.
1210 Fuis, au nom de l'amour et du nœud qui nous lie.

SÉÏDE

Va, laisse-moi. Pourquoi cet amour malheureux
M'a-t-il pu commander ce sacrifice affreux ?
Non, cruelle, sans toi, sans ton ordre suprême,
Je n'aurais pu jamais obéir au ciel même.

PALMIRE

1215 De quel reproche horrible oses-tu m'accabler ?
Hélas ! plus que le tien mon cœur se sent troubler.
Cher amant, prends pitié de Palmire éperdue.

SÉÏDE

Palmire ! quel objet vient effrayer ma vue ?

Zopire paraît appuyé sur l'autel, après s'être relevé derrière cet autel où il a reçu le coup.

PALMIRE

C'est cet infortuné luttant contre la mort,
1220 Qui vers nous tout sanglant se traîne avec effort.

SÉÏDE

Eh quoi ! tu vas à lui ?

PALMIRE

De remords dévorée,
Je cède à la pitié dont je suis déchirée.
Je n'y puis résister, elle entraîne mes sens.

ZOPIRE, *avançant et soutenu par elle.*

Hélas ! servez de guide à mes pas languissants.

Il s'assied.

1225 Séïde, ingrat ! c'est toi qui m'arraches la vie !
Tu pleures ! ta pitié succède à ta furie !

Scène V

Zopire, Séïde, Palmire, Phanor

PHANOR

Ciel ! quels affreux objets se présentent à moi !

ZOPIRE

Si je voyais Hercide !... Ah, Phanor, est-ce toi ?
Voilà mon assassin.

PHANOR

Ô crime ! affreux mystère !
230 Assassin malheureux, connaissez votre père.

SÉÏDE

Qui ?

PALMIRE

Lui ?

SÉÏDE

Mon père ?

ZOPIRE

Ô ciel !

PHANOR

Hercide est expirant,
Il me voit, il m'appelle, il s'écrie en mourant :
« S'il en est encor temps, préviens un parricide :
Cours arracher ce fer à la main de Séïde.
1235 Malheureux confident d'un horrible secret,
Je suis puni, je meurs des mains de Mahomet :
Cours, hâte-toi d'apprendre au malheureux Zopire,
Que Séïde est son fils, et frère de Palmire. »

SÉÏDE

Vous !

PALMIRE

Mon frère ?

ZOPIRE

Ô mes fils ! ô nature ! ô mes dieux !
1240 Vous ne me trompiez pas, quand vous parliez pour eux.
Vous m'éclairiez sans doute. Ah malheureux Séïde !
Qui t'a pu commander cet affreux homicide ?

SÉÏDE, *se jetant à genoux.*

L'amour de mon devoir et de ma nation,
Et ma reconnaissance, et ma religion,
1245 Tout ce que les humains ont de plus respectable
M'inspira des forfaits le plus abominable.
Rendez, rendez ce fer à ma barbare main.

PALMIRE, *à genoux, arrêtant le bras de Séïde.*

Ah ! mon père ! ah ! Seigneur ! plongez-le dans mon sein.
J'ai seule à ce grand crime encouragé Séïde ;
1250 L'inceste était pour nous le prix du parricide.

SÉÏDE

Le ciel n'a point pour nous d'assez grands châtiments.
Frappez vos assassins.

ZOPIRE, *en les embrassant.*

J'embrasse mes enfants.
Le ciel voulut mêler, dans les maux qu'il m'envoie,
Le comble des horreurs au comble de la joie.
1255 Je bénis mon destin, je meurs ; mais vous vivez.
Ô vous, qu'en expirant mon cœur a retrouvés,
Séïde, et vous, Palmire, au nom de la nature,
Par ce reste de sang qui sort de ma blessure,
Par ce sang paternel, par vous, par mon trépas,
1260 Vengez-vous, vengez-moi, mais ne vous perdez pas.
L'heure approche, mon fils, où la trêve rompue
Laissait à mes desseins une libre étendue ;
Les dieux de tant de maux ont pris quelque pitié ;
Le crime de tes mains n'est commis qu'à moitié.
1265 Le peuple avec le jour en ces lieux va paraître ;
Mon sang va les conduire ; ils vont punir un traître.
Attendons ces moments.

SÉÏDE

Ah ! je cours de ce pas
Vous immoler ce monstre, et hâter mon trépas ;
Me punir, vous venger.

Scène VI

Zopire, Séïde, Palmire, Phanor, Omar, suite

OMAR

Qu'on arrête Séïde.
1270 Secourez tous Zopire, enchaînez l'homicide.
Mahomet n'est venu que pour venger les lois.

ZOPIRE

Ciel, quel comble du crime ! et qu'est-ce que je vois ?

SÉÏDE

Mahomet me punir ?

PALMIRE

Eh quoi ! tyran farouche,
Après ce meurtre horrible ordonné par ta bouche !

OMAR

1275 On n'a rien ordonné.

SÉÏDE

Va ; j'ai bien mérité
Cet exécrable prix de ma crédulité.

OMAR

Soldats, obéissez.

PALMIRE

Non. Arrêtez. Perfide.

OMAR

Madame, obéissez, si vous aimez Séïde.
Mahomet vous protège, et son juste courroux,
1280 Prêt à tout foudroyer, peut s'arrêter par vous.
Auprès de votre roi, Madame, il faut me suivre.

PALMIRE

Grand Dieu ! de tant d'horreurs que la mort me [délivre !

On emmène Palmire et Séïde.

ZOPIRE, *à Phanor.*

On les enlève ? Ô ciel ! ô père malheureux !
Le coup qui m'assassine est cent fois moins affreux.

PHANOR

1285 Déjà le jour renaît, tout le peuple s'avance ;
On s'arme, on vient à vous, on prend votre défense.

ZOPIRE

Quoi ! Séïde est mon fils !

PHANOR

N'en doutez point.

ZOPIRE

Hélas !

Ô forfaits ! ô nature !… allons, soutiens mes pas,
Je meurs. Sauvez, grands dieux, de tant de barbarie,
1290 Mes deux enfants que j'aime et qui m'ôtent la vie.

ACTE V

Scène première

Mahomet, Omar, suite, *dans le fond.*

OMAR

Zopire est expirant, et ce peuple éperdu
Levait déjà son front dans la poudre abattu.
Tes prophètes et moi, que ton esprit inspire,
Nous désavouons tous le meurtre de Zopire.
1295 Ici, nous l'annonçons à ce peuple en fureur,
Comme un coup du Très-Haut qui s'arme en ta faveur.
Là, nous en gémissons, nous promettons vengeance ;
Nous vantons ta justice, ainsi que ta clémence.
Partout on nous écoute, on fléchit à ton nom ;
1300 Et ce reste importun de la sédition
N'est qu'un bruit passager de flots après l'orage,
Dont le courroux mourant frappe encor le rivage,
Quand la sérénité règne aux plaines du ciel.

MAHOMET

Imposons à ces flots un silence éternel.
1305 As-tu fait des remparts approcher mon armée ?

OMAR

Elle a marché la nuit vers la ville alarmée :
Osman [29] la conduisait par des secrets chemins.

MAHOMET

Faut-il toujours combattre, ou tromper les humains ?
Séïde ne sait point qu'aveugle en sa furie,
1310 Il vient d'ouvrir le flanc dont il reçut la vie ?

OMAR

Qui pourrait l'en instruire ? Un éternel oubli
Tient avec ce secret Hercide enseveli :
Séïde va le suivre, et son trépas commence.
J'ai détruit l'instrument qu'employa ta vengeance.
1315 Tu sais que dans son sang ses mains ont fait couler
Le poison qu'en sa coupe on avait su mêler.
Le châtiment sur lui tombait avant le crime ;
Et tandis qu'à l'autel il traînait sa victime,
Tandis qu'au sein d'un père il enfonçait son bras,
1320 Dans ses veines lui-même il portait son trépas.
Il est dans la prison, et bientôt il expire :
Cependant en ces lieux j'ai fait garder Palmire.
Palmire à tes desseins va même encor servir ;
Croyant sauver Séïde, elle va t'obéir.
1325 Je lui fais espérer la grâce de Séïde.
Le silence est encor sur sa bouche timide :
Son cœur toujours docile, et fait pour t'adorer,
En secret seulement n'osera murmurer.
Législateur, prophète, et roi dans ta patrie,
1330 Palmire achèvera le bonheur de ta vie.
Tremblante, inanimée, on l'amène à tes yeux.

MAHOMET

Va rassembler mes chefs, et revole en ces lieux.

Scène II

Mahomet, Palmire, suite de Palmire et de Mahomet

PALMIRE

Ciel ! où suis-je ? ah grand Dieu !

MAHOMET

Soyez moins consternée ;
J'ai du peuple et de vous pesé la destinée.
1335 Le grand événement qui vous remplit d'effroi,
Palmire, est un mystère entre le ciel et moi.
De vos indignes fers à jamais dégagée,
Vous êtes en ces lieux libre, heureuse et vengée.
Ne pleurez point Séïde, et laissez à mes mains
1340 Le soin de balancer le destin des humains.
Ne songez plus qu'au vôtre : et si vous m'êtes chère,
Si Mahomet sur vous jeta des yeux de père,
Sachez qu'un sort plus noble, un titre encor plus grand,
Si vous le méritez, peut-être vous attend.
1345 Portez vos yeux hardis au faîte de la gloire ;
De Séïde et du reste étouffez la mémoire ;
Vos premiers sentiments doivent tous s'effacer,
À l'aspect des grandeurs où vous n'osiez penser.
Il faut que votre cœur à mes bontés réponde,
1350 Et suive en tout mes lois, lorsque j'en donne au monde.

PALMIRE

Qu'entends-je ? quelles lois, ô ciel, et quels bienfaits !
Imposteur teint de sang, que j'abjure à jamais,
Bourreau de tous les miens, va ; ce dernier outrage
Manquait à ma misère, et manquait à ta rage.
355 Le voilà donc, grand Dieu ! ce prophète sacré,
Ce roi que je servis, ce Dieu que j'adorai ?
Monstre, dont les fureurs et les complots perfides
De deux cœurs innocents ont fait deux parricides :
De ma faible jeunesse infâme séducteur,
360 Tout souillé de mon sang, tu prétends à mon cœur !
Mais tu n'as pas encore assuré ta conquête ;
Le voile est déchiré, la vengeance s'apprête.
Entends-tu ces clameurs ? entends-tu ces éclats ?
Mon père te poursuit des ombres du trépas.
365 Le peuple se soulève, on s'arme en ma défense ;
Leurs bras vont à ta rage arracher l'innocence.
Puissé-je de mes mains te déchirer le flanc,
Voir mourir tous les tiens, et nager dans leur sang !

Puissent La Mecque ensemble, et Médine, et l'Asie,
1370 Punir tant de fureur et tant d'hypocrisie !
Que le monde, par toi séduit et ravagé,
Rougisse de ses fers, les brise et soit vengé !
Que ta religion, que fonda l'imposture,
Soit l'éternel mépris de la race future !
1375 Que l'enfer, dont tes cris menaçaient tant de fois
Quiconque osait douter de tes indignes lois,
Que l'enfer, que ces lieux de douleur et de rage,
Pour toi seul préparés, soient ton juste partage !
Voilà les sentiments qu'on doit à tes bienfaits,
1380 L'hommage, les serments, et les vœux que je fais.

MAHOMET

Je vois qu'on m'a trahi ; mais, quoi qu'il en puisse être,
Et qui que vous soyez, fléchissez sous un maître.
Apprenez que mon cœur…

Scène III

Mahomet, Palmire, Omar, Ali, suite

OMAR

On sait tout, Mahomet ;
Hercide en expirant révéla ton secret.
1385 Le peuple en est instruit, la prison est forcée ;
Tout s'arme, tout s'émeut ; une foule insensée,
Élevant contre toi ses hurlements affreux,
Porte le corps sanglant de son chef malheureux.
Séïde est à leur tête, et d'une voix funeste
1390 Les excite à venger ce déplorable reste.
Ce corps souillé de sang est l'horrible signal,
Qui fait courir ce peuple à ce combat fatal.
Il s'écrie en pleurant : je suis un parricide ;
La douleur le ranime, et la rage le guide.
1395 Il semble respirer pour se venger de toi ;
On déteste ton Dieu, tes prophètes, ta loi.
Ceux même qui devaient dans La Mecque alarmée
Faire ouvrir, cette nuit, la porte à ton armée,

De la fureur commune avec zèle enivrés,
1400 Viennent lever sur toi leurs bras désespérés.
On n'entend que les cris de mort et de vengeance.

PALMIRE

Achève, juste ciel ! et soutiens l'innocence.
Frappe.

MAHOMET, *à Omar.*

Eh bien, que crains-tu ?

OMAR

Tu vois quelques amis,
Qui contre les dangers comme moi raffermis,
1405 Mais vainement armés contre un pareil orage,
Viennent tous à tes pieds mourir avec courage.

MAHOMET

Seul je les défendrai. Rangez-vous près de moi,
Et connaissez enfin qui vous avez pour roi.

Scène IV

Mahomet, Omar, sa suite, *d'un côté,*
Séïde et le peuple, *de l'autre,* Palmire, *au milieu.*

SÉÏDE, *un poignard à la main,*
mais déjà affaibli par le poison.

Peuple, vengez mon père, et courez à ce traître.

MAHOMET

1410 Peuple, né pour me suivre, écoutez votre maître.

SÉÏDE

N'écoutez point ce monstre, et suivez-moi… Grands dieux,
Quel nuage épaissi se répand sur mes yeux ?

Il avance, il chancelle.

Frappons… Ciel ! je me meurs.

MAHOMET

Je triomphe.

PALMIRE, *courant à lui.*

Ah mon frère !

N'auras-tu pu verser que le sang de ton père ?

SÉÏDE

1415 Avançons. Je ne puis… Quel dieu vient m'accabler !

Il tombe entre les bras des siens.

MAHOMET

Ainsi tout téméraire à mes yeux doit trembler.
Incrédules esprits, qu'un zèle aveugle inspire,
Qui m'osez blasphémer, et qui vengez Zopire,
Ce seul bras que la terre apprit à redouter,
1420 Ce bras peut vous punir d'avoir osé douter.
Dieu qui m'a confié sa parole et sa foudre,
Si je veux me venger, va vous réduire en poudre.
Malheureux ! connaissez son prophète et sa loi ;
Et que ce Dieu soit juge entre Séïde et moi.
1425 De nous deux, à l'instant, que le coupable expire !

PALMIRE

Mon frère ! eh quoi, sur eux ce monstre a tant d'empire !
Ils demeurent glacés, ils tremblent à sa voix.
Mahomet, comme un dieu, leur dicte encor ses lois.
Et toi, Séïde, aussi !

SÉÏDE, *entre les bras des siens.*

Le ciel punit ton frère.

1430 Mon crime était horrible, autant qu'involontaire.
En vain la vertu même habitait dans mon cœur.
Toi, tremble, scélérat, si Dieu punit l'erreur,
Vois quel foudre il prépare aux artisans des crimes :
Tremble ; son bras s'essaie à frapper ses victimes.
1435 Détournez d'elle, ô Dieu, cette mort qui me suit !

PALMIRE

Non, peuple, ce n'est point un Dieu qui le poursuit.
Non ; le poison sans doute…

MAHOMET, *en l'interrompant, et s'adressant au peuple.*

Apprenez, infidèles,
À former contre moi des trames criminelles ;
Aux vengeances des cieux reconnaissez mes droits.
1440 La nature et la mort ont entendu ma voix.
La mort, qui m'obéit, qui, prenant ma défense,
Sur ce front pâlissant a tracé ma vengeance,
La mort est à vos yeux, prête à fondre sur vous.
Ainsi mes ennemis sentiront mon courroux ;
1445 Ainsi je punirai les erreurs insensées,
Les révoltes du cœur, et les moindres pensées.
Si ce jour luit pour vous, ingrats, si vous vivez,
Rendez grâce au pontife, à qui vous le devez.
Fuyez, courez au temple apaiser ma colère.

Le peuple se retire.

PALMIRE, *revenant à elle.*

1450 Arrêtez. Le barbare empoisonna mon frère.
Monstre, ainsi son trépas t'aura justifié ;
À force de forfaits tu t'es déifié.
Malheureux assassin de ma famille entière,
Ôte-moi de tes mains ce reste de lumière.
1455 Ô frère ! ô triste objet d'un amour plein d'horreurs !
Que je te suive au moins.

Elle se jette sur le poignard de son frère.

MAHOMET

Qu'on l'arrête.

PALMIRE

Je meurs.
Je cesse de te voir, imposteur exécrable.
Je me flatte, en mourant, qu'un Dieu plus équitable
Réserve un avenir pour les cœurs innocents.
1460 Tu dois régner ; le monde est fait pour les tyrans.

MAHOMET

Elle m'est enlevée [30]... Ah ! trop chère victime !
Je me vois arracher le seul prix de mon crime.
De ses jours pleins d'appas détestable ennemi,
Vainqueur et tout-puissant, c'est moi qui suis puni.
1465 Il est donc des remords ! ô fureur ! ô justice !
Mes forfaits dans mon cœur ont donc mis mon supplice !
Dieu que j'ai fait servir au malheur des humains,
Adorable instrument de mes affreux desseins,
Toi que j'ai blasphémé, mais que je crains encore,
1470 Je me sens condamné, quand l'univers m'adore.
Je brave en vain les traits dont je me sens frapper.
J'ai trompé les mortels, et ne puis me tromper.
Père, enfants malheureux, immolés à ma rage,
Vengez la terre et vous, et le ciel que j'outrage.
1475 Arrachez-moi ce jour, et ce perfide cœur,
Ce cœur né pour haïr, qui brûle avec fureur.
Et toi, de tant de honte étouffe la mémoire ;
Cache au moins ma faiblesse, et sauve encor ma gloire ;
Je dois régir en Dieu l'univers prévenu :
1480 Mon empire est détruit, si l'homme est reconnu.

NANINE
OU L'HOMME SANS PRÉJUGÉ

PRÉSENTATION

Le 17 août 1749, Voltaire écrit à Frédéric II, roi de Prusse, qu'il n'a pas encore rejoint à Berlin : « Je ne vous ai point envoyé cette comédie de *Nanine*, j'ai cru qu'une petite fille que son maître épouse ne valait pas la peine de vous être présentée. » Indubitablement, Voltaire ne place pas ses comédies et ses tragédies à parité de prestige. Mais cela ne signifie pas qu'il manque d'idées précises sur le genre comique. La formule la plus laconique se trouve dans une lettre du 9 décembre 1760 : « Ou je suis une bête ou *Le Droit du seigneur* est comique et intéressant. » Si l'on veut bien rendre à *intéressant* son aura et son sens d'alors – touchant, attachant, remuant, attirant, propre à émouvoir les passions, à retenir l'attention (voir l'Introduction, p. 21-22) –, on peut constater dans l'écriture voltairienne la permanence d'une veine comique attendrissante, qui va du *Fils prodigue* (1736) au *Droit du seigneur* (1760), en passant par *Nanine* (1749).

Toujours à l'affût des nouveautés, Voltaire n'est donc pas passé à côté du mouvement général qui, à partir des années 1730, porte vers ce que, par dérision, on a appelé la *comédie larmoyante* (La Chaussée, Destouches, Fagan…), timides et indécises prémisses du drame bourgeois diderotien. De quoi s'agit-il ? De l'aspiration à une forme de comédie moins noire, moins satirique, moins violente que le comique de Molière et de ses successeurs (Dancourt, Regnard, Lesage). On rêve d'un rapport à la scène qui laisse plus de place à la sympathie, plus d'occasions pour le cœur de s'attendrir. Il s'agit alors moins de dénoncer vices et ridicules par un rire décapant, cruel, mécanique, extérieur et supérieur, plein de mépris et de répulsion, que d'imaginer des personnages et des relations plaisants mais plus proches du spectateur, plus aptes à le toucher, à faire vibrer ses cordes sensibles. Ce propos est au centre aussi de la doctrine du drame bourgeois (1757-1758), alors que les praticiens de la comédie sentimentale, par incapacité ou par prudence, n'élaborent pas la théorie de leur pratique, violemment dénoncée par les tenants de la tradition, c'est-à-dire de la stricte séparation des genres. Hérésie à leurs yeux de prétendre mêler les larmes et le rire, le comique et le touchant.

Dans la préface (1738) du *Fils prodigue*, Voltaire se pose nettement en novateur, mais en novateur éclairé, non dogmatique, en observateur empirique des choses de l'art : voici, dit-il, « la première comédie qui soit écrite en vers de cinq pieds. Peut-être cette nouveauté engagera-t-elle quelqu'un à se servir de cette mesure. Elle produira sur le théâtre français de la variété. [...] On y voit un mélange de sérieux et de plaisanterie, de comique et de touchant. [...] Il y a beaucoup de très bonnes pièces où ne règne que de la gaieté ; d'autres très sérieuses, d'autres mélangées, d'autres où l'attendrissement va jusqu'aux larmes. Il ne faut donner l'exclusion à aucun genre, et si l'on me demandait quel genre est le meilleur, je répondrais : "Celui qui est le mieux traité" » (la même réponse vaut, chez Voltaire, pour la question du meilleur gouvernement : celui qui est le mieux exercé).

Pourquoi rit-on ? Selon Voltaire, l'éclat de rire général, qui emporte une salle ou une petite société, celui qui part et se propage irrésistiblement, ne se produit « qu'à l'occasion d'une méprise. [...] Arlequin ne fait guère rire que quand il se méprend ». Mais

> « il y a bien d'autres genres de comique. Il y a des plaisanteries qui causent une autre sorte de plaisir [...]. Il y a des caractères ridicules dont la représentation plaît, sans causer ce rire immodéré de joie. Trissotin et Vadius, par exemple [dans *Les Femmes savantes* de Molière], semblent être de ce genre ; Le Joueur, Le Grondeur, qui font un plaisir extrême, ne permettent guère le rire éclatant.

Il y a d'autres ridicules mêlés de vices, dont on est charmé de voir la peinture, et qui ne causent qu'un plaisir sérieux. Un malhonnête homme ne fera jamais rire, parce que dans le rire il entre toujours de la gaieté, incompatible avec le mépris et l'indignation. Il est vrai qu'on rit au *Tartuffe* ; mais ce n'est pas de son hypocrisie, c'est de la méprise du bonhomme [Orgon] qui le croit un saint, et, l'hypocrisie une fois reconnue, on ne rit plus : on sent d'autres impressions.

On pourrait aisément remonter aux sources de nos autres sentiments, à ce qui excite la gaieté, la curiosité, l'intérêt, l'émotion, les larmes. Ce serait surtout aux auteurs dramatiques [et non aux théoriciens purs] à nous développer tous ces ressorts, puisque ce sont eux qui les font jouer. Mais [...] ils sont persuadés qu'un sentiment vaut mieux qu'une définition, et je suis trop de leur avis pour mettre un traité de philosophie au-devant d'une pièce de théâtre.

Je me bornerai simplement à insister encore un peu sur la nécessité où nous sommes d'avoir des choses nouvelles. [...]

Les bons ouvrages [...] me paraissent tous avoir quelque chose de neuf et d'original qui les a sauvés du naufrage. Encore une fois, tous les genres sont bons, sauf le genre ennuyeux. »

Une pièce n'échoue pas parce qu'elle est neuve, mais parce qu'elle « ne vaut rien dans son espèce ». Il convenait de citer un peu longuement cette préface, parce qu'elle est d'évidence décisive, et d'ailleurs trop peu connue. Et aussi parce qu'elle vaut également pour la tragédie et ses différentes « espèces ». Un cadre théorique aussi souple, car sensible, comme la *Poétique* d'Aristote, à la diversité empirique des productions artistiques, ouvre le champ des expérimentations, sans jamais perdre de vue le fil rouge du théâtre, qui est de plaire au public rassemblé et payant. Mais tragédie et comédie ne sont pas en situation d'exacte symétrie. Alors que la tragédie doit tendre vers l'intensité maximale des ressources émotives propres à chaque espèce tragique (le terrible, le tendre, l'épique, le merveilleux, etc.), on vient de voir que certaines comédies sont habilitées, sans viser au rire « immodéré », à joindre le plaisant et le touchant, mélange jugé hérétique par les tenants d'une stricte séparation des genres, qui se réclament d'Aristote et de Molière. Doit-on conclure que, si Voltaire est marqué par Corneille et

Racine, jusque dans la modulation intime du vers, il échappe plus aisément à Molière ?

Je le pense. Rien de moliéresque dans *Nanine*, ni dans la construction ni dans les caractères, pas plus que dans la diction. Voltaire sait faire chanter le décasyllabe comme personne, et je peux témoigner, grâce à une délicieuse mise en scène de H. Loichemol à Ferney, du charme irrésistible d'un mètre qui n'a ni l'ampleur régulière et symétrique de l'alexandrin, ni l'acidité grêle de l'octosyllabe. Ne s'intéresserait-on qu'à cette musique si rare en français, *Nanine* mériterait la lecture, pour ne rien dire d'une représentation confiée à de bons comédiens amoureux de la langue.

Mais *Nanine* doit aussi intéresser par son sujet. L'action est fondée sur ce que Beaumarchais, dans la préface du *Mariage de Figaro*, appellera une « disconvenance sociale ». Disconvenance bien plus forte que dans *Les Fausses Confidences*, puisqu'elle ajoute à la différence des fortunes celle du sang, et conduit au mariage d'un marquis et d'une jeune paysanne, élevée et lissée, il est vrai, au château. Il faut donc surmonter les préjugés, et leur préférer l'appel du cœur et la reconnaissance du mérite. *Nanine* est par conséquent une variation théâtrale sur le célèbre roman anglais de Richardson, *Paméla*, la plus réussie dans le domaine français, et digne d'être rapprochée, comme l'a fait H. Loichemol, de la pièce italienne de Goldoni sur le même canevas. On notera que Voltaire s'est heureusement interdit une facilité trop attendue, la découverte finale de l'origine noble de son héroïne ! Non, la délicatesse et la grâce de Nanine ne viennent pas du sang, du sang bleu, mais de la nature polie par l'éducation.

Et le comique, à ne surtout pas confondre avec le rire, d'où vient-il ? La réponse est simple : de partout ! Des hésitations du marquis, des préjugés aristocratiques de la baronne, de la franchise bourrue de la mère, des domestiques au cœur sensible, du père vertueux, et aussi de cette source si appréciée des Lumières, à laquelle Kant consacre une page magnifique de sa *Critique du jugement* – la naïveté. La naïveté de Nanine, indissolublement comique et touchante. Ah, qu'on est tenté de terminer par un appel : Jean-Marie Villégier, après *La Fée Urgel* (Favart), de grâce, donnez-nous une *Nanine* !

NANINE
OU L'HOMME SANS PRÉJUGÉ

Comédie en trois actes en vers de dix syllabes

1749

PRÉFACE

Cette bagatelle fut représentée à Paris dans l'été de 1749, parmi la foule des spectacles qu'on donne à Paris tous les ans.

Dans cette autre foule beaucoup plus nombreuse de brochures dont on est inondé, il en parut une dans ce temps-là qui mérite d'être distinguée. C'est une dissertation ingénieuse et approfondie d'un académicien de La Rochelle[1], sur cette question, qui semble partager depuis quelques années la littérature ; savoir, s'il est permis de faire des comédies attendrissantes ? Il paraît se déclarer fortement contre ce genre, dont la petite comédie de *Nanine* tient beaucoup en quelques endroits. Il condamne avec raison tout ce qui aurait l'air d'une tragédie bourgeoise[2]. En effet, que serait-ce qu'une intrigue tragique entre des hommes du commun ? Ce serait seulement avilir le cothurne[3] ; ce serait manquer à la fois l'objet de la tragédie et de la comédie ; ce serait une espèce bâtarde, un monstre né de l'impuissance de faire une comédie et une tragédie véritable.

Cet académicien judicieux blâme surtout les intrigues romanesques et forcées, dans ce genre de comédie où l'on veut attendrir les spectateurs, et qu'on appelle par dérision *comédie larmoyante*. Mais dans quel genre les intrigues romanesques et forcées peuvent-elles être admises ? Ne sont-elles pas toujours un vice essentiel dans quelque ouvrage que ce puisse être ? Il conclut enfin en disant, que si dans une comédie l'attendrissement peut aller quelquefois jusqu'aux larmes, il n'appartient qu'à la passion de l'amour de les faire répandre. Il n'entend pas sans doute l'amour tel qu'il est représenté dans les bonnes tragédies, l'amour furieux, barbare, funeste, suivi de crimes et de remords ; il entend l'amour naïf et tendre, qui seul est du ressort de la comédie[4].

Cette réflexion en fait naître une autre, qu'on soumet au jugement des gens de lettres. C'est que dans notre nation la tragédie a commencé par s'approprier le langage de la comédie. Si on y prend garde, l'amour dans beaucoup d'ouvrages, dont la terreur et la pitié devraient être l'âme, est traité comme il doit l'être en effet dans le genre comique. La galanterie, les déclarations d'amour, la coquetterie, la naïveté, la familiarité, tout cela ne se trouve que trop chez nos héros et nos héroïnes de Rome et de la Grèce dont nos théâtres retentissent. De sorte qu'en effet l'amour naïf et attendrissant dans une comédie, n'est point un larcin fait à Melpomène, mais c'est au contraire Melpomène qui depuis longtemps a pris chez nous les brodequins de Thalie[5].

Qu'on jette les yeux sur les premières tragédies, qui eurent de si prodigieux succès vers le temps du cardinal de Richelieu ; la *Sophonisbe* de Mairet, la *Mariamne*, *L'Amour tyrannique*, *Alcionée*[6] ; on verra que l'amour y parle toujours sur un ton aussi familier, et quelquefois aussi bas, que l'héroïsme s'y exprime avec une emphase ridicule. C'est peut-être la raison pour laquelle notre nation n'eut en ce temps-là aucune comédie supportable[7]. C'est qu'en effet le théâtre tragique avait envahi tous les droits de l'autre. Il est même vraisemblable que cette raison détermina Molière à donner rarement aux amants qu'il met sur la scène, une passion vive et touchante ; il sentait que la tragédie l'avait prévenu.

Depuis la *Sophonisbe* de Mairet, qui fut la première pièce dans laquelle on trouva quelque régularité, on avait commencé à regarder les déclarations d'amour des héros, les réponses artificieuses et coquettes des princesses, les peintures galantes de l'amour, comme des choses essentielles au théâtre tragique. Il est resté des écrits de ce temps-là, dans lesquels on cite avec de grands éloges ces vers que dit Massinissa après la bataille de Cirthe :

J'aime plus de moitié quand je me sens aimé,
Et ma flamme s'accroît par un cœur enflammé ;
Comme par une vague une vague s'irrite,
Un soupir amoureux par un autre s'excite.
Quand les chaînes d'hymen étreignent deux esprits,
Un baiser se doit rendre aussitôt qu'il est pris [8].

Cette habitude de parler ainsi d'amour, influa sur les meilleurs esprits ; et ceux même dont le génie mâle et sublime était fait pour rendre en tout à la tragédie son ancienne dignité, se laissèrent entraîner à la contagion.

On vit dans les meilleures pièces un

malheureux visage

qui

D'un chevalier romain captiva le courage [9].

Le héros dit à sa maîtresse :

Adieu, trop vertueux objet, et trop charmant.

L'héroïne lui répond :

Adieu, trop malheureux et trop parfait amant [10].

Cléopâtre dit qu'une princesse

aimant sa renommée,
En avouant qu'elle aime, est sûre d'être aimée [11],

Que César

trace des soupirs, et d'un style plaintif,
Dans son champ de victoire il se dit son captif [12].

Elle ajoute, qu'il ne tient qu'à elle d'avoir des rigueurs et de rendre César malheureux. Sur quoi la confidente lui répond :

J'oserais bien jurer que vos charmants appas
Se vantent d'un pouvoir dont ils n'useront pas [13].

Dans toutes les pièces du même auteur qui suivent *La Mort de Pompée*, on est obligé d'avouer que l'amour est toujours traité de ce ton familier. Mais, sans prendre la peine inutile de rapporter des exemples de ces défauts trop visibles, examinons seulement les meilleurs vers que l'auteur de *Cinna* ait fait débiter sur le théâtre comme maximes de galanterie :

Il est des nœuds secrets, il est des sympathies,
Dont par le doux rapport les âmes assorties,
S'attachent l'une à l'autre, et se laissent piquer
Par ce que je ne sais quoi qu'on ne peut expliquer[14].

De bonne foi croirait-on que ces vers du haut comique fussent dans la bouche d'une princesse des Parthes qui va demander à son amant la tête de sa mère ? Est-ce dans un jour si terrible qu'on parle *d'un je ne sais quoi, dont par le doux rapport les âmes sont assorties* ? Sophocle aurait-il débité de tels madrigaux ? Et toutes ces petites sentences amoureuses ne sont-elles pas uniquement du ressort de la comédie ?

Le grand homme, qui a porté à un si haut point la véritable éloquence dans les vers, qui a fait parler à l'amour un langage si touchant à la fois et si noble, a mis cependant dans ses tragédies plus d'une scène que Boileau trouvait plus propre de la haute comédie de Térence que du rival et du vainqueur d'Euripide[15].

On pourrait citer plus de trois cents vers dans ce goût. Ce n'est pas que la simplicité, qui a ses charmes, la naïveté qui quelquefois même tient du sublime, ne soient nécessaires pour servir ou de préparation, ou de liaison et de passage au pathétique. Mais si ces traits naïfs et simples appartiennent même au tragique, à plus forte raison appartiennent-ils au grand comique. C'est dans ce point, où la tragédie s'abaisse, et où la comédie s'élève, que ces deux arts se rencontrent et se touchent. C'est là seulement que leurs bornes se confondent. Et s'il est permis à Oreste et à Hermione de se dire :

Ah ! ne souhaitez pas le destin de Pyrrhus ;
Je vous haïrais trop… Vous m'en aimeriez plus.
Ah ! que vous me verriez d'un regard bien contraire !
Vous me voulez aimer, et je ne peux vous plaire.
Vous m'aimeriez, madame, en me voulant haïr…
Car enfin il vous hait ; son âme ailleurs éprise
N'a plus… Qui vous l'a dit, seigneur, qu'il me méprise ?
Jugez-vous que ma vue inspire des mépris[16] *?*

Si ces héros, dis-je, se sont exprimés avec cette familiarité, à combien plus forte raison le Misanthrope est-il bien reçu à dire à sa maîtresse avec véhémence :

Rougissez bien plutôt, vous en avez raison,
Et j'ai de sûrs témoins de votre trahison…
Ce n'était pas en vain que s'alarmait ma flamme ;
Mais ne présumez pas que sans être vengé,
Je succombe à l'affront de me voir outragé.
C'est une trahison, c'est une perfidie,
Qui ne saurait trouver de trop grands châtiments.
Et je puis tout permettre à mes ressentiments.
Redoutez tout, madame, après un tel outrage.
Je ne suis plus à moi, je suis tout à la rage.
Percé du coup mortel dont vous m'assassinez,
Mes sens par la raison ne sont plus gouvernés [17].

Certainement si toute la pièce du *Misanthrope* était dans ce goût, ce ne serait plus une comédie. Si Oreste et Hermione s'exprimaient toujours comme on vient de le voir, ce ne serait plus une tragédie. Mais après que ces deux genres si différents se sont ainsi rapprochés, ils rentrent chacun dans leur véritable carrière. L'un reprend le ton plaisant, et l'autre le ton sublime.

La comédie encore une fois peut donc se passionner, s'emporter, attendrir, pourvu qu'ensuite elle fasse rire les honnêtes gens. Si elle manquait de comique, si elle n'était que larmoyante, c'est alors qu'elle serait un genre très vicieux, et très désagréable.

On avoue qu'il est rare de faire passer les spectateurs insensiblement de l'attendrissement au rire. Mais ce passage, tout difficile qu'il est de le saisir dans une comédie, n'en est pas moins naturel aux hommes. On a déjà remarqué ailleurs [18] que rien n'est plus ordinaire que des aventures qui affligent l'âme, et dont certaines circonstances inspirent ensuite une gaieté passagère. C'est ainsi malheureusement que le genre humain est fait. Homère représente même les dieux riant de la mauvaise grâce de Vulcain, dans le temps qu'ils décident du destin du monde.

Hector sourit de la peur de son fils Astyanax ; tandis qu'Andromaque répand des larmes. On voit souvent jusque dans l'horreur des batailles, des incendies, de tous les désastres qui nous affligent, qu'une naïveté, un bon mot excitent le rire jusque dans le sein de la désolation et de la pitié. On défendit à un régiment, dans la bataille de Spire[19], de faire quartier ; un officier allemand demande la vie à l'un des nôtres, qui lui répond : *Monsieur, demandez-moi tout autre chose, mais pour la vie il n'y a pas moyen.* Cette naïveté passe aussitôt de bouche en bouche, et on rit au milieu du carnage. À combien plus forte raison le rire peut-il succéder dans la comédie à des sentiments touchants ? Ne s'attendrit-on pas avec Alcmène ? Ne rit-on pas avec Sosie[20] ? Quel misérable et vain travail, de disputer contre l'expérience ! Si ceux qui disputent ainsi, ne se payaient pas de raison, et aimaient mieux des vers, on leur citerait ceux-ci :

L'amour règne par le délire,
Sur ce ridicule univers.
Tantôt aux esprits de travers
Il fait rimer de mauvais vers ;
Tantôt il renverse un empire.
L'œil en feu, le fer à la main,
Il frémit dans la tragédie ;
Non moins touchant et plus humain,
Il anime la comédie ;
Il affadit dans l'élégie ;
Et dans un madrigal badin,
Il se joue aux pieds de Sylvie[21].
Tous les genres de poésie,
De Virgile jusqu'à Chaulieu[22],
Sont aussi soumis à ce dieu,
Que tous les états de la vie.

PERSONNAGES

LE COMTE D'OLBAN, seigneur retiré à la campagne.
LA BARONNE DE L'ORME, parente du comte, femme impérieuse, aigre, difficile à vivre.
LA MARQUISE D'OLBAN, mère du comte.
NANINE, fille élevée à la maison du comte.
PHILIPPE HOMBERT, paysan du voisinage.
BLAISE, jardinier.
GERMON, MARIN } domestiques.

La scène est dans le château du comte d'Olban.

ACTE PREMIER

Scène première

Le comte d'Olban, la baronne de L'Orme

LA BARONNE

Il faut parler, il faut, Monsieur le Comte,
Vous expliquer nettement sur mon compte.
Ni vous ni moi n'avons un cœur tout neuf ;
Vous êtes libre, et depuis deux ans veuf.
5 Devers ce temps j'eus cet honneur moi-même :
Et nos procès, dont l'embarras extrême
Était si triste, et si peu fait pour nous,
Sont enterrés, ainsi que mon époux.

LE COMTE

Oui, tout procès m'est fort insupportable.

LA BARONNE

10 Ne suis-je pas comme eux fort haïssable ?

LE COMTE

Qui ? vous, Madame ?

LA BARONNE

Oui, moi. Depuis deux ans,

Libres tous deux, comme tous deux parents,
Pour terminer nous habitons ensemble ;
Le sang, le goût, l'intérêt nous rassemble.

LE COMTE

15 Ah l'intérêt ! parlez mieux.

LA BARONNE

Non, Monsieur,
Je parle bien, et c'est avec douleur ;
Et je sais trop que votre âme inconstante
Ne me voit plus que comme une parente.

LE COMTE

Je n'ai pas l'air d'un volage, je crois.

LA BARONNE

20 Vous avez l'air de me manquer de foi.

LE COMTE, *à part.*

Ah !

LA BARONNE

Vous savez que cette longue guerre,
Que mon mari vous faisait pour ma terre,
A dû finir en confondant nos droits
Dans un hymen dicté par notre choix :
25 Votre promesse à ma foi vous engage :
Vous différez, et qui diffère outrage.

LE COMTE

J'attends ma mère.

LA BARONNE

Elle radote ; bon !

LE COMTE

Je la respecte, et je l'aime.

LA BARONNE

Et moi, non.
Mais pour me faire un affront qui m'étonne [1],
30 Assurément vous n'attendez personne,
Perfide, ingrat !

LE COMTE

D'où vient ce grand courroux ?
Qui vous a donc dit tout cela ?

LA BARONNE

Qui ? vous ;
Vous, votre ton, votre air d'indifférence,
Votre conduite, en un mot, qui m'offense,
35 Qui me soulève, et qui choque mes yeux.
Ayez moins tort, ou défendez-vous mieux.
Ne vois-je pas l'indignité, la honte,
L'excès, l'affront du goût qui vous surmonte ?
Quoi ! pour l'objet le plus vil, le plus bas,
40 Vous me trompez !

LE COMTE

Non, je ne trompe pas ;
Dissimuler n'est pas mon caractère.
J'étais à vous, vous aviez su me plaire,
Et j'espérais avec vous retrouver
Ce que le ciel a voulu m'enlever ;
45 Goûter en paix, dans cet heureux asile,
Les nouveaux fruits d'un nœud doux et tranquille ;
Mais vous cherchez à détruire vos lois.
Je vous l'ai dit, l'amour a deux carquois :
L'un est rempli de ces traits tout de flamme
50 Dont la douceur porte la paix dans l'âme,
Qui rend plus purs nos goûts, nos sentiments,
Nos soins plus vifs, nos plaisirs plus touchants :
L'autre n'est plein que de flèches cruelles,
Qui répandant les soupçons, les querelles,
55 Rebutent l'âme, y portent la tiédeur,
Font succéder les dégoûts à l'ardeur.

Voilà les traits que vous prenez vous-même
Contre nous deux ; et vous voulez qu'on aime !

LA BARONNE

Oui, j'aurai tort. Quand vous vous détachez,
60 C'est donc à moi que vous le reprochez.
Je dois souffrir vos belles incartades,
Vos procédés, vos comparaisons fades.
Qu'ai-je donc fait, pour perdre votre cœur ?
Que me peut-on reprocher ?

LE COMTE

Votre humeur.
65 N'en doutez pas ; oui, la beauté, Madame,
Ne plaît qu'aux yeux : la douceur charme l'âme.

LA BARONNE

Mais êtes-vous sans humeur, vous ?

LE COMTE

Moi ? non ;
J'en ai sans doute ; et pour cette raison,
Je veux, Madame, une femme indulgente,
70 Dont la beauté douce et compatissante,
À mes défauts facile à se plier,
Daigne avec moi me réconcilier,
Me corriger sans prendre un ton caustique,
Me gouverner, sans être tyrannique,
75 Et dans mon cœur pénétrer pas à pas,
Comme un jour doux dans des yeux délicats.
Qui sent le joug le porte avec murmure ;
L'amour tyran est un dieu que j'abjure.
Je veux aimer, et ne veux point servir ;
80 C'est votre orgueil qui peut seul m'avilir.
J'ai des défauts ; mais le ciel fit les femmes,
Pour corriger le levain de nos âmes,
Pour adoucir nos chagrins, nos humeurs,
Pour nous calmer, pour nous rendre meilleurs.
85 C'est là leur lot : et pour moi je préfère
Laideur affable à beauté rude et fière.

LA BARONNE

C'est fort bien dit, traître, vous prétendez,
Quand vous m'outrez, m'insultez, m'excédez,
Que je pardonne, en lâche complaisante,
90 De vos amours la honte extravagante ?
Et qu'à mes yeux un faux air de hauteur
Excuse en vous les bassesses du cœur ?

LE COMTE

Comment ! Madame ?

LA BARONNE

Oui, la jeune Nanine
Fait tout mon tort. Un enfant vous domine,
95 Une servante, une fille des champs,
Que j'élevai par mes soins imprudents,
Que par pitié votre facile mère
Daigna tirer du sein de la misère.
Vous rougissez.

LE COMTE

Moi ! je lui veux du bien.

LA BARONNE

100 Non, vous l'aimez ; j'en suis très sûre.

LE COMTE

Eh bien !
Si je l'aimais, apprenez donc, Madame,
Que hautement je publierais ma flamme.

LA BARONNE

Vous en êtes capable.

LE COMTE

Assurément.

LA BARONNE

Vous oseriez trahir impudemment
105 De votre rang toute la bienséance,

Humilier ainsi votre naissance,
Et dans la honte où vos sens sont plongés,
Braver l'honneur !

LE COMTE

Dites les préjugés.
Je ne prends point, quoi qu'on en puisse croire,
110 La vanité pour l'honneur et la gloire.
L'éclat vous plaît ; vous mettez la grandeur
Dans des blasons : je la veux dans le cœur.
L'homme de bien, modeste avec courage,
Et la beauté spirituelle, sage,
115 Sans bien, sans nom, sans tous ces titres vains,
Sont à mes yeux les premiers des humains.

LA BARONNE

Il faut au moins être bon gentilhomme.
Un vil savant, un obscur honnête homme,
Serait chez vous, pour un peu de vertu,
120 Comme un seigneur avec honneur reçu ?

LE COMTE

Le vertueux aurait la préférence.

LA BARONNE

Peut-on souffrir cette humble extravagance ?
Ne doit-on rien, s'il vous plaît, à son rang ?

LE COMTE

Être honnête homme, est ce qu'on doit.

LA BARONNE

Mon sang
125 Exigerait un plus haut caractère.

LE COMTE

Il est très haut ; il brave le vulgaire.

LA BARONNE

Vous dégradez ainsi la qualité[2] !

LE COMTE

Non ; mais j'honore ainsi l'humanité.

LA BARONNE

Vous êtes fou : quoi ! le public, l'usage !

LE COMTE

130 L'usage est fait pour le mépris du sage ;
Je me conforme à ses ordres gênants,
Pour mes habits, non pour mes sentiments.
Il faut être homme, et d'une âme sensée
Avoir à soi ses goûts et sa pensée.
135 Irai-je en sot aux autres m'informer
Qui je dois fuir, chercher, louer, blâmer ?
Quoi ! de mon être il faudra qu'on décide ?
J'ai ma raison ; c'est ma mode et mon guide.
Le singe est né pour être imitateur,
140 Et l'homme doit agir d'après son cœur.

LA BARONNE

Voilà parler en homme libre, en sage.
Allez, aimez des filles de village,
Cœur noble et grand ; soyez l'heureux rival
Du magister [3] et du greffier fiscal ;
145 Soutenez bien l'honneur de votre race.

LE COMTE

Ah juste ciel ! que faut-il que je fasse ?

Scène II

Le comte, La baronne, Blaise

LE COMTE

Que veux-tu, toi ?

BLAISE

C'est votre jardinier,
Qui vient, monsieur, humblement supplier
Votre grandeur.

LE COMTE

Ma grandeur ! Eh bien, Blaise,

150 Que te faut-il ?

BLAISE

Mais, c'est, ne vous déplaise,

Que je voudrais me marier…

LE COMTE

D'accord,

Très volontiers. Ce projet me plaît fort.
Je t'aiderai, j'aime qu'on se marie.
Et la future, est-elle un peu jolie ?

BLAISE

155 Ah, oui, ma foi, c'est un morceau friand.

LA BARONNE

Et Blaise en est aimé ?

BLAISE

Certainement.

LE COMTE

Et nous nommons cette beauté divine ?

BLAISE

Mais, c'est…

LE COMTE

Eh bien ?

BLAISE

C'est la belle Nanine.

LE COMTE

Nanine ?

LA BARONNE

Ah ! bon ! je ne m'oppose point

160 À de pareils amours.

LE COMTE, *à part.*

Ciel ! à quel point
On m'avilit ! Non, je ne le puis être.

BLAISE

Ce parti-là doit bien plaire à mon maître.

LE COMTE

Tu dis qu'on t'aime, impudent !

BLAISE

Ah ! pardon.

LE COMTE

T'a-t-elle dit qu'elle t'aimât ?

BLAISE

Mais… Non,
165 Pas tout à fait ; elle m'a fait entendre,
Tant seulement, qu'elle a pour nous du tendre.
D'un ton si bon, si doux, si familier
Elle m'a dit cent fois : « Cher jardinier,
Cher ami Blaise, aide-moi donc à faire
170 Un beau bouquet de fleurs, qui puisse plaire
À Monseigneur, à ce maître charmant » ;
Et puis d'un air si touché, si touchant,
Elle faisait ce bouquet ; et sa vue
Était troublée, elle était tout émue,
175 Toute rêveuse, avec un certain air,
Un air, là, qui… peste l'on y voit clair.

LE COMTE

Blaise, va-t'en… Quoi ! j'aurais su lui plaire.

BLAISE

Çà, n'allez pas traînasser notre affaire.

LE COMTE

Hem… !

BLAISE

Vous verrez comme ce terrain-là
180 Entre mes mains bientôt profitera.
Répondez donc, pourquoi ne me rien dire ?

LE COMTE

Ah ! mon cœur est trop plein. Je me retire…
Adieu, Madame.

Scène III

La baronne, Blaise

LA BARONNE

Il l'aime comme un fou :
J'en suis certaine. Et comment donc ? par où ?
185 Par quels attraits, par quelle heureuse adresse,
A-t-elle pu me ravir sa tendresse ?
Nanine ? ô ciel ! quel choix ! quelle fureur !
Nanine ! Non. J'en mourrai de douleur.

BLAISE, *revenant.*

Ah ! vous parlez de Nanine.

LA BARONNE

Insolente !

BLAISE

190 Est-il pas vrai que Nanine est charmante ?

LA BARONNE

Non.

BLAISE

Eh si fait : parlez un peu pour nous ;
Protégez Blaise.

LA BARONNE

Ah quels horribles coups !

BLAISE

J'ai des écus. Pierre Blaise mon père
M'a bien laissé trois bons journaux[4] de terre ;
195 Tout est pour elle, écus comptants, journaux,
Tout mon avoir, et tout ce que je vaux,
Mon corps, mon cœur, tout moi-même, tout Blaise.

LA BARONNE

Autant que toi, crois que j'en serais aise,
Mon pauvre enfant, si je peux te servir ;
200 Tous deux ce soir je voudrais vous unir ;
Je lui paierai sa dot.

BLAISE

Digne baronne,
Que j'aimerai votre chère personne !
Que de plaisirs ! est-il possible ?

LA BARONNE

Hélas !
Je crains, ami, de ne réussir pas.

BLAISE

205 Ah par pitié, réussissez, Madame.

LA BARONNE

Va. Plût au ciel qu'elle devînt ta femme !
Attends mon ordre.

BLAISE

Eh ! puis-je attendre ?

LA BARONNE

Va.

BLAISE

Adieu. J'aurai ma foi cette enfant-là.

Scène IV

La baronne, *seule.*

Vit-on jamais une telle aventure ?
210 Peut-on sentir une plus vive injure ?
Plus lâchement se voir sacrifier ?
Le comte Olban rival d'un jardinier !

À un laquais.

Holà, quelqu'un ! Qu'on appelle Nanine.
C'est mon malheur qu'il faut que j'examine.
215 Où pourrait-elle avoir pris l'art flatteur,
L'art de séduire et de garder un cœur,
L'art d'allumer un feu vif et qui dure ?
Où ? dans ses yeux, dans la simple nature.
Je crois pourtant que cet indigne amour
220 N'a point encore osé se mettre au jour.
J'ai vu qu'Olban se respecte avec elle ;
Ah ! c'est encore une douleur nouvelle !
J'espérerais, s'il se respectait moins.
D'un amour vrai le traître a tous les soins.
225 Ah la voici : je me sens au supplice.
Que la nature est pleine d'injustice !
À qui va-t-elle accorder la beauté ?
C'est un affront fait à la qualité.
Approchez-vous, venez, Mademoiselle.

Scène V

La baronne, Nanine

NANINE

230 Madame.

LA BARONNE

Mais est-elle donc si belle ?
Ces grands yeux noirs ne disent rien du tout ;
Mais s'ils ont dit « J'aime »… ah je suis à bout.
Possédons-nous. Venez.

NANINE

Je viens me rendre
À mon devoir.

LA BARONNE

Vous vous faites attendre
235 Un peu de temps ; avancez-vous. Comment !
Comme elle est mise ! et quel ajustement !
Il n'est pas fait pour une créature
De votre espèce.

NANINE

Il est vrai. Je vous jure,
Par mon respect, qu'en secret j'ai rougi
240 Plus d'une fois d'être vêtue ainsi ;
Mais c'est l'effet de vos bontés premières,
De ces bontés qui me sont toujours chères.
De tant de soins vous daigniez m'honorer !
Vous vous plaisiez vous-même à me parer.
245 Songez combien vous m'aviez protégée ;
Sous cet habit, je ne suis point changée.
Voudriez-vous, Madame, humilier
Un cœur soumis, qui ne peut s'oublier [5] ?

LA BARONNE

Approchez-moi ce fauteuil… Ah j'enrage…
250 D'où venez-vous ?

NANINE

Je lisais.

LA BARONNE

Quel ouvrage ?

NANINE

Un livre anglais [6], dont on m'a fait présent.

LA BARONNE

Sur quel sujet ?

NANINE

Il est intéressant :
L'auteur prétend que les hommes sont frères,
Nés tous égaux ; mais ce sont des chimères ;
255 Je ne puis croire à cette égalité.

LA BARONNE

Elle y croira. Quel fonds de vanité !
Que l'on m'apporte ici mon écritoire…

NANINE

J'y vais.

LA BARONNE

Restez. Que l'on me donne à boire.

NANINE

Quoi ?

LA BARONNE

Rien. Prenez mon éventail… Sortez.
260 Allez chercher mes gants… Laissez… Restez[7].
Avancez-vous… Gardez-vous, je vous prie,
D'imaginer que vous soyez jolie.

NANINE

Vous me l'avez si souvent répété,
Que si j'avais ce fonds de vanité,
265 Si l'amour-propre avait gâté mon âme,
Je vous devrais ma guérison, Madame.

LA BARONNE

Où trouve-t-elle ainsi ce qu'elle dit ?
Que je la hais ! quoi ! belle, et de l'esprit !

Avec dépit.

Écoutez-moi. J'eus bien de la tendresse
270 Pour votre enfance.

NANINE

Oui. Puisse ma jeunesse
Être honorée encor de vos bontés !

LA BARONNE

Eh bien, voyez si vous les méritez.
Je prétends, moi, ce jour, cette heure même,
Vous établir ; jugez si je vous aime.

NANINE

275 Moi ?

LA BARONNE

Je vous donne une dot. Votre époux
Est fort bien fait, et très digne de vous ;
C'est un parti de tout point fort sortable ;
C'est le seul même aujourd'hui convenable :
Et vous devez bien m'en remercier :
280 C'est, en un mot, Blaise le jardinier.

NANINE

Blaise, Madame ?

LA BARONNE

Oui. D'où vient ce sourire ?
Hésitez-vous un moment d'y souscrire ?
Mes offres sont un ordre, entendez-vous ?
Obéissez, ou craignez mon courroux.

NANINE

285 Mais…

LA BARONNE

Apprenez qu'un *mais* est une offense.
Il vous sied bien d'avoir l'impertinence
De refuser un mari de ma main !
Ce cœur si simple est devenu bien vain ;
Mais votre audace est trop prématurée ;
290 Votre triomphe est de peu de durée.
Vous abusez du caprice d'un jour,

Et vous verrez quel en est le retour.
Petite ingrate, objet de ma colère,
Vous avez donc l'insolence de plaire ?
295 Vous m'entendez ; je vous ferai rentrer
Dans le néant dont j'ai su vous tirer.
Tu pleureras ton orgueil, ta folie.
Je te ferai renfermer pour ta vie
Dans un couvent.

NANINE

J'embrasse vos genoux ;
300 Renfermez-moi, mon sort sera trop doux.
Oui, des faveurs que vous vouliez me faire,
Cette rigueur est pour moi la plus chère.
Enfermez-moi dans un cloître à jamais ;
J'y bénirai mon maître et vos bienfaits ;
305 J'y calmerai des alarmes mortelles,
Des maux plus grands, des craintes plus cruelles,
Des sentiments plus dangereux pour moi,
Que ce courroux qui me glace d'effroi.
Madame, au nom de ce courroux extrême,
310 Délivrez-moi, s'il se peut, de moi-même ;
Dès cet instant je suis prête à partir.

LA BARONNE

Est-il possible ? et que viens-je d'ouïr ?
Est-il bien vrai ? me trompez-vous, Nanine ?

NANINE

Non. Faites-moi cette faveur divine :
315 Mon cœur en a trop besoin.

LA BARONNE, *avec un emportement de tendresse.*

Lève-toi ;
Que je t'embrasse. Ô jour heureux pour moi !
Ma chère amie ! eh bien, je vais sur l'heure
Préparer tout pour ta belle demeure.
Ah quel plaisir que de vivre en couvent !

NANINE

320 C'est pour le moins un abri consolant.

LA BARONNE

Non : c'est, ma fille, un séjour délectable.

NANINE

Le croyez-vous ?

LA BARONNE

Le monde est haïssable,
Jaloux.

NANINE

Oh oui.

LA BARONNE

Fou, méchant, vain, trompeur,
Changeant, ingrat ; tout cela fait horreur.

NANINE

325 Oui ; j'entrevois qu'il me serait funeste,
Qu'il faut le fuir…

LA BARONNE

La chose est manifeste ;
Un bon couvent est un port assuré.
Monsieur le comte, ah ! je vous préviendrai.

NANINE

Que dites-vous de Monseigneur ?

LA BARONNE

Je t'aime
330 À la fureur ; et dès ce moment même,
Je voudrais bien te faire le plaisir
De t'enfermer pour ne jamais sortir.
Mais il est tard, hélas ! il faut attendre
Le point du jour. Écoute ; il faut te rendre
335 Vers le minuit dans mon appartement.

Nous partirons d'ici secrètement
Pour ton couvent, à cinq heures sonnantes :
Sois prête au moins.

Scène VI

Nanine, *seule.*

Quelles douleurs cuisantes !
Quel embarras ! quel tourment ! quel dessein !
340 Quels sentiments combattent dans mon sein !
Hélas ! je fuis le plus aimable maître !
En le fuyant je l'offense peut-être :
Mais en restant, l'excès de ses bontés
M'attirerait trop de calamités,
345 Dans sa maison mettrait un trouble horrible.
Madame croit qu'il est pour moi sensible,
Que jusqu'à moi ce cœur peut s'abaisser ;
Je le redoute, et n'ose le penser.
De quel courroux Madame est animée !
350 Quoi ! l'on me hait, et je crains d'être aimée !
Mais moi, mais moi ! je me crains encor plus ;
Mon cœur troublé de lui-même est confus.
Que devenir ? De mon état tirée,
Pour mon malheur je suis trop éclairée.
355 C'est un danger, c'est peut-être un grand tort,
D'avoir une âme au-dessus de son sort.
Il faut partir ; j'en mourrai, mais n'importe.

Scène VII

Le comte, Nanine, un laquais

LE COMTE

Holà, quelqu'un, qu'on reste à cette porte.
Des sièges, vite.

Il fait la révérence à Nanine, qui lui en fait une profonde.

Asseyons-nous ici.

NANINE

360 Qui, moi, Monsieur ?

LE COMTE

Oui, je le veux ainsi ;
Et je vous rends ce que votre conduite,
Votre beauté, votre vertu mérite.
Un diamant trouvé dans un désert,
Est-il moins beau, moins précieux, moins cher ?
365 Quoi ! vos beaux yeux semblent mouillés de larmes.
Ah ! je le vois. Jalouse de vos charmes,
Notre baronne aura, par ses aigreurs,
Par son courroux, fait répandre vos pleurs.

NANINE

Non, Monsieur, non ; sa bonté respectable
370 Jamais pour moi ne fut si favorable ;
Et j'avouerai qu'ici tout m'attendrit.

LE COMTE

Vous me charmez ; je craignais son dépit.

NANINE

Hélas ! pourquoi ?

LE COMTE

Jeune et belle Nanine,
La jalousie en tous les cœurs domine.
375 L'homme est jaloux, dès qu'il peut s'enflammer ;
La femme l'est même avant que d'aimer.
Un jeune objet, beau, doux, discret, sincère,
À tout son sexe est bien sûr de déplaire.
L'homme est plus juste, et d'un sexe jaloux
380 Nous nous vengeons autant qu'il est en nous.
Croyez surtout que je vous rends justice ;
J'aime ce cœur, qui n'a point d'artifice ;
J'admire encore à quel point vous avez
Développé vos talents cultivés.
385 De votre esprit la naïve justesse
Me rend surpris autant qu'il m'intéresse.

NANINE

J'en ai bien peu : mais quoi ! je vous ai vu,
Et je vous ai tous les jours entendu ;
Vous avez trop relevé ma naissance ;
390 Je vous dois trop ; c'est par vous que je pense.

LE COMTE

Ah ! croyez-moi, l'esprit ne s'apprend pas.

NANINE

Je pense trop pour un état si bas ;
Au dernier rang les destins m'ont comprise.

LE COMTE

Dans le premier vos vertus vous ont mise.
395 Naïvement, dites-moi quel effet
Ce livre anglais sur votre esprit a fait ?

NANINE

Il ne m'a point du tout persuadée :
Plus que jamais, Monsieur, j'ai dans l'idée,
Qu'il est des cœurs si grands, si généreux,
400 Que tout le reste est bien vil auprès d'eux.

LE COMTE

Vous en êtes la preuve… Ah çà, Nanine,
Permettez-moi qu'ici l'on vous destine
Un sort, un rang moins indigne de vous.

NANINE

Hélas ! mon sort était trop haut, trop doux.

LE COMTE

405 Non. Désormais soyez de la famille ;
Ma mère arrive, elle vous voit en fille ;
Et mon estime, et sa tendre amitié
Doivent ici vous mettre sur un pied
Fort éloigné de cette indigne gêne
410 Où vous tenait une femme hautaine.

NANINE

Elle n'a fait, hélas ! que m'avertir
De mes devoirs… Qu'ils sont durs à remplir !

LE COMTE

Quoi ? quel devoir ? Ah ! le vôtre est de plaire ;
Il est rempli ; le nôtre ne l'est guère.
415 Il vous fallait plus d'aisance et d'éclat.
Vous n'êtes pas encore dans votre état.

NANINE

J'en suis sortie, et c'est ce qui m'accable ;
C'est un malheur peut-être irréparable.

Se levant.

Ah, Monseigneur ! ah, mon maître ! écartez
420 De mon esprit toutes ces vanités.
De vos bienfaits confuse, pénétrée,
Laissez-moi vivre à jamais ignorée.
Le ciel me fit pour un état obscur ;
L'humilité n'a pour moi rien de dur.
425 Ah ! laissez-moi ma retraite profonde.
Et que ferais-je, et que verrais-je au monde,
Après avoir admiré vos vertus ?

LE COMTE

Non, c'en est trop, je n'y résiste plus.
Qui ? vous obscure ! vous !

NANINE

Quoi que je fasse,
430 Puis-je de vous obtenir une grâce ?

LE COMTE

Qu'ordonnez-vous ? parlez.

NANINE

Depuis un temps
Votre bonté me comble de présents.

LE COMTE

Eh bien ! pardon. J'en agis comme un père,
Un père tendre à qui sa fille est chère.
435 Je n'ai point l'art d'embellir un présent ;
Et je suis juste, et ne suis point galant.
De la fortune il faut venger l'injure[8] ;
Elle vous traita mal ; mais la nature,
En récompense, a voulu vous doter
440 De tous ses biens ; j'aurais dû l'imiter.

NANINE

Vous en avez trop fait ; mais je me flatte
Qu'il m'est permis, sans que je sois ingrate,
De disposer de ces dons précieux,
Que votre main rend si chers à mes yeux.

LE COMTE

445 Vous m'outragez.

Scène VIII

Le comte, Nanine, Germon

GERMON

Madame vous demande,
Madame attend.

LE COMTE

Eh, que madame attende.
Quoi ! l'on ne peut un moment vous parler,
Sans qu'aussitôt on vienne nous troubler ?

NANINE

Avec douleur, sans doute, je vous laisse ;
450 Mais vous savez qu'elle fut ma maîtresse.

LE COMTE

Non, non, jamais je ne veux le savoir.

NANINE

Elle conserve un reste de pouvoir.

LE COMTE

Elle n'en garde aucun, je vous assure.
Vous gémissez… Quoi ! votre cœur murmure !
455 Qu'avez-vous donc ?

NANINE

Je vous quitte à regret ;
Mais il le faut… Ô ciel ! c'en est donc fait.

Elle sort.

Scène IX

Le comte, Germon

LE COMTE, *seul.*

Elle pleurait. D'une femme orgueilleuse,
Depuis longtemps l'aigreur capricieuse
La fait gémir sous trop de dureté ;
460 Et de quel droit ? par quelle autorité ?
Sur ces abus ma raison se récrie.
Ce monde-ci n'est qu'une loterie
De biens, de rangs, de dignités, de droits,
Brigués sans titre, et répandus sans choix.
465 Eh…

GERMON

Monseigneur.

LE COMTE

Demain sur sa toilette
Vous porterez cette somme complète
De trois cents louis d'or ; n'y manquez pas ;
Puis vous irez chercher ces gens là-bas ;
Ils attendront.

GERMON

Madame la baronne
470 Aura l'argent que Monseigneur me donne
Sur sa toilette.

LE COMTE

Eh, l'esprit lourd ! eh non !
C'est pour Nanine, entendez-vous ?

GERMON

Pardon.

LE COMTE

Allez, allez, laissez-moi.

Germon sort.

Ma tendresse
Assurément n'est point une faiblesse.
475 Je l'idolâtre, il est vrai, mais mon cœur
Dans ses yeux seuls n'a point pris son ardeur.
Son caractère est fait pour plaire au sage ;
Et sa belle âme a mon premier hommage.
Mais son état ?… Elle est trop au-dessus ;
480 Fût-il plus bas, je l'en aimerais plus.
Mais puis-je enfin l'épouser ? Oui, sans doute.
Pour être heureux qu'est-ce donc qu'il en coûte ?
D'un monde vain dois-je craindre l'écueil,
Et de mon goût me priver par orgueil ?
485 Mais la coutume… Eh bien, elle est cruelle ;
Et la nature eut ses droits avant elle.
Eh quoi ! rival de Blaise ! Pourquoi non ?
Blaise est un homme ; il l'aime, il a raison.
Elle fera, dans une paix profonde,
490 Le bien d'un seul, et les désirs du monde.
Elle doit plaire aux jardiniers, aux rois ;
Et mon bonheur justifiera mon choix.

ACTE II

Scène première

Le comte d'Olban, Marin

LE COMTE, *seul.*

Ah ! cette nuit est une année entière.
Que le sommeil est loin de ma paupière !
495 Tout dort ici ; Nanine dort en paix ;
Un doux repos rafraîchit ses attraits :
Et moi je vais, je cours, je veux écrire,
Je n'écris rien ; vainement je veux lire ;
Mon œil troublé voit les mots sans les voir,
500 Et mon esprit ne les peut concevoir.
Dans chaque mot le seul nom de Nanine
Est imprimé par une main divine.
Holà, quelqu'un, qu'on vienne. Quoi ! mes gens
Sont-ils pas las de dormir si longtemps ?
505 Germon, Marin.

MARIN, *derrière le théâtre.*

J'accours.

LE COMTE

Quelle paresse !
Eh ! venez vite, il fait jour : le temps presse :
Arrivez donc.

MARIN

Eh, Monsieur, quel lutin
Vous a sans nous éveillé si matin ?

LE COMTE

L'amour.

MARIN

Oh, oh ! la baronne de L'Orme
510 Ne permet pas qu'en ce logis on dorme.
Qu'ordonnez-vous ?

LE COMTE

Je veux, mon cher Marin,
Je veux avoir, au plus tard pour demain,
Six chevaux neufs, un nouvel équipage,
Femme de chambre adroite, bonne et sage,
515 Valet de chambre, avec deux grands laquais,
Point libertins[9], qui soient jeunes, bien faits ;
Des diamants, des boucles des plus belles,
Des bijoux d'or, des étoffes nouvelles.
Pars dans l'instant, cours en poste à Paris ;
520 Crève tous les chevaux.

MARIN

Vous voilà pris.
J'entends, j'entends. Madame la baronne
Est la maîtresse aujourd'hui qu'on nous donne ;
Vous l'épousez ?

LE COMTE

Quel que soit mon projet,
Vole et reviens.

MARIN

Vous serez satisfait.

Scène II

Le comte, Germon

LE COMTE, *seul.*

525 Quoi ! j'aurai donc cette douceur extrême
De rendre heureux, d'honorer ce que j'aime.
Notre baronne avec fureur criera,
Très volontiers, et tant qu'elle voudra.
Les vains discours, le monde, la baronne,
530 Rien ne m'émeut, et je ne crains personne.
Aux préjugés c'est trop être soumis,
Il faut les vaincre, ils sont nos ennemis ;

Et ceux qui font les esprits raisonnables
Plus vertueux, sont les seuls respectables.
535 Eh mais… Quel bruit entends-je dans ma cour ?
C'est un carrosse. Oui… mais… au point du jour
Qui peut venir ?… C'est ma mère peut-être.
Germon…

GERMON, *arrivant.*

Monsieur.

LE COMTE

Vois ce que ce peut être.

GERMON

C'est un carrosse.

LE COMTE

Eh qui ? par quel hasard ?
540 Qui vient ici ?

GERMON

L'on ne vient point ; l'on part.

LE COMTE

Comment ! on part ?

GERMON

Madame la baronne
Sort tout à l'heure.

LE COMTE

Oh je le lui pardonne ;
Que pour jamais puisse-t-elle sortir !

GERMON

Avec Nanine elle est prête à partir.

LE COMTE

545 Ciel ! que dis-tu ? Nanine ?

GERMON

La suivante

Le dit tout haut.

LE COMTE

Quoi donc ?

GERMON

Votre parente

Part avec elle ; elle va, ce matin,
Mettre Nanine à ce couvent voisin.

LE COMTE

Courons, volons. Mais quoi ! que vais-je faire ?
550 Pour leur parler je suis trop en colère ;
N'importe : allons. Quand je devrais… Mais non :
On verrait trop toute ma passion.
Qu'on ferme tout, qu'on vole, qu'on l'arrête ;
Répondez-moi d'elle sur votre tête :
555 Amenez-moi Nanine.

Germon sort.

Ah juste ciel !
On l'enlevait. Quel jour ! quel coup mortel !
Qu'ai-je donc fait, pourquoi, par quel caprice,
Par quelle ingrate et cruelle injustice ?
Qu'ai-je donc fait, hélas ! que l'adorer,
560 Sans la contraindre, et sans me déclarer,
Sans alarmer sa timide innocence ?
Pourquoi me fuir ? Je m'y perds plus j'y pense.

Scène III

Le comte, Nanine

LE COMTE

Belle Nanine : est-ce vous que je vois ?
Quoi ! vous voulez vous dérober à moi ?
565 Ah répondez, expliquez-vous de grâce.

Vous avez craint, sans doute, la menace
De la baronne ; et ces purs sentiments
Que vos vertus m'inspirent dès longtemps,
Plus que jamais l'auront sans doute aigrie.
570 Vous n'auriez point de vous-même eu l'envie
De nous quitter, d'arracher à ces lieux
Leur seul éclat, que leur prêtaient vos yeux ?
Hier au soir, de pleurs toute trempée,
De ce dessein étiez-vous occupée ?
575 Répondez donc. Pourquoi me quittiez-vous ?

NANINE

Vous me voyez tremblante à vos genoux.

LE COMTE, *la relevant.*

Ah parlez-moi. Je tremble plus encore.

NANINE

Madame…

LE COMTE

Eh bien ?

NANINE

Madame, que j'honore,
Pour le couvent n'a point forcé mes vœux.

LE COMTE

580 Ce serait vous ? qu'entends-je ? ah malheureux !

NANINE

Je vous l'avoue : oui, je l'ai conjurée
De mettre un frein à mon âme égarée…
Elle voulait, Monsieur, me marier.

LE COMTE

Elle ? à qui donc ?

NANINE

À votre jardinier.

LE COMTE

585 Le digne choix !

NANINE

Et moi toute honteuse,
Plus qu'on ne croit peut-être malheureuse,
Moi qui repousse avec un vain effort
Des sentiments au-dessus de mon sort,
Que vos bontés avaient trop élevée,
590 Pour m'en punir j'en dois être privée.

LE COMTE

Vous, vous punir ? ah Nanine ! et de quoi ?

NANINE

D'avoir osé soulever contre moi
Votre parente, autrefois ma maîtresse.
Je lui déplais ; mon seul aspect la blesse ;
595 Elle a raison ; et j'ai près d'elle, hélas !
Un tort bien grand… qui ne finira pas.
J'ai craint ce tort, il est peut-être extrême.
J'ai prétendu m'arracher à moi-même,
Et déchirer dans les austérités,
600 Ce cœur trop haut, trop fier de vos bontés,
Venger sur lui sa faute involontaire.
Mais ma douleur, hélas ! la plus amère,
En perdant tout, en courant m'éclipser,
En vous fuyant, fut de vous offenser.

LE COMTE, *se détournant et se promenant.*

605 Quels sentiments, et quelle âme ingénue !
En ma faveur est-elle prévenue ?
A-t-elle craint de m'aimer ? ô vertu !

NANINE

Cent fois pardon, si je vous ai déplu.
Mais permettez qu'au fond d'une retraite
610 J'aille cacher ma douleur inquiète,
M'entretenir en secret à jamais,
De mes devoirs, de vous, de vos bienfaits.

LE COMTE

N'en parlons plus. Écoutez ; la baronne
Vous favorise, et noblement vous donne
615 Un domestique, un rustre pour époux ;
Moi, j'en sais un moins indigne de vous.
Il est d'un rang fort au-dessus de Blaise,
Jeune, honnête homme ; il est fort à son aise ;
Je vous réponds qu'il a des sentiments ;
620 Son caractère est loin des mœurs du temps ;
Et je me trompe, ou pour vous j'envisage
Un destin doux, un excellent ménage.
Un tel parti flatte-t-il votre cœur ?
Vaut-il pas bien le couvent ?

NANINE

Non, Monsieur…
625 Ce nouveau bien que vous daignez me faire,
Je l'avouerai, ne peut me satisfaire.
Vous pénétrez mon cœur reconnaissant ;
Daignez y lire, et voyez ce qu'il sent.
Voyez sur quoi ma retraite se fonde.
630 Un jardinier, un monarque du monde,
Qui pour époux s'offriraient à mes vœux,
Également me déplairaient tous deux.

LE COMTE

Vous décidez mon sort. Eh bien, Nanine,
Connaissez donc celui qu'on vous destine.
635 Vous l'estimez ; il est sous votre loi ;
Il vous adore, et cet époux… c'est moi.
L'étonnement, le trouble l'a saisie.
Ah parlez-moi ; disposez de ma vie ;
Ah reprenez vos sens trop agités.

NANINE

640 Qu'ai-je entendu ?

LE COMTE

Ce que vous méritez.

NANINE

Quoi ! vous m'aimez ?… Ah gardez-vous de croire,
Que j'ose user d'une telle victoire.
Non, Monsieur, non, je ne souffrirai pas,
Qu'ainsi pour moi vous descendiez si bas.
645 Un tel hymen est toujours trop funeste ;
Le goût se passe, et le repentir reste.
J'ose à vos pieds attester vos aïeux…
Hélas sur moi ne jetez point les yeux.
Vous avez pris pitié de mon jeune âge ;
650 Formé par vous, ce cœur est votre ouvrage ;
Il en serait indigne désormais,
S'il acceptait le plus grand des bienfaits.
Oui, je vous dois des refus. Oui, mon âme
Doit s'immoler.

LE COMTE

Non, vous serez ma femme.
655 Quoi ! tout à l'heure, ici vous m'assuriez,
Vous l'avez dit, que vous refuseriez
Tout autre époux, fût-ce un prince.

NANINE

Oui sans doute,
Et ce n'est pas ce refus qui me coûte.

LE COMTE

Mais me haïssez-vous ?

NANINE

Aurais-je fui ?
660 Craindrais-je tant, si vous étiez haï ?

LE COMTE

Ah ! ce mot seul a fait ma destinée.

NANINE

Eh ! que prétendez-vous ?

LE COMTE

Notre hyménée.

NANINE

Songez…

LE COMTE

Je songe à tout.

NANINE

Mais prévoyez…

LE COMTE

Tout est prévu.

NANINE

Si vous m'aimez, croyez…

LE COMTE

665 Je crois former le bonheur de ma vie.

NANINE

Vous oubliez…

LE COMTE

Il n'est rien que j'oublie.
Tout sera prêt, et tout est ordonné.

NANINE

Quoi ! malgré moi votre amour obstiné…

LE COMTE

Oui, malgré vous, ma flamme impatiente
670 Va tout presser pour cette heure charmante.
Un seul instant je quitte vos attraits,
Pour que mes yeux n'en soient privés jamais.
Adieu, Nanine, adieu, vous que j'adore.

Scène IV

Nanine

Ciel ! est-ce un rêve ? et puis-je croire encore
675 Que je parvienne au comble du bonheur ?
Non, ce n'est pas l'excès d'un tel honneur,
Tout grand qu'il est, qui me plaît et me frappe :
À mes regards tant de grandeur échappe.
Mais épouser ce mortel généreux,
680 Lui, cet objet de mes timides vœux,
Lui que j'avais tant craint d'aimer, que j'aime,
Lui qui m'élève au-dessus de moi-même ;
Je l'aime trop pour pouvoir l'avilir ;
Je devrais… Non, je ne puis plus le fuir ;
685 Non, mon état ne saurait se comprendre.
Moi, l'épouser ? quel parti dois-je prendre ?
Le ciel pourra m'éclairer aujourd'hui ;
Dans ma faiblesse il m'envoie un appui.
Peut-être même… Allons, il faut écrire,
690 Il faut… Par où commencer, et que dire ?
Quelle surprise ! Écrivons promptement,
Avant d'oser prendre un engagement.

Elle se met à écrire.

Scène V

Nanine, Blaise

BLAISE

Ah ! la voici. Madame la baronne
En ma faveur vous a parlé, mignonne.
695 Ouais, elle écrit sans me voir seulement.

NANINE, *écrivant toujours.*

Blaise, bonjour.

BLAISE

Bonjour est sec vraiment.

NANINE, *écrivant.*

À chaque mot mon embarras redouble ;
Toute ma lettre est pleine de mon trouble.

BLAISE

Le grand génie ! elle écrit tout courant ;
700 Qu'elle a d'esprit ! et que n'en ai-je autant !
Çà, je disais…

NANINE

Eh bien ?

BLAISE

Elle m'impose
Par son maintien : devant elle je n'ose
M'expliquer… là… tout comme je voudrais :
Je suis venu cependant tout exprès.

NANINE

705 Cher Blaise, il faut me rendre un grand service.

BLAISE

Oh ! deux plutôt.

NANINE

Je te fais la justice
De me fier à ta discrétion,
À ton bon cœur.

BLAISE

Oh ! parlez sans façon :
Car, vous voyez, Blaise est prêt à tout faire
710 Pour vous servir ; vite, point de mystère.

NANINE

Tu vas souvent au village prochain,
À Rémival, à droite du chemin ?

BLAISE

Oui.

NANINE

Pourrais-tu trouver dans ce village
Philippe Hombert ?

BLAISE

Non. Quel est ce visage ?
715 Philippe Hombert ? Je ne connais pas ça.

NANINE

Hier au soir je crois qu'il arriva ;
Informe-t'en. Tâche de lui remettre
Mais sans délai, cet argent, cette lettre.

BLAISE

Oh ! de l'argent !

NANINE

Donne aussi ce paquet ;
720 Monte à cheval, pour avoir plus tôt fait :
Pars, et sois sûr de ma reconnaissance.

BLAISE

J'irais pour vous au fin fond de la France.
Philippe Hombert est un heureux manant ;
La bourse est pleine : ah ! que d'argent comptant !
725 Est-ce une dette ?

NANINE

Elle est très avérée ;
Il n'en est point, Blaise, de plus sacrée.
Écoute. Hombert est peut-être inconnu ;
Peut-être même il n'est pas revenu.
Mon cher ami, tu me rendras ma lettre,
730 Si tu ne peux en ses mains la remettre.

BLAISE

Mon cher ami !

NANINE

Je me fie à ta foi.

BLAISE

Son cher ami !

NANINE

Va, j'attends tout de toi.

Scène VI

La baronne, Blaise

BLAISE

D'où diable vient cet argent ? quel message !
Il nous aurait aidé dans le ménage !
735 Allons, elle a pour nous de l'amitié ;
Et ça vaut mieux que de l'argent, morgué :
Courons, courons.

Il met l'argent et le paquet dans sa poche ;
il rencontre la baronne, et la heurte.

LA BARONNE

Eh, le butor !… Arrête.
L'étourdi m'a pensé casser la tête.

BLAISE

Pardon, Madame.

LA BARONNE

Où vas-tu ? que tiens-tu ?
740 Que fait Nanine ? As-tu rien entendu ?
Monsieur le comte est-il bien en colère ?
Quel billet est-ce là ?

BLAISE

C'est un mystère.
Peste !…

LA BARONNE

Voyons.

BLAISE

Nanine gronderait.

LA BARONNE

Comment dis-tu ? Nanine ! Elle pourrait
745 Avoir écrit, te charger d'un message !
Donne, ou je romps soudain ton mariage :
Donne, te dis-je.

BLAISE, *riant.*

Oh, oh.

LA BARONNE

De quoi ris-tu ?

BLAISE, *riant encore.*

Ah, ah.

LA BARONNE

J'en veux savoir le contenu.

Elle décachette la lettre.

Il m'intéresse, ou je suis bien trompée.

BLAISE, *riant encore.*

750 Ah, ah, ah, ah, qu'elle est bien attrapée !
Elle n'a là qu'un chiffon de papier ;
Moi j'ai l'argent, et je m'en vais payer
Philippe Hombert : faut servir sa maîtresse.
Courons.

Scène VII

La baronne

Lisons : *Ma joie et ma tendresse*
755 *Sont sans mesure, ainsi que mon bonheur ;*
Vous arrivez, quel moment pour mon cœur !
Quoi ! je ne puis vous voir et vous entendre !

Entre vos bras je ne puis me jeter !
Je vous conjure au moins de vouloir prendre
760 *Ces deux paquets ; daignez les accepter.*
Sachez qu'on m'offre un sort digne d'envie,
Et dont il est permis de s'éblouir ;
Mais il n'est rien que je ne sacrifie
Au seul mortel que mon cœur doit chérir.
765 Ouais. Voilà donc le style de Nanine :
Comme elle écrit, l'innocente orpheline !
Comme elle fait parler la passion !
En vérité ce billet est bien bon.
Tout est parfait, je ne me sens pas d'aise.
770 Ah, ah, rusée, ainsi vous trompiez Blaise !
Vous m'enleviez en secret mon amant.
Vous avez feint d'aller dans un couvent ;
Et tout l'argent que le comte vous donne,
C'est pour Philippe Hombert ? Fort bien, friponne ;
775 J'en suis charmée, et le perfide amour
Du comte Olban méritait bien ce tour.
Je m'en doutais, que le cœur de Nanine
Était plus bas que sa basse origine.

Scène VIII

Le comte, La baronne

LA BARONNE

Venez, venez, homme à grands sentiments,
780 Homme au-dessus des préjugés du temps,
Sage amoureux, philosophe sensible,
Vous allez voir un trait assez risible.
Vous connaissez sans doute à Rémival
Monsieur Philippe Hombert votre rival ?

LE COMTE

785 Ah ! quels discours vous me tenez !

LA BARONNE

Peut-être

Ce billet-là vous le fera connaître.
Je crois qu'Hombert est un fort beau garçon.

LE COMTE

Tous vos efforts ne sont plus de saison,
Mon parti pris je suis inébranlable.
790 Contentez-vous du tour abominable
Que vous vouliez me jouer ce matin.

LA BARONNE

Ce nouveau tour est un peu plus malin.
Tenez, lisez. Ceci pourra vous plaire ;
Vous connaîtrez les mœurs, le caractère
795 Du digne objet qui vous a subjugué.

Tandis que le comte lit.

Tout en lisant il me semble intrigué.
Il a pâli, l'affaire émeut sa bile…
Eh bien, Monsieur, que pensez-vous du style ?
Il ne voit rien, ne dit rien, n'entend rien :
800 Oh, le pauvre homme ! il le méritait bien.

LE COMTE

Ai-je bien lu ? je demeure stupide.
Ô tour affreux, sexe ingrat, cœur perfide !

LA BARONNE

Je le connais, il est né violent ;
Il est prompt, ferme ; il va dans un moment
805 Prendre un parti.

Scène IX

Le comte, La baronne, Germon

GERMON

Voici dans l'avenue
Madame Olban.

LA BARONNE

La vieille est revenue ?

GERMON

Madame votre mère, entendez-vous ?
Est près d'ici, monsieur.

LA BARONNE

Dans son courroux
Il est devenu sourd. La lettre opère.

GERMON, *criant.*

810 Monsieur.

LE COMTE

Plaît-il ?

GERMON, *haut.*

Madame votre mère,
Monsieur.

LE COMTE

Que fait Nanine en ce moment ?

GERMON

Mais… elle écrit dans son appartement.

LE COMTE, *d'un air froid et sec.*

Allez saisir ses papiers, allez prendre
Ce qu'elle écrit ; vous viendrez me le rendre ;
815 Qu'on la renvoie à l'instant.

GERMON

Qui, monsieur ?

LE COMTE

Nanine.

GERMON

Non, je n'aurais pas ce cœur :

Si vous saviez à quel point sa personne
Nous charme tous, comme elle est noble, bonne !

LE COMTE

Obéissez, ou je vous chasse.

GERMON

Allons.

Il sort.

Scène X

Le comte, La baronne

LA BARONNE

820 Ah ! je respire ; enfin nous l'emportons :
Vous devenez un homme raisonnable.
Ah çà, voyez s'il n'est pas véritable,
Qu'on tient toujours de son premier état,
Et que les gens, dans un certain éclat,
825 Ont un cœur noble, ainsi que leur personne ?
Le sang fait tout, et la naissance donne
Des sentiments à Nanine inconnus.

LE COMTE

Je n'en crois rien ; mais soit, n'en parlons plus ;
Réparons tout. Le plus sage, en sa vie,
830 A quelquefois ses accès de folie :
Chacun s'égare, et le moins imprudent
Est celui-là qui plus tôt se repent.

LA BARONNE

Oui.

LE COMTE

Pour jamais cessez de parler d'elle.

LA BARONNE

Très volontiers.

LE COMTE

Ce sujet de querelle
835 Doit s'oublier.

LA BARONNE

Mais, vous, de vos serments
Souvenez-vous.

LE COMTE

Fort bien. Je vous entends ;
Je les tiendrai.

LA BARONNE

Ce n'est qu'un prompt hommage,
Qui peut ici réparer mon outrage.
Indignement notre hymen différé
840 Est un affront.

LE COMTE

Il sera réparé.
Madame, il faut…

LA BARONNE

Il ne faut qu'un notaire.

LE COMTE

Vous savez bien… que j'attendais ma mère.

LA BARONNE

Elle est ici.

Scène XI

La marquise, Le comte, La baronne

LE COMTE, *à sa mère.*

Madame, j'aurais dû…

À part.

Philippe Hombert !…

À sa mère.

Vous m'avez prévenu,
845 Et mon respect, mon zèle, ma tendresse…

À part.

Avec cet air innocent, la traîtresse !

LA MARQUISE

Mais vous extravaguez, mon très cher fils.
On m'avait dit, en passant par Paris,
Que vous aviez la tête un peu frappée ;
850 Je m'aperçois qu'on ne m'a pas trompée ;
Mais ce mal-là…

LE COMTE

Ciel, que je suis confus !

LA MARQUISE

Prend-il souvent ?

LE COMTE

Il ne me prendra plus.

LA MARQUISE

Çà, je voudrais ici vous parler seule.

Faisant une petite révérence à la baronne.

Bonjour, Madame.

LA BARONNE, *à part.*

Hom ! La vieille bégueule !
855 Madame, il faut vous laisser le plaisir
D'entretenir Monsieur tout à loisir.
Je me retire.

Elle sort.

Scène XII

La marquise, Le comte

LA MARQUISE, *parlant fort vite, et d'un ton de petite vieille babillarde.*

Eh bien, monsieur le comte,
Vous faites donc à la fin votre compte
De me donner la baronne pour bru ;
860 C'est sur cela que j'ai vite accouru.
Votre baronne est une acariâtre,
Impertinente, altière, opiniâtre,
Qui n'eut jamais pour moi le moindre égard ;
Qui l'an passé, chez la marquise Agard,
865 En plein souper me traita de bavarde ;
D'y plus souper désormais Dieu m'en garde.
Bavarde, moi ! Je sais d'ailleurs très bien
Qu'elle n'a pas, entre nous, tant de bien :
C'est un grand point, il faut qu'on s'en informe ;
870 Car on m'a dit que son château de L'Orme
À son mari n'appartient qu'à moitié ;
Qu'un vieux procès, qui n'est pas oublié,
Lui disputait la moitié de la terre :
J'ai su cela de feu votre grand-père :
875 Il disait vrai : c'était un homme, lui ;
On n'en voit plus de sa trempe aujourd'hui.
Paris est plein de ces petits bouts d'homme,
Vains, fiers, fous, sots, dont le caquet m'assomme ;
Parlant de tout avec l'air empressé,
880 Et se moquant toujours du temps passé [10].
J'entends parler de nouvelle cuisine,
De nouveaux goûts ; on crève, on se ruine :
Les femmes sont sans frein, et les maris
Sont des benêts. Tout va de pis en pis.

LE COMTE, *relisant le billet.*

885 Qui l'aurait cru ? Ce trait me désespère.
Eh bien, Germon ?

Scène XIII

La marquise, Le comte, Germon

GERMON

Voici votre notaire.

LE COMTE

Oh ! qu'il attende.

GERMON

Et voici le papier
Qu'elle devait, monsieur, vous envoyer.

LE COMTE, *lisant.*

Donne… Fort bien. Elle m'aime, dit-elle,
890 Et par respect me refuse !… Infidèle !
Tu ne dis pas la raison du refus !

LA MARQUISE

Ma foi, mon fils a le cerveau perclus ;
C'est sa baronne ; et l'amour le domine.

LE COMTE, *à Germon.*

M'a-t-on bientôt délivré de Nanine ?

GERMON

895 Hélas ! Monsieur, elle a déjà repris
Modestement ses champêtres habits,
Sans dire un mot de plainte et de murmure.

LE COMTE

Je le crois bien.

GERMON

Elle a pris cette injure
Tranquillement, lorsque nous pleurons tous.

LE COMTE

900 Tranquillement ?

LA MARQUISE

Hem ! de qui parlez-vous ?

GERMON

Nanine, hélas ! Madame, que l'on chasse ;
Tout le château pleure de sa disgrâce.

LA MARQUISE

Vous la chassez ? Je n'entends point cela.
Quoi ! ma Nanine ? Allons, rappelez-la.
905 Qu'a-t-elle fait ma charmante orpheline ?
C'est moi, mon fils, qui vous donnai Nanine.
Je me souviens qu'à l'âge de dix ans
Elle enchantait tout le monde céans.
Notre baronne ici la prit pour elle ;
910 Et je prédis dès lors que cette belle
Serait fort mal, et j'ai très bien prédit :
Mais j'eus toujours chez vous peu de crédit.
Vous prétendez tout faire à votre tête :
Chasser Nanine est un trait malhonnête.

LE COMTE

915 Quoi ! seule, à pied, sans secours, sans argent ?

GERMON

Ah ! j'oubliais de dire qu'à l'instant
Un vieux bonhomme à vos gens se présente :
Il dit que c'est une affaire importante
Qu'il ne saurait communiquer qu'à vous ;
920 Il veut, dit-il, se mettre à vos genoux.

LE COMTE

Dans le chagrin où mon cœur s'abandonne,
Suis-je en état de parler à personne ?

LA MARQUISE

Ah ! vous avez du chagrin, je le crois ;
Vous m'en donnez aussi beaucoup à moi.
925 Chasser Nanine, et faire un mariage
Qui me déplaît ! non, vous n'êtes pas sage.

Allez, trois mois ne seront pas passés,
Que vous serez l'un de l'autre lassés.
Je vous prédis la pareille aventure
930 Qu'à mon cousin le marquis de Marmure.
Sa femme était aigre comme verjus[11] ;
Mais, entre nous, la vôtre l'est bien plus.
En s'épousant ils crurent qu'ils s'aimèrent ;
Deux mois après tous deux se séparèrent ;
935 Madame alla vivre avec un galant,
Fat, petit-maître, escroc, extravagant ;
Et Monsieur prit une franche coquette,
Une intrigante et friponne parfaite.
Des soupers fins, la petite maison,
940 Chevaux, habits, maître d'hôtel fripon,
Bijoux nouveaux pris à crédit, notaires,
Contrats vendus, et dettes usuraires :
Enfin, Monsieur et Madame, en deux ans,
À l'hôpital allèrent tout d'un temps.
945 Je me souviens encor d'une autre histoire,
Bien plus tragique, et difficile à croire ;
C'était…

LE COMTE

Ma mère, il faut aller dîner,
Venez… Ô ciel ! ai-je pu soupçonner
Pareille horreur !

LA MARQUISE

Elle est épouvantable :
950 Allons, je vais la raconter à table ;
Et vous pourrez tirer un grand profit,
En temps et lieu, de tout ce que j'ai dit.

ACTE III

Scène première

Nanine, *vêtue en paysanne*, Germon

GERMON

Nous pleurons tous en vous voyant sortir.

NANINE

J'ai tardé trop, il est temps de partir.

GERMON

955 Quoi ! pour jamais, et dans cet équipage ?

NANINE

L'obscurité fut mon premier partage.

GERMON

Quel changement ! Quoi ! du matin au soir !
Souffrir n'est rien, c'est tout que de déchoir.

NANINE

Il est des maux mille fois plus sensibles.

GERMON

960 J'admire encore des regrets si paisibles :
Certes, mon maître est bien malavisé ;
Notre baronne a sans doute abusé
De son pouvoir, et vous fait cet outrage.
Jamais monsieur n'aurait eu ce courage.

NANINE

965 Je lui dois tout : il me chasse aujourd'hui ;
Obéissons. Ses bienfaits sont à lui,
Il peut user du droit de les reprendre.

GERMON

À ce trait-là qui diable eût pu s'attendre ?
En cet état qu'allez-vous devenir ?

NANINE

970 Me retirer, longtemps me repentir.

GERMON

Que nous allons haïr notre baronne !

NANINE

Mes maux sont grands, mais je les lui pardonne.

GERMON

Mais que dirai-je au moins de votre part
À notre maître après votre départ ?

NANINE

975 Vous lui direz que je le remercie,
Qu'il m'ait rendue à ma première vie ;
Et qu'à jamais sensible à ses bontés,
Je n'oublierai… rien… que ses cruautés.

GERMON

Vous me fendez le cœur, et tout à l'heure
980 Je quitterais pour vous cette demeure.
J'irais partout avec vous m'établir ;
Mais monsieur Blaise a su nous prévenir.
Qu'il est heureux ! Avec vous il va vivre :
Chacun voudrait l'imiter et vous suivre.

NANINE

985 On est bien loin de me suivre… Ah ! Germon !
Je suis chassée… Et par qui ?…

GERMON

Le démon
A mis du sien dans cette brouillerie ;
Nous vous perdons… et Monsieur se marie.

NANINE

Il se marie !… Ah ! partons de ce lieu ;
990 Il fut pour moi trop dangereux… Adieu…

Elle sort.

GERMON

Monsieur le comte a l'âme un peu bien dure :
Comment chasser pareille créature !
Elle paraît une fille de bien :
Mais il ne faut pourtant jurer de rien.

Scène II

Le comte, Germon

LE COMTE

995 Eh bien, Nanine est donc enfin partie ?

GERMON

Oui, c'en est fait.

LE COMTE

J'en ai l'âme ravie.

GERMON

Votre âme est donc de fer.

LE COMTE

Dans le chemin
Philippe Hombert lui donnait-il la main ?

GERMON

Qui ? quel Philippe Hombert ? Hélas, Nanine,
1000 Sans écuyer, fort tristement chemine,
Et de ma main ne veut pas seulement.

LE COMTE

Où donc va-t-elle ?

GERMON

Où ? mais apparemment
Chez ses amis.

LE COMTE

À Rémival, sans doute.

GERMON

Oui, je crois bien qu'elle prend cette route.

LE COMTE

1005 Va la conduire à ce couvent voisin,
Où la baronne allait dès ce matin :
Mon dessein est qu'on la mette sur l'heure
Dans cette utile et décente demeure ;
Ces cent louis la feront recevoir.
1010 Va… Garde-toi de laisser entrevoir
Que c'est un don que je veux bien lui faire ;
Dis-lui que c'est un présent de ma mère ;
Je te défends de prononcer mon nom.

GERMON

Fort bien ; je vais vous obéir.

Il fait quelques pas.

LE COMTE

Germon,
1015 À son départ, tu dis que tu l'as vue ?

GERMON

Eh ! oui, vous dis-je.

LE COMTE

Elle était abattue ?
Elle pleurait ?

GERMON

Elle faisait bien mieux,
Ses pleurs coulaient à peine de ses yeux :
Elle voulait ne pas pleurer.

LE COMTE

A-t-elle
1020 Dit quelque mot qui marque, qui décèle
Ses sentiments ? As-tu remarqué ?…

GERMON

Quoi ?

LE COMTE

A-t-elle enfin, Germon, parlé de moi ?

GERMON

Oh, oui, beaucoup.

LE COMTE

Eh bien, dis-moi donc, traître,
Qu'a-t-elle dit ?

GERMON

Que vous êtes son maître ;
1025 Que vous avez des vertus, des bontés ;…
Qu'elle oubliera tout,… hors vos cruautés.

LE COMTE

Va… Mais surtout garde qu'elle revienne.

Germon sort.

Germon ?

GERMON

Monsieur.

LE COMTE

Un mot ; qu'il te souvienne,
Si par hasard, quand tu la conduiras,
1030 Certain Hombert venait suivre ses pas,
De le chasser de la belle manière.

GERMON

Oui, poliment à grands coups d'étrivière :
Comptez sur moi ; je sers fidèlement.
Le jeune Hombert, dites-vous ?

LE COMTE

Justement.

GERMON

1035 Bon, je n'ai pas l'honneur de le connaître ;
Mais le premier que je verrai paraître
Sera rossé de la bonne façon ;
Et puis après il me dira son nom.

Il fait un pas et revient.

Ce jeune Hombert est quelque amant, je gage,
1040 Un beau garçon, le coq de son village.
Laissez-moi faire.

LE COMTE

Obéis promptement.

GERMON

Je me doutais qu'elle avait quelque amant ;
Et Blaise aussi lui tient au cœur peut-être.
On aime mieux son égal que son maître.

LE COMTE

1045 Ah ! cours, te dis-je.

Scène III

Le comte

Hélas, il a raison ;
Il prononçait ma condamnation :
Et moi du coup qui m'a pénétré l'âme,
Je me punis ; la baronne est ma femme.
Il le faut bien, le sort en est jeté.
1050 Je souffrirai, je l'ai bien mérité.
Ce mariage est au moins convenable.
Notre baronne a l'humeur peu traitable ;
Mais, quand on veut, on sait donner la loi.
Un esprit ferme est le maître chez soi.

Scène IV

Le comte, la baronne, la marquise

LA MARQUISE

1055 Or çà, mon fils, vous épousez Madame ?

LE COMTE

Eh, oui.

LA MARQUISE

Ce soir elle est donc votre femme ?
Elle est ma bru ?

LA BARONNE

Si vous le trouvez bon,
J'aurai, je crois, votre approbation.

LA MARQUISE

Allons, allons, il faut bien y souscrire ;
1060 Mais dès demain chez moi je me retire.

LE COMTE

Vous retirer ! Eh ! ma mère, pourquoi ?

LA MARQUISE

J'emmènerai ma Nanine avec moi.
Vous la chassez, et moi je la marie ;
Je fais la noce en mon château de Brie ;
1065 Et je la donne au jeune sénéchal,
Propre neveu du procureur fiscal,
Jean Roc Souci ; c'est lui de qui le père
Eut à Corbeil cette plaisante affaire.
De cet enfant je ne puis me passer ;
1070 C'est un bijou que je veux enchâsser.
Je vais la marier… Adieu.

LE COMTE

Ma mère,
Ne soyez pas contre nous en colère ;

Laissez Nanine aller dans le couvent ;
Ne changez rien à notre arrangement.

LA BARONNE

1075 Oui, croyez-nous, Madame, une famille
Ne se doit point charger de telle fille.

LA MARQUISE

Comment ? quoi donc ?

LA BARONNE

Peu de chose.

LA MARQUISE

Mais…

LA BARONNE

Rien.

LA MARQUISE

Rien, c'est beaucoup. J'entends, j'entends fort bien.
Aurait-elle eu quelque tendre folie ?
1080 Cela se peut, car elle est si jolie :
Je m'y connais : on tente, on est tenté ;
Le cœur a bien de la fragilité.
Les filles sont toujours un peu coquettes.
Le mal n'est pas si grand que vous le faites.
1085 Çà, contez-moi, sans nul déguisement,
Tout ce qu'a fait notre charmante enfant.

LE COMTE

Moi, vous conter ?

LA MARQUISE

Vous avez bien la mine
D'avoir au fond quelque goût pour Nanine ;
Et vous pourriez…

Scène V

Le comte, la marquise, la baronne,
Marin, *en bottes.*

MARIN

Enfin tout est bâclé,
1090 Tout est fini.

LA MARQUISE

Quoi ?

LA BARONNE

Qu'est-ce ?

MARIN

J'ai parlé
À nos marchands ; j'ai bien fait mon message ;
Et vous aurez demain tout l'équipage.

LA BARONNE

Quel équipage ?

MARIN

Oui, tout ce que pour vous
A commandé votre futur époux ;
1095 Six beaux chevaux ; et vous serez contente
De la berline ; elle est bonne, brillante ;
Tous les panneaux par Martin sont vernis [12].
Les diamants sont beaux, très bien choisis ;
Et vous verrez des étoffes nouvelles,
1100 D'un goût charmant… Oh ! rien n'approche d'elles.

LA BARONNE, *au comte.*

Vous avez donc commandé tout cela ?

LE COMTE, *à part.*

Oui… Mais pour qui ?

MARIN

Le tout arrivera
Demain matin dans ce nouveau carrosse,
Et sera prêt le soir pour votre noce.
1105 Vive Paris pour avoir sur-le-champ
Tout ce qu'on veut, quand on a de l'argent.
En revenant, j'ai revu le notaire,
Tout près d'ici, griffonnant votre affaire.

LA BARONNE

Ce mariage a traîné bien longtemps.

LA MARQUISE, *à part.*

1110 Ah ! je voudrais qu'il traînât quarante ans.

MARIN

Dans ce salon j'ai trouvé tout à l'heure
Un bon vieillard, qui gémit et qui pleure :
Depuis longtemps il voudrait vous parler.

LA BARONNE

Quel importun ! qu'on le fasse en aller :
1115 Il prend trop mal son temps.

LA MARQUISE

Pourquoi, Madame ?
Mon fils, ayez un peu de bonté d'âme ;
Et croyez-moi, c'est un mal des plus grands,
De rebuter ainsi les pauvres gens.
Je vous ai dit cent fois dans votre enfance,
1120 Qu'il faut pour eux avoir de l'indulgence,
Les écouter d'un air affable, doux.
Ne sont-ils pas hommes tout comme nous ?
On ne sait pas à qui l'on fait injure ;
On se repent d'avoir eu l'âme dure.
1125 Les orgueilleux ne prospèrent jamais.

À Marin.

Allez chercher ce bonhomme.

MARIN

J'y vais.

Il sort.

LE COMTE

Pardon, ma mère, il a fallu vous rendre
Mes premiers soins, et je suis prêt d'entendre
Cet homme-là malgré mon embarras.

Scène VI

Le comte, la marquise, la baronne, le paysan

LA MARQUISE, *au paysan.*

1130 Approchez-vous, parlez, ne tremblez pas.

LE PAYSAN

Ah ! Monseigneur, écoutez-moi de grâce :
Je suis… Je tombe à vos pieds, que j'embrasse ;
Je viens vous rendre…

LE COMTE

Ami, relevez-vous ;
Je ne veux point qu'on me parle à genoux ;
1135 D'un tel orgueil je suis trop incapable.
Vous avez l'air d'être un homme estimable.
Dans ma maison cherchez-vous de l'emploi ?
À qui parlé-je ?

LA MARQUISE

Allons, rassure-toi.

LE PAYSAN

Je suis, hélas ! le père de Nanine.

LE COMTE

1140 Vous ?

LA BARONNE

Ta fille est une grande coquine.

LE PAYSAN

Ah, Monseigneur, voilà ce que j'ai craint,
Voilà le coup dont mon cœur est atteint :
J'ai bien pensé qu'une somme si forte
N'appartient pas à des gens de sa sorte :
1145 Et les petits perdent bientôt leurs mœurs,
Et sont gâtés auprès des grands seigneurs.

LA BARONNE

Il a raison ; mais il trompe ; et Nanine
N'est point sa fille, elle était orpheline.

LE PAYSAN

Il est trop vrai : chez de pauvres parents
1150 Je la laissai dès ses plus jeunes ans.
Ayant perdu mon bien avec sa mère,
J'allai servir, forcé par la misère,
Ne voulant pas, dans mon funeste état,
Qu'elle passât pour fille d'un soldat,
1155 Lui défendant de me nommer son père.

LA MARQUISE

Pourquoi cela ? Pour moi, je considère
Les bons soldats ; on a grand besoin d'eux.

LE COMTE

Qu'a ce métier, s'il vous plaît, de honteux ?

LE PAYSAN

Il est bien moins honoré qu'honorable.

LE COMTE

1160 Ce préjugé fut toujours condamnable.
J'estime plus un vertueux soldat,
Qui de son sang sert son prince et l'État,
Qu'un important, que sa lâche industrie
Engraisse en paix du sang de la patrie[13].

LA MARQUISE

1165 Çà, vous avez vu beaucoup de combats ;
Contez-les-moi bien tous, n'y manquez pas.

LE PAYSAN

Dans la douleur, hélas ! qui me déchire,
Permettez-moi seulement de vous dire,
Qu'on me promit cent fois de m'avancer :
1170 Mais sans appui comment peut-on percer ?
Toujours jeté dans la foule commune,
Mais distingué, l'honneur fut ma fortune.

LA MARQUISE

Vous êtes donc né de condition ?

LA BARONNE

Fi, quelle idée !

LE PAYSAN, *à la marquise.*

Hélas, Madame, non ;
1175 Mais je suis né d'une honnête famille ;
Je méritais peut-être une autre fille.

LA MARQUISE

Que vouliez-vous de mieux ?

LE COMTE

Eh ! poursuivez.

LA MARQUISE

Mieux que Nanine ?

LE COMTE

Ah ! de grâce, achevez.

LE PAYSAN

J'appris qu'ici ma fille fut nourrie,
1180 Qu'elle y vivait bien traitée et chérie.
Heureux alors, et bénissant le ciel,
Vous, vos bontés, votre soin paternel,

Je suis venu dans le prochain village,
Mais plein de trouble et craignant son jeune âge,
1185 Tremblant encor, lorsque j'ai tout perdu,
De retrouver le bien qui m'est rendu.

Montrant la baronne.

Je viens d'entendre, au discours de Madame,
Que j'eus raison : elle m'a percé l'âme ;
Je vois fort bien que ces cent louis d'or[14],
1190 Des diamants, sont un trop grand trésor,
Pour les tenir par un droit légitime :
Elle ne peut les avoir eus sans crime.
Ce seul soupçon me fait frémir d'horreur,
Et j'en mourrai de honte et de douleur.
1195 Je suis venu soudain pour vous les rendre ;
Ils sont à vous, vous devez les reprendre ;
Et si ma fille est criminelle, hélas !
Punissez-moi, mais ne la perdez pas.

LA MARQUISE

Ah, mon cher fils, je suis tout attendrie.

LA BARONNE

1200 Ouais, est-ce un songe ? est-ce une fourberie ?

LE COMTE

Ah ! qu'ai-je fait ?

LE PAYSAN *(il tire la bourse et le paquet)*

Tenez, monsieur, tenez.

LE COMTE

Moi les reprendre ! Ils ont été donnés,
Elle en a fait un respectable usage.
C'est donc à vous qu'on a fait le message ?
1205 Qui l'a porté ?

LE PAYSAN

C'est votre jardinier,
À qui Nanine osa se confier.

LE COMTE

Quoi ! c'est à vous que le présent s'adresse ?

LE PAYSAN

Oui, je l'avoue.

LE COMTE

Ô douleur ! ô tendresse !
Des deux côtés quel excès de vertu !
1210 Et votre nom ? Je demeure éperdu.

LA MARQUISE

Eh, dites donc votre nom. Quel mystère !

LE PAYSAN

Philippe Hombert de Gatine.

LE COMTE

Ah ! mon père !

LA BARONNE

Que dit-il là ?

LE COMTE

Quel jour vient m'éclairer ?
J'ai fait un crime, il le faut réparer.
1215 Si vous saviez combien je suis coupable !
J'ai maltraité la vertu respectable.

Il va lui-même à un de ses gens.

Holà, courez.

LA BARONNE

Et quel empressement ?

LE COMTE

Vite un carrosse.

LA MARQUISE

Oui, Madame, à l'instant,
Vous devriez être sa protectrice.

1220 Quand on a fait une telle injustice,
Sachez de moi que l'on ne doit rougir
Que de ne pas assez se repentir.
Monsieur mon fils a souvent des lubies,
Que l'on prendrait pour de franches folies :
1225 Mais dans le fond c'est un cœur généreux ;
Il est né bon, j'en fais ce que je veux.
Vous n'êtes pas, ma bru, si bienfaisante :
Il s'en faut bien.

LA BARONNE

Que tout m'impatiente !
Qu'il a l'air sombre, embarrassé, rêveur !
1230 Quel sentiment étrange est dans son cœur ?
Voyez, Monsieur, ce que vous voulez faire.

LA MARQUISE

Oui, pour Nanine.

LA BARONNE

On peut la satisfaire
Par des présents.

LA MARQUISE

C'est le moindre devoir.

LA BARONNE

Mais moi jamais je ne veux la revoir ;
1235 Que du château jamais elle n'approche :
Entendez-vous ?

LE COMTE

J'entends.

LA MARQUISE

Quel cœur de roche !

LA BARONNE

De mes soupçons évitez les éclats.
Vous hésitez ?

LE COMTE, *après un silence.*

Non, je n'hésite pas.

LA BARONNE

Je dois m'attendre à cette déférence ;
1240 Vous la devez à tous les deux, je pense.

LA MARQUISE

Seriez-vous bien assez cruel, mon fils ?

LA BARONNE

Quel parti prendrez-vous ?

LE COMTE

Il est tout pris.
Vous connaissez mon âme et sa franchise :
Il faut parler. Ma main vous fut promise ;
1245 Mais nous n'avions voulu former ces nœuds,
Que pour finir un procès dangereux.
Je le termine ; et dès l'instant je donne,
Sans nul regret, sans détour j'abandonne
Mes droits entiers, et les prétentions,
1250 Dont il naquit tant de divisions.
Que l'intérêt encor vous en revienne ;
Tout est à vous, jouissez-en sans peine.
Que la raison fasse du moins de nous
Deux bons parents, ne pouvant être époux.
1255 Oublions tout ; que rien ne nous aigrisse :
Pour n'aimer pas, faut-il qu'on se haïsse ?

LA BARONNE

Je m'attendais à ton manque de foi.
Va, je renonce à tes présents, à toi.
Traître, je vois avec qui tu vas vivre,
1260 À quel mépris ta passion te livre.
Sers noblement sous les plus viles lois ;
Je t'abandonne à ton indigne choix.

Elle sort.

Scène VII

Le comte, la marquise, Philippe Hombert

LE COMTE

Non, il n'est point indigne ; non, Madame ;
Un fol amour n'aveugla point mon âme.
1265 Cette vertu qu'il faut récompenser,
Doit m'attendrir, et ne peut m'abaisser.
Dans ce vieillard, ce qu'on nomme bassesse
Fait son mérite ; et voilà sa noblesse.
La mienne à moi, c'est d'en payer le prix.
1270 C'est pour des cœurs par eux-mêmes anoblis,
Et distingués par ce grand caractère,
Qu'il faut passer sur la règle ordinaire :
Et leur naissance, avec tant de vertus,
Dans ma maison n'est qu'un titre de plus.

LA MARQUISE

1275 Quoi donc ? quel titre ? et que voulez-vous dire ?

Scène dernière

Le comte, la marquise, Nanine, Philippe Hombert

LE COMTE, *à sa mère.*

Son seul aspect devrait vous en instruire.

LA MARQUISE

Embrasse-moi cent fois, ma chère enfant.
Elle est vêtue un peu mesquinement :
Mais qu'elle est belle, et comme elle a l'air sage !

NANINE, *courant entre les bras de Philippe Hombert, après s'être baissée devant la marquise.*

1280 Ah ! la nature a mon premier hommage.
Mon père !

PHILIPPE HOMBERT

Ô ciel ! ô ma fille ! ah, Monsieur,
Vous réparez quarante ans de malheur.

LE COMTE

Oui ; mais comment faut-il que je répare
L'indigne affront qu'un mérite si rare,
1285 Dans ma maison, put de moi recevoir ?
Sous quel habit revient-elle nous voir !
Il est trop vil, mais elle le décore.
Non, il n'est rien que Nanine n'honore [15].
Eh bien, parlez : auriez-vous la bonté
1290 De pardonner à tant de dureté ?

NANINE

Que me demandez-vous ? Ah ! je m'étonne,
Que vous doutiez si mon cœur vous pardonne.
Je n'ai pas cru que vous pussiez jamais
Avoir eu tort après tant de bienfaits.

LE COMTE

1295 Si vous avez oublié cet outrage,
Donnez-m'en donc le plus sûr témoignage :
Je ne veux plus commander qu'une fois,
Mais jurez-moi d'obéir à mes lois.

PHILIPPE HOMBERT

Elle le doit, et sa reconnaissance…

NANINE, *à son père.*

1300 Il est bien sûr de mon obéissance.

LE COMTE

J'ose y compter. Oui, je vous avertis,
Que vos devoirs ne sont pas tous remplis.
Je vous ai vue aux genoux de ma mère,
Je vous ai vue embrasser votre père ;
1305 Ce qui vous reste en des moments si doux…
C'est… à leurs yeux… d'embrasser… votre époux.

NANINE

Moi !

LA MARQUISE

Quelle idée ! Est-il bien vrai ?

PHILIPPE HOMBERT

Ma fille !

LE COMTE, *à sa mère.*

Le daignez-vous permettre ?

LA MARQUISE

La famille
Étrangement, mon fils, clabaudera [16].

LE COMTE

1310 En la voyant elle l'approuvera.

PHILIPPE HOMBERT

Quel coup du sort ! Non, je ne puis comprendre
Que jusque-là vous prétendiez descendre.

LE COMTE

On m'a promis d'obéir… je le veux.

LA MARQUISE

Mon fils…

LE COMTE

Ma mère, il s'agit d'être heureux.
1315 L'intérêt seul a fait cent mariages.
Nous avons vu les hommes les plus sages
Ne consulter que les mœurs et le bien :
Elle a les mœurs, il ne lui manque rien ;
Et je ferai par goût et par justice,
1320 Ce qu'on a fait cent fois par avarice [17].
Ma mère, enfin terminez ces combats,
Et consentez.

NANINE

Non, n'y consentez pas ;
Opposez-vous à sa flamme,... à la mienne ;
Voilà de vous ce qu'il faut que j'obtienne.
1325 L'amour l'aveugle, il le faut éclairer.
Ah ! loin de lui, laissez-moi l'adorer.
Voyez mon sort, voyez ce qu'est mon père :
Puis-je jamais vous appeler ma mère ?

LA MARQUISE

Oui, tu le peux, tu le dois ; c'en est fait ;
1330 Je ne tiens pas contre ce dernier trait ;
Il nous dit trop combien il faut qu'on aime ;
Il est unique aussi bien que toi-même.

NANINE

J'obéis donc à votre ordre ; à l'amour
Mon cœur ne peut résister.

LA MARQUISE

Que ce jour
1335 Soit des vertus la digne récompense,
Mais sans tirer jamais à conséquence.

LE CAFÉ
OU L'ÉCOSSAISE

PRÉSENTATION

À la rescousse des « philosophes »

Bien que située à Londres et indéniablement nourrie de réalités britanniques, *L'Écossaise* intervient dans une chaude bataille franco-française. Car en 1760, la guerre fait rage non seulement entre grandes puissances européennes (guerre de Sept Ans), mais aussi dans les salons parisiens, entre les « philosophes » et leurs ennemis. Ceux-ci ont alors le vent en poupe. Profitant du coup de canif de Damiens contre Louis XV (1757), ils obtiennent l'arrêt de publication de l'*Encyclopédie*, déjà condamnée par le pape et provisoirement bloquée à la lettre H, ainsi que le droit de faire représenter à la Comédie-Française une comédie de Palissot, *Les Philosophes*, violente dénonciation, sur le patron des *Femmes savantes*, de Diderot et de Rousseau. Palissot avait cru habile de ménager Voltaire, au grand dépit de celui-ci ! C'est dans cette pièce qu'on pouvait voir Rousseau marcher à quatre pattes et brouter de la salade, sous prétexte qu'il aurait célébré l'état de nature dans le *Second Dicours* (1755). Accorder un brevet royal à des attaques aussi explicitement personnelles, au genre unanimement condamné de la satire sur scène d'individus nommément désignés (à la façon d'Aristophane), témoignait de l'exaspération des milieux dévots devant la montée en puissance des « philosophes ». En fait, Palissot avait bénéficié du soutien d'un puissant ministre irrité par Diderot, le duc de Choiseul, qui reproche d'ailleurs à Voltaire de s'abaisser avec *L'Écossaise* dans des querelles subalternes : « Vous êtes trop grand pour dire des injures personnelles à Fréron » (12 mai 1760).

On n'en conclura nullement que la monarchie française poursuivait le ferme dessein d'écraser la « philosophie » comme elle avait, sous Louis XIV, impitoyablement pourchassé jansénistes et protestants, et que cette lutte épique devait culminer en 1789 ! Ce serait là l'Histoire racontée aux enfants. La politique royale avait bien assez à faire avec les guerres, les tracas financiers, la fronde parlementaire et janséniste. C'est bien pourquoi elle autorise, dans un sage souci d'équilibre, la représentation dans la même salle de *L'Écossaise*, où Voltaire venge la « philosophie » sur le dos de Fréron, directeur d'une influente revue hostile aux « philosophes » en général et à Voltaire en particulier – *L'Année littéraire* (Voltaire aimait à raccourcir le titre, un peu long à son gré : *L'Âne littéraire*). Si la monarchie avait bien d'autres soucis que les « philosophes », on pourrait croire que Voltaire, installé à Ferney depuis 1759, était lui aussi requis par ses innombrables autres tâches. Mais avec lui, rien n'est jamais de trop, surtout dans une conjoncture aussi préoccupante, qui a entraîné la sortie de d'Alembert et de Marmontel du chantier encyclopédique. Il est vrai qu'il prétend avoir écrit la pièce en une semaine, voire moins. On n'est même pas sûr qu'il faille en douter.

Reste que la chronologie pose problème. *Le Café* a-t-il réellement été écrit pour contrer *Les Philosophes* ? Ou bien s'agit-il d'une coïncidence comme l'Histoire aime parfois en organiser ? Car l'édition de la pièce, début mai, suit d'à peine huit jours la première représentation des *Philosophes*, dont Voltaire ne connaîtra le texte que quelques semaines plus tard. Cette publication impliquait aussi que Voltaire la destinait plutôt à la lecture qu'à la scène (encore que *Le Père de famille* de Diderot, publié en 1758, ait été joué en 1759 ; contrairement à ce que prétendra Voltaire en 1769, *L'Écossaise* ne serait donc pas la première pièce jouée sur le Théâtre-Français après sa publication). Dans cette perspective, *Le Café* devrait aux *Philosophes* sa montée sur scène et son immense succès ! Une attaque contre Fréron sur fond d'offensive contre la « philosophie » devient ainsi une réponse trait pour trait, coup pour coup, à l'agression spectaculaire de Palissot. Lorsque celui-ci envoie à Ferney la copie de sa pièce avec une lettre élogieuse, Voltaire affirme sa solidarité avec les philosophes dénigrés, et se fait à l'idée d'une représentation. Fidèle à ses habitudes, il corrige sa comédie de mai à juillet, en triant parmi les suggestions de ses correspondants, chiffonnés surtout par le personnage de Frélon.

Voltaire, Diderot, Goldoni

D'où vient le sujet de *L'Écossaise* ? De... la *Paméla* de Richardson, comme *Nanine*, *via* une pièce de Goldoni, *Pamela nubile*, adaptée en français par la nièce et maîtresse de Voltaire, Mme Denis. Chez Goldoni déjà, on rencontre un comte révolté contre la dynastie anglaise (mouvement jacobite de 1715). Or Voltaire, par ses fonctions à la Cour au moment des faits, est très bien informé sur une autre révolte écossaise et jacobite, à laquelle la pièce fait directement référence, celle de 1745-1746 en faveur de la dynastie Stuart détrônée en 1688. Voilà pour *L'Écossaise*.

Mais *Le Café* ? Cette autre partie du titre est empruntée à une autre pièce de Goldoni, *La Bottega del Caffè*, lieu inhabituel dans la comédie française, qui préfère maisons et salons (mais J.-B. Rousseau avait proposé en 1695 *Le Café*). En fait, les ressemblances entre les deux pièces sont négligeables, même si le personnage de Fabrice peut être rapproché du Fabrizio de la fameuse *Locandiera* de Goldoni. C'est de bonne guerre et une habitude alors ordinaire, Fréron dénoncera un plagiat voltairien lorsqu'il devra s'acquitter de la tâche redoutable de rendre compte d'une pièce où on le traînait dans la boue, en sa présence, devant tout Paris. Freeport imiterait également, selon lui, un personnage de *Pamela nubile*, sans que son affirmation emporte la conviction. Pourquoi alors ne pas prétendre que Freeport a inspiré *Le Bourru bienfaisant* de Goldoni (1770), comédie écrite en français et dans le goût français pour des Français ? Au demeurant, Goldoni adaptera aussitôt en italien... *L'Écossaise* de Voltaire. Élégant chassé-croisé ! En réalité, Freeport est un bourru très anglais, c'est-à-dire « républicain », dont on a proposé de trouver la source, ou l'une des sources, chez un personnage de Steele, sir Andrew Freeport (*The Spectator*, 2 mars 1711). Hostile à l'aristocratie, à l'adoration des rois, à la politesse mondaine, à la charité, ce misanthrope généreux et bougon est incontestablement une figure comique assez inhabituelle dans le paysage répétitif et convenu de la comédie française d'Ancien Régime.

Mais pourquoi diable Voltaire fait-il appel si ostensiblement à Goldoni pour voler au secours de Diderot, durement agressé par Palissot ? Si l'on s'autorise cette question, c'est que le même Fréron, dans la même *Année littéraire*, avait accusé Diderot d'avoir en fait pillé *L'Ami véritable* de Goldoni pour écrire sa première pièce, *Le Fils naturel* (1757), qui accompagnait l'exposé de la théorie du drame bourgeois (*Entretiens sur le Fils naturel*). Diderot avait fort mal pris la chose, au point de définir aussitôt Goldoni comme l'auteur d'une quarantaine de « farces », et de l'accueillir très froidement dans une entrevue sollicitée par l'écrivain italien lors de son installation ultérieure à Paris ! Faut-il alors imaginer, de la part de Voltaire, la confection d'une boîte à malices à double fond ? Je n'ai évidemment pas la réponse.

En revanche, il est plus aisé de se demander ce que *Le Café* voltairien doit à la fracassante théorie diderotienne du drame bourgeois, énoncée coup sur coup, pièces à l'appui, en 1757 et 1758 (*Entretiens sur le Fils naturel*, *De la poésie dramatique*). Certes, Voltaire a mis beaucoup de zèle dans l'attribution de sa pièce à un Anglais, ou plutôt à un Écossais, et son éditeur genevois, Cramer, y voit un drame « tout à fait dans le goût anglais ». Mais ces parades familières à l'auteur de *Candide* ne prouvent rien, d'autant que le genre sérieux diderotien se réclame ouvertement de modèles anglais. Aussi bien, certains esprits fort lettrés attribuèrent l'anonyme *Écossaise* à Diderot ! Qui trouve, lui, *Le Café* « mince et chétif », fort en dessous, donc, des ambitions du drame bourgeois, et de l'espoir qu'il avait placé publiquement en Voltaire pour illustrer le nouveau genre.

Il n'y a pas lieu de porter au compte de Diderot la juxtaposition sur scène de deux lieux distincts, le café et la chambre de Lindane. D'ailleurs, la Comédie-Française ne se prêta pas au vœu de Voltaire, pourtant réalisé sur des théâtres provinciaux : à Paris, on se contenta de tirer un rideau, selon que l'action se déroulait dans l'un ou l'autre espace. En fait, la défense d'une unité de lieu compatible avec des localisations distinctes leur est commune, ainsi que l'attachement à l'unité de temps et d'action.

Le terme ambivalent de *comédie* (pièce comique/pièce de théâtre) n'a pas à surprendre non plus. C'est bien ainsi que Diderot qualifie lui-même ses deux premières pièces. Voltaire s'accorde avec lui dans le désir de comédies où l'auteur ne cherche pas à faire de l'esprit par-dessus ses personnages, où l'on fuit le « recherché », la « tirade d'écolier », les « maximes triviales » : échos très perceptibles du programme diderotien, repris par Beaumarchais en 1767 (*Essai sur le genre dramatique sérieux*).

Il est intéressant de noter que Voltaire va encore plus loin, en louant ouvertement Diderot dans sa Préface. Que retient-il ? La théorie des « conditions », à laquelle il rattache l'état de journaliste où Frélon illustre ses talents venimeux. Voltaire ne cache jamais, en effet, son mépris d'auteur illustre et d'homme riche pour ces basses besognes du monde littéraire, en pleine expansion au siècle des Lumières. Il faut cependant rappeler que Diderot ne se contente pas d'assimiler vaguement état et condition. La spécificité du nouveau genre sérieux consiste selon lui à fonder la construction d'une pièce non plus sur les « caractères » (l'hypocrite, le misanthrope, etc.), mais sur la contradiction entre des devoirs liés à la « condition », entendons par là des liens sociaux (condition d'époux, de père, d'enfant, de juge, etc.). Ce propos, dans *L'Écossaise*, concernerait alors plutôt Fabrice et Freeport que Frélon. En fait, Voltaire, loin d'opposer à la manière de Diderot caractères et conditions comme l'ancienne et la nouvelle dramaturgie, les réunit : les Anglais « disent que la comédie étend ses droits sur tous les caractères, et sur toutes les conditions » (Préface, p. 313). De même, alors que Diderot exprimait sa lassitude devant l'emploi stéréotypé, en comédie, des contrastes de caractères (le bourru et l'affable, la coquette et la réservée, etc.), Voltaire, sous couleur d'abonder dans le sens de *l'illustre savant* en charge de l'*Encyclopédie*, avance que « l'homme le plus méprisable [Frélon] peut servir de contraste au plus galant homme » !

Ainsi, de l'ample et révolutionnaire théorie diderotienne, Voltaire, dans sa Préface, ne retient explicitement qu'un seul trait, ramené en définitive à assez peu de chose : la comédie doit s'intéresser aussi à la condition, assimilée à une profession. Et quand il s'agit de caractériser le « genre » de *L'Écossaise*, il ne fait aucune référence à la capitale notion diderotienne de « genre sérieux ». La pièce si vigoureusement attribuée à M. Hume, parent de David, relève du « haut comique, mêlé au genre de la simple comédie ». Ces deux registres comiques sont plus traditionnels que diderotiens. Voltaire ramène en fait le « goût anglais » à lui-même et au genre de la comédie touchante, dite larmoyante, dont Diderot tentait de démarquer fermement, mais sans grand succès, le drame bourgeois. La Préface évoque en effet dans *L'Écossaise* « des endroits attendrissants jusqu'aux larmes ». C'est précisément ce mélange du comique et du pathétique que Diderot reprochait à la comédie larmoyante. Autrement dit, Voltaire, comme bien d'autres mais de manière plus voilée et plus subtile, laisserait entendre que Diderot réchauffe et épice la comédie larmoyante avant de la servir comme sa propre recette.

En somme, il n'accorde que peu de crédit à la théorie diderotienne. Pourquoi ? Tout simplement parce qu'il ne croit pas aux théories esthétiques (la doctrine classique de la tragédie est pour lui l'expression de la pure raison cultivée, du goût enfin éclairé). La théorisation est aisée, mais l'art est « très difficile. Tout le monde peut compiler des faits et des raisonnements. [...] tout art demande un talent, et le talent est rare » (Préface, p. 314-315). Est-ce pousser trop loin le soupçon que d'appliquer à Diderot ce jugement : « Malheur à celui qui tâche, dans quelque genre que ce puisse être ! » Je n'en mettrais pas ma main au feu.

De sorte que le principal effet de la lecture de Diderot serait peut-être celui qui saute le moins aux yeux : l'emploi de la prose dans le « haut comique » ! En définitive, *Socrate* (1759) et *L'Écossaise* (1760), deux pièces en prose mêlant comique et pathétique, peuvent passer pour la version voltairienne du drame bourgeois, sa propre réponse, en acte plutôt qu'en idée, au débat ouvert par Diderot. On constate alors une différence majeure avec la pratique diderotienne, illustrée par *Le Fils naturel* (1757) et *Le Père de famille* (1758) : Voltaire, aussi bien dans *Socrate* que dans *L'Écossaise* et contrairement à Diderot, mêle sphère domestique et sphère politique. Beaumarchais ne s'y risquera, un peu, qu'en 1792, dans *La Mère coupable.*

Il eût été au fond étrange qu'un illustre auteur de tragédies, et un précoce acteur de la comédie à larmes, adhère d'enthousiasme aux vues tranchantes d'un théoricien qui considère la tragédie classique comme dépassée, et la comédie larmoyante comme incongrue ! Mais cela n'empêche pas de lire, de méditer, et encore moins d'écrire. Qu'écrit-il ? Une pièce fort éloignée de ce que préconise Diderot, une pièce héroïco-comique à visée pathétique, fondée sur une forte différence des tons. Chaque lieu – le café, la chambre – engendre sa propre musique.

LE CAFÉ
OU L'ÉCOSSAISE

Comédie

1760

Par Monsieur Hume ; traduite en français par Jérôme Carré [1].

J'ai vengé l'univers autant que je l'ai pu [2].

À MESSIEURS LES PARISIENS *

Messieurs,

Je suis forcé par l'illustre Mr. F… [3], de m'exposer *vis-à-vis* [4] de vous. Je parlerai sur le *ton* du sentiment et du respect ; ma plainte sera marquée au *coin* de la bienséance, et éclairée du *flambeau* de la vérité. J'espère que Mr. F… sera confondu *vis-à-vis* des honnêtes gens qui ne sont pas accoutumés à se prêter aux méchancetés de ceux qui, n'étant pas *sentimentés*, font *métier et marchandise* [5] d'insulter *le tiers et le quart*, sans aucune *provocation*, comme dit Cicéron dans l'oraison *pro Murena*, page 4 [6].

Messieurs, je m'appelle Jérôme Carré, natif de Montauban ; je suis un pauvre jeune homme sans fortune ; et comme la volonté me change d'entrer dans Montauban, à cause que M. Le F… de P… [7] m'y persécute, je suis venu implorer la protection des Parisiens. J'ai traduit la comédie de *L'Écossaise* de Mr. Hume. Les Comédiens-français, et les Italiens, voulaient la représenter : elle aurait peut-être été jouée cinq ou six fois, et voilà que Mr. F… emploie son autorité et son crédit pour empêcher ma traduction de paraître ; lui qui encourageait tant les jeunes gens quand il était Jésuite, les opprime aujourd'hui : il a fait une feuille entière contre moi ; il commence par dire méchamment que ma traduction vient de Genève, pour me faire *suspecter* d'être hérétique [8].

* Cette plaisanterie fut publiée la veille de la représentation.

Ensuite il appelle Mr. Hume, *Mr. Home* ; et puis il dit que Mr. Hume le prêtre, auteur de cette pièce, n'est pas parent de Mr. Hume le philosophe. Qu'il consulte seulement le *Journal encyclopédique* du mois d'avril 1758, journal que je regarde comme le premier des cent soixante et treize journaux qui paraissent tous les mois en Europe, il y verra cette annonce page 137 :

L'auteur de Douglas *est le ministre Hume, parent du fameux David Hume, si célèbre par son impiété* [9].

Je ne sais pas si M. David Hume est impie : s'il l'est, j'en suis bien fâché, et je prie Dieu pour lui comme je le dois ; mais il résulte que l'auteur de *L'Écossaise* est Mr. Hume le prêtre, parent de Mr. David Hume ; ce qu'il fallait prouver, et ce qui est très indifférent.

J'avoue à ma honte que je l'ai cru son frère ; mais qu'il soit frère ou cousin, il est toujours certain qu'il est l'auteur de *L'Écossaise*. Il est vrai que, dans le journal que je cite, *L'Écossaise* n'est pas expressément nommée ; on n'y parle que d'*Agis* et de *Douglas* [10] ; mais c'est une bagatelle.

Il est si vrai qu'il est l'auteur de *L'Écossaise*, que j'ai en main plusieurs de ses lettres, par lesquelles il me remercie de l'avoir traduite ; en voici une que je soumets aux lumières du charitable lecteur :

My dear translator, mon cher traducteur, *you have committed many a blunder in yr. performancee*, vous avez fait plusieurs balourdises dans votre traduction ; *you have quite impoverish'd the caracter of Wasp, and you have blotted his chastitement at the end of the drama…*, vous avez affaibli le caractère de Frélon, et vous avez supprimé son châtiment à la fin de la pièce [11].

Il est vrai, et je l'ai déjà dit [12], que j'ai fort adouci les traits dont l'auteur peint son Wasp (ce mot *wasp* veut dire *frelon*) ; mais je ne l'ai fait que par le conseil des personnes les plus judicieuses de Paris. La politesse française ne permet pas certains termes que la liberté anglaise emploie volontiers. Si je suis coupable, c'est par excès de retenue ; et j'espère que Messieurs les Parisiens, dont je demande la protection, pardonneront les défauts de la pièce en faveur de ma circonspection.

Il semble que Mr. Hume ait fait sa comédie uniquement dans la vue de mettre son Wasp sur la scène, et moi j'ai retranché tout ce que j'ai pu de ce personnage ; j'ai aussi retranché quelque chose de milady Alton, pour m'éloigner moins de vos mœurs, et pour faire voir quel est mon respect pour les dames.

Mr. F..., dans la vue de me nuire, dit dans sa feuille, page 114, qu'on l'appelle aussi Frélon, que plusieurs personnes de mérite l'ont souvent nommé ainsi [13]. Mais, Messieurs, qu'est-ce que cela peut avoir de commun avec un personnage anglais dans la pièce de Mr. Hume ? Vous voyez qu'il ne cherche que de vains prétextes pour me ravir la protection, dont je vous supplie de m'honorer.

Voyez, je vous prie, jusqu'où va sa malice : il dit, page 115, que le bruit courut longtemps *qu'il avait été condamné aux galères* ; et il affirme qu'en effet, pour la condamnation, elle n'a jamais eu lieu : mais, je vous en supplie, que ce Monsieur ait été aux galères quelque temps, ou qu'il y aille, quel rapport cette anecdote peut-elle avoir avec la traduction d'un drame anglais ? Il parle des raisons qui *pouvaient*, dit-il, *lui avoir attiré ce malheur*. Je vous jure, Messieurs, que je n'entre dans aucune de ces raisons ; il peut y en avoir de bonnes, sans que M. Hume doive s'en inquiéter : qu'il aille aux galères ou non, je n'en suis pas moins le traducteur de *L'Écossaise*. Je vous demande, Messieurs, votre protection contre lui. Recevez ce petit drame avec cette affabilité que vous témoignez aux étrangers.

J'ai l'honneur d'être avec un profond respect,

Messieurs,

Votre très humble et très obéissant serviteur, Jérôme Carré, natif de Montauban, demeurant dans l'impasse de Saint-Thomas-du-Louvre ; car j'appelle *impasse*, Messieurs, ce que vous appelez *cul-de-sac*. Je trouve qu'une rue ne ressemble ni à un cul ni à un sac. Je vous prie de vous servir du mot d'*impasse*, qui est noble, sonore, intelligible, nécessaire, au lieu de celui de cul, en dépit du Sr. F..., ci-devant J... [14].

AVERTISSEMENT

Cette lettre de Mr. Jérôme Carré eut tout l'effet qu'elle méritait. La pièce fut représentée au commencement d'août 1760 [1]. On commença tard, et quelqu'un demandant pourquoi on attendait si longtemps, *C'est apparemment*, répondit tout haut un homme d'esprit, *que F… est monté à l'Hôtel de ville* [2]. Comme ce F… avait eu l'inadvertance de se reconnaître dans la comédie de *L'Écossaise*, quoique Mr. Hume ne l'eût jamais eu en vue, le public le reconnut aussi. La comédie était sue de tout le monde par cœur avant qu'on la jouât, et cependant elle fut reçue avec un succès prodigieux. F… fit encore la faute d'imprimer dans je ne sais quelles feuilles, intitulées *L'Année littéraire*, que *L'Écossaise* n'avait réussi qu'à l'aide d'une cabale composée de douze à quinze cents personnes, qui toutes, disait-il, le haïssaient et le méprisaient souverainement [3]. Mais Mr. Jérôme Carré était bien loin de faire des cabales : tout Paris sait assez qu'il n'est pas à portée d'en faire [4] ; d'ailleurs il n'avait jamais vu ce F…, et il ne pouvait comprendre pourquoi tous les spectateurs s'obstinaient à voir F… dans Frélon. Un avocat, à la seconde représentation, s'écria : *Courage, Mr. Carré, vengez le public.* Le parterre et les loges applaudirent à ces paroles par des battements de mains qui ne finissaient point. Carré, au sortir du spectacle, fut embrassé par plus de cent personnes. *Que vous êtes aimable, Mr. Carré,* lui disait-on, *d'avoir fait justice de cet homme dont les mœurs sont encore plus odieuses que la plume ! — Eh, Messieurs,* répondit Carré, *vous me faites plus d'honneur que je ne mérite ; je ne suis qu'un pauvre traducteur d'une comédie pleine de morale et d'intérêt.*

Comme il parlait ainsi sur l'escalier, il fut barbouillé de deux baisers par la femme de F… *Que je vous suis obligée,* dit-elle, *d'avoir puni mon mari ! Mais vous ne le corrigerez point.* L'innocent Carré était tout confondu ; il ne comprenait pas comment un personnage anglais pouvait être pris pour un Français nommé F…, et toute la France lui faisait compliment de l'avoir peint trait pour trait. Ce jeune homme apprit par cette aventure combien il faut avoir de circonspection : il comprit en général que toutes les fois qu'on fait le portrait d'un homme ridicule, il se trouve toujours quelqu'un qui lui ressemble.

Ce rôle de Frélon était très peu important dans la pièce ; il ne contribua en rien au vrai succès ; car elle reçut dans plusieurs provinces les mêmes applaudissements qu'à Paris. On peut dire à cela que ce Frélon était autant estimé dans les provinces que dans la capitale : mais il est bien plus vraisemblable que le vif intérêt qui règne dans la pièce de Mr. Hume en a fait tout le succès. Peignez un faquin, vous ne réussirez qu'auprès de quelques personnes : intéressez, vous plairez à tout le monde [5].

Quoi qu'il en soit, voici la traduction d'une lettre de milord Boldthinker [6] au prétendu Hume, au sujet de sa pièce de *L'Écossaise* :

Je crois, mon cher Hume, que vous avez encore quelque talent ; vous en êtes comptable à la nation. C'est peu d'avoir immolé ce vilain Frélon à la risée publique, sur tous les théâtres de l'Europe où l'on joue votre aimable et vertueuse Écossaise *: faites plus, mettez sur la scène tous ces vils persécuteurs de la littérature, tous ces hypocrites noircis de vices, et calomniateurs de la vertu ; traînez sur le théâtre, devant le tribunal du public, ces fanatiques enragés qui jettent leur écume sur l'innocence, et ces hommes faux, qui vous flattent d'un œil et qui vous menacent de l'autre, qui n'osent parler devant un philosophe, et qui tâchent de le détruire en secret : exposez au grand jour ces détestables cabales qui voudraient replonger les hommes dans les ténèbres.*

Vous avez gardé trop longtemps le silence ; on ne gagne rien à vouloir adoucir les pervers ; il n'y a plus d'autre moyen de rendre les lettres respectables que de faire trembler ceux qui les outragent : c'est le dernier parti que prit Pope avant que de mourir : il rendit ridicules à jamais, dans sa Dunciade, *tous ceux qui devaient l'être : ils n'osèrent plus se montrer, ils disparurent ; toute la nation lui applaudit ; car si dans les commencements la malignité donna un peu de vogue à ces lâches ennemis de Pope, de Swift*[7] *et de leurs amis, la raison reprit bientôt le dessus. Les Zoïles*[8] *ne sont soutenus qu'un temps. Le vrai talent des vers est une arme qu'il faut employer à venger le genre humain. Ce n'est pas les Pantolabes et les Nomentanus seulement qu'il faut effleurer ; ce sont les Anytus et les Mélitus*[9] *qu'il faut écraser. Un vers bien fait transmet à la dernière postérité la gloire d'un homme de bien, et la honte d'un méchant. Travaillez, vous ne manquerez pas de matière, etc.*

PRÉFACE

La comédie dont nous présentons la traduction aux amateurs de la littérature est de M. Hume*, pasteur de l'Église d'Édimbourg, déjà connu par deux belles tragédies jouées à Londres : il est parent et ami de ce célèbre philosophe M. Hume, qui a creusé avec tant de hardiesse et de sagacité les fondements de la métaphysique et de la morale ; ces deux philosophes font également honneur à l'Écosse leur patrie.

La comédie intitulée *L'Écossaise*, nous parut un de ces ouvrages qui peuvent réussir dans toutes les langues, parce que l'auteur peint la nature, qui est partout la même : il a la naïveté et la vérité de l'estimable Goldoni [1], avec peut-être plus d'intrigue, de force, et d'intérêt. Le dénouement, le caractère de l'héroïne, et celui de Freeport, ne ressemblent à rien de ce que nous connaissons sur les théâtres de France ; et cependant, c'est la nature pure. Cette pièce paraît un peu dans le goût de ces romans anglais qui ont fait tant de fortune : ce sont des touches semblables, la même peinture des mœurs, rien de recherché, nulle envie d'avoir de l'esprit, et de montrer misérablement l'auteur quand on ne doit montrer que les personnages : rien d'étranger au sujet ; point de tirade d'écolier, de ces maximes triviales qui remplissent

* On sent bien que c'était une plaisanterie d'attribuer cette pièce à Mr. Hume.

le vide de l'action. C'est une justice que nous sommes obligé de rendre à notre célèbre auteur.

Nous avouons en même temps que nous avons cru, par le conseil des hommes les plus éclairés, devoir retrancher quelque chose du rôle de Frélon, qui paraissait encore dans les derniers actes. Il était puni, comme de raison, à la fin de la pièce ; mais cette justice qu'on lui rendait semblait mêler un peu de froideur au vif intérêt qui entraîne l'esprit au dénouement.

De plus, le caractère de Frélon est si lâche, et si odieux, que nous avons voulu épargner aux lecteurs la vue trop fréquente de ce personnage, plus dégoûtant que comique. Nous convenons qu'il est dans la nature : car dans les grandes villes, où la presse jouit de quelque liberté, on trouve toujours quelques-uns de ces misérables qui se font un revenu de leur impudence, de ces Arétins [2] subalternes qui gagnent leur pain à dire et à faire du mal, sous le prétexte d'être utiles aux belles lettres, comme si les vers qui rongent les fruits et les fleurs pouvaient leur être utiles.

L'un des deux illustres savants, et, pour nous exprimer encore plus correctement, l'un de ces deux hommes de génie [3] qui ont présidé au *Dictionnaire encyclopédique*, à cet ouvrage nécessaire au genre humain, dont la suspension fait gémir l'Europe [4] ; l'un de ces deux grands hommes, dis-je, dans des essais qu'il s'est amusé à faire sur l'art de la comédie, remarque très judicieusement que l'on doit songer à mettre sur le théâtre les conditions et les états des hommes [5]. L'emploi du Frélon de Mr. Hume est une espèce d'état en Angleterre : il y a même une taxe établie sur les feuilles de ces gens-là [6]. Ni cet état ni ce caractère ne paraissaient dignes du théâtre en France ; mais le pinceau anglais ne dédaigne rien ; il se plaît quelquefois à tracer des objets, dont la bassesse peut révolter quelques autres nations. Il n'importe aux Anglais que le sujet soit bas, pourvu qu'il soit vrai. Ils disent que la comédie étend ses droits sur tous les caractères, et sur toutes les conditions ; que tout ce qui est dans la nature doit être peint ; que nous avons une fausse délicatesse, et que l'homme le plus méprisable peut servir de contraste au plus galant homme.

J'ajouterai, pour la justification de Mr. Hume, qu'il a l'art de ne présenter son Frélon que dans des moments où l'intérêt n'est pas encore vif et touchant. Il a imité ces peintres qui peignent un crapaud, un lézard, une couleuvre dans un coin du tableau, en conservant aux personnages la noblesse de leur caractère.

Ce qui nous a frappé vivement dans cette pièce, c'est que l'unité du temps, de lieu, et d'action y est observée scrupuleusement. Elle a encore ce mérite rare chez les Anglais, comme chez les Italiens, que le théâtre n'est jamais vide. Rien n'est plus commun et plus choquant que de voir deux acteurs sortir de la scène, et deux autres venir à leur place sans être appelés, sans être attendus ; ce défaut insupportable ne se trouve point dans *L'Écossaise* [7].

Quant au genre de la pièce, il est dans le haut comique, mêlé au genre de la simple comédie. L'honnête homme y sourit de ce sourire de l'âme préférable au rire de la bouche. Il y a des endroits attendrissants jusqu'aux larmes ; mais sans pourtant qu'aucun personnage s'étudie à être pathétique : car de même que la bonne plaisanterie consiste à ne vouloir point être plaisant, ainsi, celui qui vous émeut ne songe point à vous émouvoir ; il n'est point rhétoricien, tout part du cœur. Malheur à celui qui tâche [8], dans quelque genre que ce puisse être !

Nous ne savons pas si cette pièce pourrait être représentée à Paris ; notre état et notre vie, qui ne nous ont pas permis de fréquenter souvent les spectacles, nous laissent dans l'impuissance de juger quel effet une pièce anglaise ferait en France.

Tout ce que nous pouvons dire, c'est que malgré tous les efforts que nous avons faits pour rendre exactement l'original, nous sommes très loin d'avoir atteint au mérite de ses expressions, toujours fortes, et toujours naturelles.

Ce qui est beaucoup plus important, c'est que cette comédie est d'une excellente morale, et digne de la gravité du sacerdoce, dont l'auteur est revêtu, sans rien perdre de ce qui peut plaire aux honnêtes gens du monde.

La comédie ainsi traitée est un des plus utiles efforts de l'esprit humain [9]. Il faut convenir que c'est un art, et un art très difficile. Tout le monde peut compiler des faits et des raisonnements. Il est aisé d'apprendre la trigonométrie : mais tout art demande un talent, et le talent est rare.

Nous ne pouvons mieux finir cette préface que par ce passage de notre compatriote Montaigne sur les spectacles :

« J'ai soutenu les premiers personnages ès tragédies latines de Buchanan, de Guerente, et de Muret, qui se représentèrent à notre collège de Guyenne avec dignité. En cela, Andreas Goveanus, notre principal, comme en toutes autres parties de sa charge, fut sans comparaison le plus grand principal de France ; et m'en tenait-on maître ouvrier. C'est un exercice que je ne méloue point aux jeunes enfants de maison, et ai vu nos princes depuis s'y adonner en personne, à l'exemple d'aucuns des anciens, honnêtement et louablement : il est loisible même d'en faire métier aux gens d'honneur, et en Grèce : *Aristoni tragico actori rem aperit : huic et genus et fortuna honesta erant ; nec ars, quia nihil tale apud Græcos pudori est, ea deformabat.* Car j'ai toujours accusé d'impertinence ceux qui condamnent ces ébattements, et d'injustice ceux qui refusent l'entrée de nos bonnes villes aux comédiens qui le valent, et envient au peuple ces plaisirs publics. Les bonnes polices prennent soin d'assembler les citoyens, et les rallier, comme aux offices sérieux de la dévotion, aussi aux exercices et jeux ; la société et amitié s'en augmente, et puis on ne leur concède des passe-temps plus réglés que ceux qui se font en présence de chacun, et à la vue même du magistrat ; et trouverai raisonnable que le prince à ses dépens en gratifiât quelquefois la commune, et qu'aux villes populeuses il y eût des lieux destinés, et disposés pour ces spectacles : quelque divertissement de pires actions et occultes. Pour revenir à mon propos, il n'y a rien tel que d'allécher l'appétit et l'affection, autrement on ne fait que des ânes chargés de livres ; on leur donne à coups de fouet, en garde, leur pochette pleine de science ; laquelle, pour bien faire, il ne faut pas seulement loger chez soi, il la faut épouser [10]. »

PERSONNAGES

MAÎTRE FABRICE, tenant un café avec des appartements.
LINDANE, Écossaise.
LE LORD MONROSE, Écossais.
LE LORD MURRAY.
POLLY, suivante.
FREEPORT, qu'on prononce *Friport*, gros négociant de Londres.
FRÉLON, écrivain de feuilles.
LADY ALTON ; on prononce *Lédy*.
ANDRÉ, laquais de lord Monrose.
PLUSIEURS ANGLAIS qui viennent au café.
Domestiques.
Un messager d'État.

La scène est à Londres.

ACTE PREMIER

La scène représente un café et des chambres sur les ailes, de façon qu'on peut entrer de plain-pied des appartements dans le café.*

Scène première

Frélon, Fabrice

FRÉLON, *dans un coin, auprès d'une table sur laquelle il y a une écritoire et du café, lisant la gazette* – Que de nouvelles affligeantes ! des grâces répandues sur plus de vingt personnes ! aucune sur moi ! Cent guinées de gratification à un bas officier, parce qu'il a fait son devoir ; le beau mérite ! Une pension à l'inventeur d'une machine qui ne sert qu'à soulager des ouvriers ! une à un pilote ! des places à des gens de lettres ! et à moi rien ! Encore, encore, et à moi rien ! *(Il jette la gazette et se promène.)* Cependant, je rends service à l'État, j'écris plus de feuilles que personne, je fais enchérir le papier… et à moi rien ! Je voudrais me venger de tous

* On a fait hausser et baisser une toile au théâtre de Paris, pour marquer le passage d'une chambre à une autre ; la vraisemblance et la décence ont été bien mieux observées à Lyon, à Marseille et ailleurs. Il y avait sur le théâtre un cabinet à côté du café. C'est ainsi qu'on aurait dû en user à Paris.

ceux à qui on croit du mérite. Je gagne déjà quelque chose à dire du mal ; si je peux parvenir à en faire, ma fortune est faite. J'ai loué des sots, j'ai dénigré les talents ; à peine y a-t-il là de quoi vivre. Ce n'est pas à médire, c'est à nuire qu'on fait fortune. *(Au maître de café.)* Bonjour, monsieur Fabrice, bonjour. Toutes les affaires vont bien, hors les miennes : j'enrage.

FABRICE – Monsieur Frélon, monsieur Frélon, vous vous faites bien des ennemis.

FRÉLON – Oui, je crois que j'excite un peu d'envie.

FABRICE – Non, sur mon âme, ce n'est point du tout ce sentiment-là que vous faites naître : écoutez ; j'ai quelque amitié pour vous ; je suis fâché d'entendre parler de vous comme on en parle. Comment faites-vous donc pour avoir tant d'ennemis, monsieur Frélon ?

FRÉLON – C'est que j'ai du mérite, monsieur Fabrice.

FABRICE – Cela peut être, mais il n'y a encore que vous qui me l'avez dit ; on prétend que vous êtes un ignorant ; cela ne me fait rien ; mais on ajoute que vous êtes malicieux, et cela me fâche, car je suis bon homme.

FRÉLON – J'ai le cœur bon ; j'ai le cœur tendre ; je dis un peu de mal des hommes ; mais j'aime toutes les femmes, monsieur Fabrice, pourvu qu'elles soient jolies ; et pour vous le prouver, je veux absolument que vous m'introduisiez chez cette aimable personne qui loge chez vous, et que je n'ai pu encore voir dans son appartement.

FABRICE – Oh pardi, monsieur Frélon, cette jeune personne-là n'est guère faite pour vous ; car elle ne se vante jamais, et ne dit de mal de personne.

FRÉLON – Elle ne dit de mal de personne, parce qu'elle ne connaît personne. N'en seriez-vous point amoureux, mon cher monsieur Fabrice ?

FABRICE – Oh non ; elle a quelque chose de si noble dans son air, que je n'ose jamais être amoureux d'elle : d'ailleurs sa vertu…

FRÉLON – Ah ah ah ah, sa vertu !…

FABRICE – Oui, qu'avez-vous à rire ? est-ce que vous ne croyez pas à la vertu, vous ? Voilà un équipage de campagne qui s'arrête à ma porte : un domestique en livrée qui porte une malle : c'est quelque seigneur qui vient loger chez moi.

FRÉLON – Recommandez-moi vite à lui, mon cher ami.

Scène II

Le lord Monrose, Fabrice, Frélon

MONROSE – Vous êtes monsieur Fabrice, à ce que je crois ?

FABRICE – À vous servir, Monsieur.

MONROSE – Je n'ai que peu de jours à rester dans cette ville. Ô ciel ! daigne m'y protéger… Infortuné que je suis !… On m'a dit que je serais mieux chez vous qu'ailleurs, que vous êtes un bon et honnête homme.

FABRICE – Chacun doit l'être. Vous trouverez ici, Monsieur, toutes les commodités de la vie, un appartement assez propre, table d'hôte si vous daignez me faire cet honneur, liberté de manger chez vous, l'amusement de la conversation dans le café.

MONROSE – Avez-vous ici beaucoup de locataires ?

FABRICE – Nous n'avons à présent qu'une jeune personne, très belle et très vertueuse.

FRÉLON – Eh oui, très vertueuse, eh, eh.

FABRICE – Qui vit dans la plus grande retraite.

MONROSE – La jeunesse et la beauté ne sont pas faites pour moi. Qu'on me prépare, je vous prie, un appartement où je puisse être en solitude… Que de peines !… Y a-t-il quelque nouvelle intéressante dans Londres ?

FABRICE – M. Frélon peut vous en instruire, car il en fait ; c'est l'homme du monde qui parle et qui écrit le plus ; il est très utile aux étrangers.

MONROSE, *en se promenant* – Je n'en ai que faire.

FABRICE – Je vais donner ordre que vous soyez bien servi.

Il sort.

FRÉLON – Voici un nouveau débarqué : c'est un grand seigneur sans doute, car il a l'air de ne se soucier de personne. Milord, permettez que je vous présente mes hommages, et ma plume.

MONROSE – Je ne suis point milord ; c'est être un sot de se glorifier de son titre, et c'est être un faussaire de s'arroger un titre qu'on n'a pas. Je suis ce que je suis ; quel est votre emploi dans la maison ?

FRÉLON – Je ne suis point de la maison, Monsieur ; je passe ma vie au café, j'y compose des brochures, des feuilles : je sers les honnêtes gens. Si vous avez quelque ami à qui vous vouliez donner des éloges, ou quelque ennemi dont on doive dire du mal, quelque auteur à protéger ou à décrier, il n'en coûte qu'une pistole par paragraphe. Si vous voulez faire quelque connaissance agréable ou utile, je suis encore votre homme.

MONROSE – Et vous ne faites point d'autre métier dans la ville ?

FRÉLON – Monsieur, c'est un très bon métier.

MONROSE – Et on ne vous a pas encore montré en public, le cou décoré d'un collier de fer de quatre pouces de hauteur ?

FRÉLON – Voilà un homme qui n'aime pas la littérature.

Scène III

Frélon, *se remettant à sa table.*
Plusieurs personnes paraissent dans l'intérieur du café.
Monrose *avance sur le bord du théâtre.*

MONROSE – Mes infortunes sont-elles assez longues, assez affreuses ? Errant, proscrit, condamné à perdre la tête dans l'Écosse ma patrie : j'ai perdu mes honneurs, ma femme, mon fils, ma famille entière : une fille me reste, errante comme moi, misérable, et peut-être déshonorée ; et je mourrai donc sans être vengé de cette barbare famille de Murray qui m'a persécuté, qui m'a tout ôté, qui m'a rayé du nombre des vivants !

Car enfin je n'existe plus ; j'ai perdu jusqu'à mon nom, par l'arrêt qui me condamne en Écosse ; je ne suis qu'une ombre qui vient autour de son tombeau [1].

UN *de ceux qui sont entrés dans le café, frappant sur l'épaule de Frélon qui écrit* – Eh bien, tu étais hier à la pièce nouvelle ; l'auteur fut bien applaudi ; c'est un jeune homme de mérite, et sans fortune, que la nation doit encourager.

UN AUTRE – Je me soucie bien d'une pièce nouvelle. Les affaires publiques me désespèrent ; toutes les denrées sont à bon marché ; on nage dans une abondance pernicieuse ; je suis perdu, je suis ruiné.

FRÉLON, *écrivant* – Cela n'est pas vrai, la pièce ne vaut rien, l'auteur est un sot, et ses protecteurs aussi ; les affaires publiques n'ont jamais été plus mauvaises ; tout renchérit ; l'État est anéanti, et je le prouve par mes feuilles.

UN SECOND – Tes feuilles sont des feuilles de chêne ; la vérité est que la philosophie est bien dangereuse, et que c'est elle qui nous a fait perdre l'île de Minorque [2].

MONROSE, *toujours sur le devant du théâtre* – Le fils de milord Murray me payera tous mes malheurs. Que ne puis-je au moins, avant de périr, punir par le sang du fils toutes les barbaries du père !

UN TROISIÈME INTERLOCUTEUR, *dans le fond* – La pièce d'hier m'a paru très bonne.

FRÉLON – Le mauvais goût gagne ; elle est détestable.

LE TROISIÈME INTERLOCUTEUR – Il n'y a de détestable que tes critiques.

LE SECOND – Et moi je vous dis que les philosophes font baisser les fonds publics, et qu'il faut envoyer un autre ambassadeur à la Porte [3].

FRÉLON – Il faut siffler la pièce qui réussit, et ne pas souffrir qu'il se fasse rien de bon.

Ils parlent tous quatre en même temps.

UN INTERLOCUTEUR – Va, s'il n'y avait rien de bon, tu perdrais le plus grand plaisir de la satire. Le cinquième acte surtout a de très grandes beautés.

LE SECOND INTERLOCUTEUR – Je n'ai pu me défaire d'aucune de mes marchandises.

LE TROISIÈME – Il y a beaucoup à craindre cette année pour la Jamaïque [4] ; ces philosophes la feront prendre.

FRÉLON – Le quatrième et le cinquième acte sont pitoyables.

MONROSE, *se retournant* – Quel sabbat !

LE PREMIER INTERLOCUTEUR – Le gouvernement ne peut pas subsister tel qu'il est.

LE TROISIÈME INTERLOCUTEUR – Si le prix de l'eau des Barbades [5] ne baisse pas, la partie est perdue.

MONROSE – Se peut-il que toujours, et en tout pays, dès que les hommes sont rassemblés, ils parlent tous à la fois ! Quelle rage de parler, avec la certitude de n'être point entendu !

FABRICE, *arrivant avec une serviette* – Messieurs, on a servi ; surtout, ne vous querellez point à table, ou je ne vous reçois plus chez moi. *(À Monrose.)* Monsieur veut-il nous faire l'honneur de venir dîner avec nous ?

MONROSE – Avec cette cohue ? non, mon ami ; faites-moi apporter à manger dans ma chambre. *(Il se retire à part, et dit à Fabrice.)* Écoutez, un mot, milord Falbrige est-il à Londres ?

FABRICE – Non, mais il revient bientôt.

MONROSE – Est-il vrai qu'il vient ici quelquefois ?

FABRICE – Il m'a fait cet honneur.

MONROSE – Cela suffit : bonjour. Que la vie m'est odieuse !

Il sort.

FABRICE – Cet homme-là me paraît accablé de chagrins et d'idées. Je ne serais point surpris qu'il allât se tuer là-haut ; ce serait dommage, il a l'air d'un honnête homme [6].

Les survenants sortent pour dîner. Frélon est toujours à la table où il écrit. Ensuite Fabrice frappe à la porte de l'appartement de Lindane.

Scène IV

Fabrice, Mlle Polly, Frélon

FABRICE – Mademoiselle Polly, mademoiselle Polly !

POLLY – Eh bien, qu'y a-t-il, notre cher hôte ?

FABRICE – Seriez-vous assez complaisante pour venir dîner en compagnie ?

POLLY – Hélas je n'ose, car ma maîtresse ne mange point : comment voulez-vous que je mange ? Nous sommes si tristes !

FABRICE – Cela vous égayera.

POLLY – Je ne puis être gaie ; quand ma maîtresse souffre, il faut que je souffre avec elle.

FABRICE – Je vous enverrai donc secrètement ce qu'il vous faudra.

Il sort.

FRÉLON, *se levant de sa table* – Je vous suis, monsieur Fabrice. Ma chère Polly, vous ne voulez donc jamais m'introduire chez votre maîtresse ? vous rebutez toutes mes prières ?

POLLY – C'est bien à vous d'oser faire l'amoureux d'une personne de sa sorte !

FRÉLON – Eh de quelle sorte est-elle donc ?

POLLY – D'une sorte qu'il faut respecter : vous êtes fait tout au plus pour les suivantes.

FRÉLON – C'est-à-dire que si je vous en contais, vous m'aimeriez ?

POLLY – Assurément non.

FRÉLON – Et pourquoi donc ta maîtresse s'obstine-t-elle à ne me point recevoir, et que la suivante me dédaigne ?

POLLY – Pour trois raisons ; c'est que vous êtes bel esprit, ennuyeux et méchant.

FRÉLON – C'est bien à ta maîtresse, qui languit ici dans la pauvreté, et qui est nourrie par charité, à me dédaigner.

POLLY – Ma maîtresse pauvre ! qui vous a dit cela, langue de vipère ? ma maîtresse est très riche : si elle ne fait point de dépense, c'est qu'elle hait le faste : elle est vêtue simplement par modestie : elle mange peu, c'est par régime ; et vous êtes un impertinent.

FRÉLON – Qu'elle ne fasse pas tant la fière : nous connaissons sa conduite ; nous savons sa naissance ; nous n'ignorons pas ses aventures.

POLLY – Quoi donc ? que connaissez-vous ? que voulez-vous dire ?

FRÉLON – J'ai partout des correspondances.

POLLY – Ô ciel ! cet homme peut nous perdre. Monsieur Frélon, mon cher monsieur Frélon, si vous savez quelque chose, ne nous trahissez pas.

FRÉLON – Ah, ah, j'ai donc deviné, il y a donc quelque chose, et je suis le cher monsieur Frélon. Ah çà, je ne dirai rien ; mais il faut…

POLLY – Quoi ?

FRÉLON – Il faut m'aimer.

POLLY – Fi donc ; cela n'est pas possible.

FRÉLON – Ou aimez-moi, ou craignez-moi : vous savez qu'il y a quelque chose.

POLLY – Non, il n'y a rien, sinon que ma maîtresse est aussi respectable que vous êtes haïssable : nous sommes très à notre aise, nous ne craignons rien, et nous nous moquons de vous.

FRÉLON – Elles sont très à leur aise, de là je conclus qu'elles meurent de faim : elles ne craignent rien, c'est-à-dire qu'elles tremblent d'être découvertes… Ah je viendrai à bout de ces aventurières, ou je ne pourrai. Je me vengerai de leur insolence. Mépriser Mr. Frélon !

Il sort.

Scène V

Lindane, *sortant de sa chambre,*
dans un déshabillé des plus simples, Polly

LINDANE – Ah ma pauvre Polly, tu étais avec ce vilain homme de Frélon : il me donne toujours de l'inquiétude : on dit que c'est un esprit de travers [7], et un cœur de boue, dont la langue, la plume, et les démarches sont également méchantes ; qu'il cherche à s'insinuer partout, pour faire le mal s'il n'y en a point, et pour l'augmenter s'il en trouve. Je serais sortie de cette maison qu'il fréquente, sans la probité et le bon cœur de notre hôte.

POLLY – Il voulait absolument vous voir ! et je le rembarrais…

LINDANE – Il veut me voir ; et milord Murray n'est point venu ! Il n'est point venu depuis deux jours !

POLLY – Non, Madame ; mais parce que milord ne vient point, faut-il pour cela ne dîner jamais ?

LINDANE – Ah ! souviens-toi surtout de lui cacher toujours ma misère, et à lui, et à tout le monde ; je veux vivre de pain et d'eau ; ce n'est point la pauvreté qui est intolérable, c'est le mépris : je sais manquer de tout, mais je veux qu'on l'ignore.

POLLY – Hélas, ma chère maîtresse, on s'en aperçoit assez en me voyant : pour vous, ce n'est pas de même ; la grandeur d'âme vous soutient : il semble que vous vous plaisiez à combattre la mauvaise fortune ; vous n'en êtes que plus belle ; mais moi je maigris à vue d'œil : depuis un an que vous m'avez prise à votre service en Écosse, je ne me reconnais plus.

LINDANE – Il ne faut perdre ni le courage ni l'espérance : je supporte ma pauvreté, mais la tienne me déchire le cœur. Ma chère Polly, qu'au moins le travail de mes mains serve à rendre ta destinée moins affreuse : n'ayons d'obligation à personne ; va vendre ce que j'ai brodé ces jours-ci. *(Elle lui donne un petit ouvrage de broderie.)* Je ne réussis pas mal à ces petits ouvrages. Que mes mains te nourrissent et t'habillent : tu m'as aidée : il est beau de ne devoir notre subsistance qu'à notre vertu.

POLLY – Laissez-moi baiser, laissez-moi arroser de mes larmes ces belles mains qui ont fait ce travail précieux. Oui, Madame, j'aimerais mieux mourir auprès de vous dans l'indigence que de servir des reines. Que ne puis-je vous consoler !

LINDANE – Hélas ! milord Murray n'est point venu ! Lui que je devrais haïr, lui le fils de celui qui a fait tous nos malheurs ! Ah ! le nom de Murray nous sera toujours funeste : s'il vient, comme il viendra sans doute, qu'il ignore absolument ma patrie, mon état, mon infortune.

POLLY – Savez-vous bien que ce méchant Frélon se vante d'en avoir quelque connaissance ?

LINDANE – Eh comment pourrait-il en être instruit, puisque tu l'es à peine ? Il ne sait rien, personne ne m'écrit ; je suis dans ma chambre comme dans mon tombeau : mais il feint de savoir quelque chose pour se rendre nécessaire. Garde-toi qu'il devine jamais seulement le lieu de ma naissance. Chère Polly, tu le sais, je suis une infortunée dont le père fut proscrit dans les derniers troubles [8], dont la famille est détruite : il ne me reste que mon courage. Mon père est errant de désert en désert en Écosse. Je serais déjà partie de Londres pour m'unir à sa mauvaise fortune, si je n'avais pas quelque espérance en milord Falbrige. J'ai su qu'il avait été le meilleur ami de mon père. Personne n'abandonne son ami. Falbrige est revenu d'Espagne, il est à Windsor ; j'attends son retour. Mais hélas ! Murray ne revient point. Je t'ai ouvert mon cœur ; songe que tu le perces du coup de la mort, si tu laisses jamais entrevoir l'état où je suis.

POLLY – Et à qui en parlerais-je ? je ne sors jamais d'auprès de vous ; et puis, le monde est si indifférent sur les malheurs d'autrui !

LINDANE – Il est indifférent, Polly, mais il est curieux, mais il aime à déchirer les blessures des infortunés : et si les hommes sont compatissants avec les femmes, ils en abusent ; ils veulent se faire un droit de notre misère ; et je veux rendre cette misère respectable. Mais hélas ! milord Murray ne viendra point !

Scène VI

Lindane, Polly, Fabrice, *avec une serviette.*

FABRICE – Pardonnez… Madame… Mademoiselle… Je ne sais comment vous nommer, ni comment vous parler : vous m'imposez du respect. Je sors de table pour vous demander vos volontés… je ne sais comment m'y prendre.

LINDANE – Mon cher hôte, croyez que toutes vos attentions me pénètrent le cœur ; que voulez-vous de moi ?

FABRICE – C'est moi qui voudrais bien que vous voulussiez avoir quelque volonté. Il me semble que vous n'avez pas dîné hier.

LINDANE – J'étais malade.

FABRICE – Vous êtes plus que malade, vous êtes triste… entre nous, pardonnez… il paraît que votre fortune n'est pas comme votre personne.

LINDANE – Comment ? quelle imagination ! je ne me suis jamais plainte de ma fortune.

FABRICE – Non, vous dis-je, elle n'est pas si belle, si bonne, si désirable que vous l'êtes.

LINDANE – Que voulez-vous dire ?

FABRICE – Que vous touchez ici tout le monde, et que vous l'évitez trop. Écoutez ; je ne suis qu'un homme simple, qu'un homme du peuple ; mais je vois tout votre mérite, comme si j'étais un homme de la Cour : ma chère dame, un peu de bonne chère : nous avons là-haut un vieux gentilhomme avec qui vous devriez manger.

LINDANE – Moi, me mettre à table avec un homme, avec un inconnu ?

FABRICE – C'est un vieillard qui me paraît tout votre fait. Vous paraissez bien affligée, il paraît bien triste aussi : deux afflictions mises ensemble peuvent devenir une consolation.

LINDANE – Je ne veux, je ne peux voir personne.

FABRICE – Souffrez au moins que ma femme vous fasse sa cour : daignez permettre qu'elle mange avec vous pour vous tenir compagnie. Souffrez quelques soins…

LINDANE – Je vous rends grâce avec sensibilité, mais je n'ai besoin de rien.

FABRICE – Oh je n'y tiens pas ; vous n'avez besoin de rien, et vous n'avez pas le nécessaire.

LINDANE – Qui vous en a pu imposer si témérairement ?

FABRICE – Pardon !

LINDANE – Ah, Polly, il est deux heures, et milord Murray ne viendra point !

FABRICE – Eh bien, Madame, ce milord dont vous parlez, je sais que c'est l'homme le plus vertueux de la Cour : vous ne l'avez jamais reçu ici que devant témoins ; pourquoi n'avoir pas fait avec lui honnêtement, devant témoins, quelques petits repas que j'aurais fournis ? C'est peut-être votre parent ?

LINDANE – Vous extravaguez, mon cher hôte.

FABRICE, *en tirant Polly par la manche* – Va, ma pauvre Polly ; il y a un bon dîner tout prêt dans le cabinet qui donne dans la chambre de ta maîtresse, je t'en avertis. Cette femme-là est incompréhensible. Mais qui est donc cette autre dame qui entre dans mon café comme si c'était un homme ? elle a l'air bien furibond.

POLLY – Ah ! ma chère maîtresse, c'est milady Alton, celle qui voulait épouser milord ; je l'ai vue une fois rôder près d'ici : c'est elle.

LINDANE – Milord ne viendra point, c'en est fait, je suis perdue : pourquoi me suis-je obstinée à vivre ?

Elle rentre.

Scène VII

Lady Alton, Fabrice

LADY ALTON, *ayant traversé avec colère le théâtre et prenant Fabrice par le bras* – Suivez-moi, il faut que je vous parle.

FABRICE – À moi, Madame ?

LADY ALTON – À vous, malheureux.

FABRICE – Quelle diablesse de femme !

ACTE II

Scène première

Lady Alton, Fabrice

LADY ALTON – Je ne crois pas un mot de ce que vous me dites, Monsieur le cafetier. Vous me mettez toute hors de moi-même.

FABRICE – Eh bien, Madame, rentrez donc toute dans vous-même.

LADY ALTON –Vous m'osez assurer que cette aventurière est une personne d'honneur, après qu'elle a reçu chez elle un homme de la Cour : vous devriez mourir de honte.

FABRICE – Pourquoi, Madame ? Quand milord y est venu, il n'y est point venu en secret, elle l'a reçu en public, les portes de son appartement ouvertes, ma femme présente. Vous pouvez mépriser mon état, mais vous devez estimer ma probité ; et quant à celle que vous appelez une aventurière, si vous connaissiez ses mœurs, vous la respecteriez.

LADY ALTON – Laissez-moi, vous m'importunez.

FABRICE – Oh quelle femme ! quelle femme !

LADY ALTON, *elle va à la porte de Lindane, et frappe rudement* – Qu'on m'ouvre.

Scène II

Lindane, lady Alton

LINDANE – Eh qui peut frapper ainsi ? et que vois-je ?

LADY ALTON – Connaissez-vous les grandes passions, Mademoiselle ?

LINDANE – Hélas, Madame, voilà une étrange question.

LADY ALTON – Connaissez-vous l'amour véritable, non pas l'amour insipide, l'amour langoureux, mais cet amour-là, qui fait qu'on voudrait empoisonner sa rivale, tuer son amant, et se jeter ensuite par la fenêtre ?

LINDANE – Mais c'est la rage dont vous me parlez là.

LADY ALTON – Sachez que je n'aime point autrement, que je suis jalouse, vindicative, furieuse, implacable.

LINDANE – Tant pis pour vous, Madame.

LADY ALTON – Répondez-moi : milord Murray n'est-il pas venu ici quelquefois ?

LINDANE – Que vous importe, Madame ? et de quel droit venez-vous m'interroger ? suis-je une criminelle ? êtes-vous mon juge ?

LADY ALTON – Je suis votre partie : si milord vient encore vous voir, si vous flattez la passion de cet infidèle, tremblez : renoncez à lui, ou vous êtes perdue.

LINDANE – Vos menaces m'affermiraient dans ma passion pour lui, si j'en avais une.

LADY ALTON – Je vois que vous l'aimez, que vous vous laissez séduire par un perfide ; je vois qu'il vous trompe, et que vous me bravez : mais sachez qu'il n'est point de vengeance à laquelle je ne me porte.

LINDANE – Eh bien, Madame, puisqu'il est ainsi, je l'aime.

LADY ALTON – Avant de me venger, je veux vous confondre ; tenez, connaissez le traître ; voilà les lettres qu'il m'a écrites ; voilà son portrait qu'il m'a donné ; ne le gardez pas au moins ; il faut le rendre, ou je…

LINDANE, *en rendant le portrait* – Qu'ai-je vu, malheureuse !… Madame…

LADY ALTON – Eh bien !…

LINDANE – Je ne l'aime plus.

LADY ALTON – Gardez votre résolution et votre promesse : sachez que c'est un homme inconstant, dur, orgueilleux, que c'est le plus mauvais caractère…

LINDANE – Arrêtez, Madame ; si vous continuiez à en dire du mal, je l'aimerais peut-être encore. Vous êtes venue ici pour achever de m'ôter la vie ; vous n'aurez pas de peine. Polly, c'en est fait ; viens m'aider à cacher la dernière de mes douleurs.

POLLY – Qu'est-il donc arrivé, ma chère maîtresse, et qu'est devenu votre courage ?

LINDANE – On en a contre l'infortune, l'injustice, l'indigence. Il y a cent traits qui s'émoussent sur un cœur noble ; il en vient un qui porte enfin le coup de la mort.

Elles sortent.

Scène III

Lady Alton, Frélon

LADY ALTON – Quoi ! être trahie, abandonnée pour cette petite créature ! *(À Frélon.)* Gazetier littéraire, approchez ; m'avez-vous servie ? avez-vous employé vos correspondances ? m'avez-vous obéi ? avez-vous découvert quelle est cette insolente qui fait le malheur de ma vie ?

FRÉLON – J'ai rempli les volontés de Votre Grandeur ; je sais qu'elle est écossaise, et qu'elle se cache.

LADY ALTON – Voilà de belles nouvelles !

FRÉLON – Je n'ai rien découvert de plus jusqu'à présent.

LADY ALTON – Et en quoi m'as-tu donc servie ?

FRÉLON – Quand on découvre peu de chose, on ajoute quelque chose, et quelque chose avec quelque chose fait beaucoup. J'ai fait une hypothèse.

LADY ALTON – Comment, pédant ! une hypothèse !

FRÉLON – Oui, j'ai supposé qu'elle est malintentionnée contre le gouvernement.

LADY ALTON – Ce n'est point supposer, rien n'est posé plus vrai : elle est très malintentionnée, puisqu'elle veut m'enlever mon amant.

FRÉLON – Vous voyez bien que dans un temps de trouble, une Écossaise qui se cache est une ennemie de l'État.

LADY ALTON – Je ne le vois pas ; mais je voudrais que la chose fût.

FRÉLON – Je ne le parierais pas, mais j'en jurerais [9].

LADY ALTON – Et tu serais capable de l'affirmer devant des gens de conséquence ?

FRÉLON – Je suis en relation avec des personnes de conséquence. Je connais fort la maîtresse du valet de chambre d'un premier commis du ministre : je pourrais même parler aux laquais de milord votre amant, et dire que le père de cette fille, en qualité de malintentionné, l'a envoyée à Londres comme malintentionnée. Je supposerais même que le père est ici. Voyez-vous, cela pourrait avoir des suites, et on mettrait votre rivale, pour ses mauvaises intentions, dans la prison où j'ai déjà été pour mes feuilles.

LADY ALTON – Ah ! je respire. Les grandes passions veulent être servies par des gens sans scrupule ; je veux que le vaisseau aille à pleines voiles, ou qu'il se brise. Tu as raison ; une Écossaise qui se cache dans un temps où tous les gens de son pays sont suspects est sûrement une ennemie de l'État ; tu n'es pas un imbécile, comme on le dit. Je croyais que tu n'étais qu'un barbouilleur de papier, mais je vois que tu as en effet des talents. Je t'ai déjà récompensé ; je te récompenserai encore. Il faudra m'instruire de tout ce qui se passe ici.

FRÉLON – Madame, je vous conseille de faire usage de tout ce que vous saurez, et même de ce que vous ne saurez pas. La vérité a besoin de quelques ornements ; le mensonge peut être vilain, mais la fiction est belle ; qu'est-ce, après tout, que la vérité ? la conformité à nos idées : or ce qu'on dit est toujours conforme à l'idée qu'on a quand on parle ; ainsi il n'y a point proprement de mensonge.

LADY ALTON – Tu me parais subtil : il semble que tu aies étudié à Saint-Omer * [10]. Va, dis-moi seulement ce que tu découvriras, je ne t'en demande pas davantage.

* Autrefois on envoyait plusieurs enfants faire leurs études au collège de Saint-Omer.

Scène IV

Lady Alton, Fabrice

LADY ALTON – Voilà, je l'avoue, le plus impudent, et le plus lâche coquin qui soit dans les trois royaumes. Nos dogues mordent par instinct de courage, et lui par instinct de bassesse ; à présent que je suis un peu plus de sang-froid, je pense qu'il me ferait haïr la vengeance. Je sens que je prendrais contre lui le parti de ma rivale : elle a dans son état humble une fierté qui me plaît : elle est décente, on la dit sage ; mais elle m'enlève mon amant, il n'y a pas moyen de pardonner. *(À Fabrice qu'elle aperçoit agissant dans le café.)* Adieu, mon maître, faisons la paix ; vous êtes un honnête homme, vous ; mais vous avez dans votre maison un vilain griffonneur.

FABRICE – Bien des gens m'ont déjà dit, Madame, qu'il est aussi méchant que Lindane est vertueuse et aimable.

LADY ALTON – Aimable ! tu me perces le cœur.

Scène V

Freeport, *vêtu simplement, mais proprement, avec un large chapeau*, Fabrice

FABRICE – Ah ! Dieu soit béni, vous voilà de retour, monsieur Freeport ; comment vous trouvez-vous de votre voyage à la Jamaïque ?

FREEPORT – Fort bien, monsieur Fabrice. J'ai gagné beaucoup, mais je m'ennuie. *(Au garçon du café.)* Eh ! du chocolat ; les papiers publics ; on a plus de peine à s'amuser qu'à s'enrichir.

FABRICE – Voulez-vous les feuilles de Frélon ?

FREEPORT – Non, que m'importe ce fatras ? Je me soucie bien qu'une araignée dans le coin d'un mur marche sur sa toile pour sucer le sang des mouches. Donnez les gazettes ordinaires. Qu'y a-t-il de nouveau dans l'État ?

FABRICE – Rien pour le présent.

FREEPORT – Tant mieux ; moins de nouvelles, moins de sottises. Comment vont vos affaires, mon ami ? Avez-vous beaucoup de monde chez vous ? Qui logez-vous à présent ?

FABRICE – Il est venu ce matin un vieux gentilhomme qui ne veut voir personne.

FREEPORT – Il a raison : les hommes ne sont pas bons à grand-chose, fripons ou sots : voilà pour les trois quarts ; et pour l'autre quart il se tient chez soi.

FABRICE – Cet homme n'a pas même la curiosité de voir une femme charmante que nous avons dans la maison.

FREEPORT – Il a tort. Et quelle est cette femme charmante ?

FABRICE – Elle est encore plus singulière que lui ; il y a quatre mois qu'elle est chez moi, et qu'elle n'est pas sortie de son appartement ; elle s'appelle Lindane, mais je ne crois pas que ce soit son véritable nom.

FREEPORT – C'est sans doute une honnête femme, puisqu'elle loge ici.

FABRICE – Oh ! elle est bien plus qu'honnête ; elle est belle, pauvre et vertueuse : entre nous, elle est dans la dernière misère, et elle est fière à l'excès.

FREEPORT – Si cela est, elle a bien plus tort que votre vieux gentilhomme.

FABRICE – Oh point ; sa fierté est encore une vertu de plus ; elle consiste à se priver du nécessaire, et à ne vouloir pas qu'on le sache : elle travaille de ses mains pour gagner de quoi me payer, ne se plaint jamais, dévore ses larmes ; j'ai mille peines à lui faire garder pour ses besoins l'argent de son loyer ; il faut des ruses incroyables pour faire passer jusqu'à elle les moindres secours ; je lui compte tout ce que je lui fournis, à moitié de ce qu'il coûte ; quand elle s'en aperçoit, ce sont des querelles qu'on ne peut apaiser, et c'est la seule qu'elle ait eue dans la maison : enfin, c'est un prodige de malheur, de noblesse, et de vertu : elle m'arrache quelquefois des larmes d'admiration et de tendresse.

FREEPORT – Vous êtes bien tendre ; je ne m'attendris point, moi ; je n'admire personne ; mais j'estime… Écoutez ; comme je m'ennuie, je veux voir cette femme-là, elle m'amusera.

FABRICE – Oh ! Monsieur, elle ne reçoit presque jamais de visites. Nous avions un milord qui venait quelquefois chez elle, mais elle ne voulait point lui parler sans que ma femme y fût présente : depuis quelque temps il n'y vient plus, et elle vit plus retirée que jamais.

FREEPORT – J'aime qu'on se retire : je hais la cohue aussi bien qu'elle : qu'on me la fasse venir ; où est son appartement ?

FABRICE – Le voici de plain-pied au café.

FREEPORT – Allons, je veux entrer.

FABRICE – Cela ne se peut pas.

FREEPORT – Il faut bien que cela se puisse ; où est la difficulté d'entrer dans une chambre ? Qu'on m'apporte chez elle mon chocolat et les gazettes. *(Il tire sa montre.)* Je n'ai pas beaucoup de temps à perdre, mes affaires m'appellent à deux heures.

Il pousse la porte et entre.

Scène VI

Lindane, *paraissant effrayée* ; Polly *la suit* ; Freeport, Fabrice

LINDANE – Eh mon Dieu ! qui entre ainsi chez moi avec tant de fracas ? Monsieur, vous me paraissez peu civil, et vous devriez respecter davantage ma solitude et mon sexe.

FREEPORT – Pardon. *(À Fabrice.)* Qu'on m'apporte mon chocolat, vous dis-je.

FABRICE – Oui, Monsieur, si Madame le permet.

Freeport s'assied près d'une table, lit la gazette, et jette un coup d'œil sur Lindane et sur Polly ; il ôte son chapeau et le remet.

POLLY – Cet homme me paraît familier.

FREEPORT – Madame, pourquoi ne vous asseyez-vous pas quand je suis assis ?

LINDANE – Monsieur, c'est que vous ne devriez pas l'être, c'est que je suis très étonnée, c'est que je ne reçois point de visite d'un inconnu.

FREEPORT – Je suis très connu ; je m'appelle Freeport, loyal négociant, riche ; informez-vous de moi à la Bourse.

LINDANE – Monsieur, je ne connais personne en ce pays-là, et vous me feriez plaisir de ne point incommoder une femme à qui vous devez quelques égards.

FREEPORT – Je ne prétends point vous incommoder ; je prends mes aises, prenez les vôtres ; je lis les gazettes, travaillez en tapisserie, et prenez du chocolat avec moi,… ou sans moi,… comme vous voudrez.

POLLY – Voilà un étrange original !

LINDANE – Ô ciel ! quelle visite je reçois ! Et milord ne vient point ! Cet homme bizarre m'assassine, je ne pourrai m'en défaire ; comment monsieur Fabrice a-t-il pu souffrir cela ? Il faut bien s'asseoir.

Elle s'assied, et travaille à son ouvrage. Un garçon apporte du chocolat, Freeport en prend sans en offrir ; il parle et boit par reprises.

FREEPORT – Écoutez. Je ne suis pas homme à compliments ; on m'a dit de vous… le plus grand bien qu'on puisse dire d'une femme : vous êtes pauvre et vertueuse ; mais on ajoute que vous êtes fière, et cela n'est pas bien.

POLLY – Et qui vous a dit tout cela, Monsieur ?

FREEPORT – Parbleu, c'est le maître de la maison, qui est un très galant homme, et que j'en crois sur sa parole.

LINDANE – C'est un tour qu'il vous joue ; il vous a trompé, Monsieur ; non pas sur la fierté, qui n'est que le partage de la vraie modestie ; non pas sur la vertu, qui est mon premier devoir ; mais sur la pauvreté, dont il me soupçonne. Qui n'a besoin de rien n'est jamais pauvre.

FREEPORT – Vous ne dites pas la vérité, et cela est encore plus mal que d'être fière : je sais mieux que vous que vous manquez de tout, et quelquefois même vous vous dérobez un repas.

POLLY – C'est par ordre du médecin.

FREEPORT – Taisez-vous ; est-ce que vous êtes fière aussi, vous ?

POLLY – Oh l'original ! l'original !

FREEPORT – En un mot, ayez de l'orgueil ou non, peu m'importe. J'ai fait un voyage à la Jamaïque, qui m'a valu cinq mille guinées ; je me suis fait une loi (et ce doit être celle de tout bon Chrétien) de donner toujours le dixième de ce que je gagne ; c'est une dette que ma fortune doit payer à l'état malheureux où vous êtes… oui, où vous êtes, et dont vous ne voulez pas convenir. Voilà ma dette de cinq cents guinées payée. Point de remerciement, point de reconnaissance ; gardez l'argent et le secret.

Il jette une grosse bourse sur la table.

POLLY – Ma foi, ceci est bien plus original encore.

LINDANE, *se levant et se détournant* – Je n'ai jamais été si confondue. Hélas, que tout ce qui m'arrive m'humilie ! quelle générosité ! mais quel outrage !

FREEPORT, *continuant à lire les gazettes, et à prendre son chocolat* – L'impertinent gazetier ! le plat animal ! peut-on dire de telles pauvretés avec un ton si emphatique ? *Le roi est venu en haute personne.* Eh malotru ! qu'importe que sa personne soit haute ou petite ? Dis le fait tout rondement.

LINDANE, *s'approchant de lui* – Monsieur…

FREEPORT – Eh bien ?

LINDANE – Ce que vous faites pour moi me surprend plus encore que ce que vous dites ; mais je n'accepterai certainement point l'argent que vous m'offrez : il faut vous avouer que je ne me crois pas en état de vous le rendre.

FREEPORT – Qui vous parle de le rendre ?

LINDANE – Je ressens jusqu'au fond du cœur toute la vertu de votre procédé, mais la mienne ne peut en profiter ; recevez mon admiration ; c'est tout ce que je puis.

POLLY – Vous êtes cent fois plus singulière que lui. Eh ! Madame, dans l'état où vous êtes, abandonnée de tout le monde, avez-vous perdu l'esprit, de refuser un secours que le ciel vous envoie par la main du plus bizarre et du plus galant homme du monde ?

FREEPORT – Eh, que veux-tu dire, toi ? En quoi suis-je bizarre ?

POLLY – Si vous ne prenez pas pour vous, Madame, prenez pour moi ; je vous sers dans votre malheur, il faut que je profite au moins de cette bonne fortune. Monsieur, il ne faut plus dissimuler ; nous sommes dans la dernière misère, et sans la bonté attentive du maître du café, nous serions mortes de froid et de faim. Ma maîtresse a caché son état à ceux qui pouvaient lui rendre service ; vous l'avez su malgré elle, obligez-la malgré elle à ne pas se priver du nécessaire que le ciel lui envoie par vos mains généreuses.

LINDANE – Tu me perds d'honneur, ma chère Polly.

POLLY – Et vous vous perdez de folie, ma chère maîtresse.

LINDANE – Si tu m'aimes, prends pitié de ma gloire ; ne me réduis pas à mourir de honte pour avoir de quoi vivre.

FREEPORT, *toujours lisant* – Que disent ces bavardes-là ?

POLLY – Si vous m'aimez, ne me réduisez pas à mourir de faim par vanité.

LINDANE – Polly, que dirait milord, s'il m'aimait encore, s'il me croyait capable d'une telle bassesse ? J'ai toujours feint avec lui de n'avoir aucun besoin de secours, et j'en accepterais d'un autre, d'un inconnu !

POLLY – Vous avez mal fait de feindre, et vous faites très mal de refuser. Milord ne dira rien, car il vous abandonne.

LINDANE – Ma chère Polly, au nom de nos malheurs, ne nous déshonorons point ; congédie honnêtement cet homme estimable et grossier, qui sait donner, et qui ne sait pas vivre : dis-lui que quand une fille accepte d'un homme de tels présents, elle est toujours soupçonnée d'en payer la valeur aux dépens de sa vertu.

FREEPORT, *toujours prenant son chocolat et lisant* – Hem, que dit-elle là ?

POLLY, *s'approchant de lui* – Hélas, Monsieur, elle dit des choses qui me paraissent absurdes ; elle parle de soupçons ; elle dit qu'une fille…

FREEPORT – Ah, ah ! est-ce qu'elle est fille ?

POLLY – Oui, Monsieur, et moi aussi.

FREEPORT – Tant mieux ; elle dit donc qu'une fille… ?

POLLY – Qu'une fille ne peut honnêtement accepter d'un homme.

FREEPORT – Elle ne sait ce qu'elle dit ; pourquoi me soupçonner d'un dessein malhonnête, quand je fais une action honnête ?

POLLY – Entendez-vous, Mademoiselle ?

LINDANE – Oui, j'entends, je l'admire, et je suis inébranlable dans mon refus. Polly, on dirait qu'il m'aime : oui, ce méchant homme de Frélon le dirait, je serais perdue.

POLLY, *allant vers Freeport* – Monsieur, elle craint que vous ne l'aimiez.

FREEPORT – Quelle idée ! comment puis-je l'aimer ? je ne la connais pas. Rassurez-vous, Mademoiselle, je ne vous aime point du tout. Si je viens dans quelques années à vous aimer par hasard, et vous aussi à m'aimer, à la bonne heure… comme vous vous aviserez je m'aviserai. Si vous vous en passez, je m'en passerai. Si vous dites que je vous ennuie, vous m'ennuierez. Si vous voulez ne me revoir jamais, je ne vous reverrai jamais. Si vous voulez que je revienne, je reviendrai. Adieu, adieu. *(Il tire sa montre.)* Mon temps se perd, j'ai des affaires, serviteur.

LINDANE – Allez, Monsieur, emportez mon estime et ma reconnaissance, mais surtout emportez votre argent, et ne me faites pas rougir davantage.

FREEPORT – Elle est folle.

LINDANE – Fabrice ! monsieur Fabrice ! à mon secours, venez !

FABRICE, *arrivant en hâte* – Quoi donc, Madame ?

LINDANE, *lui donnant la bourse* – Tenez, prenez cette bourse que Monsieur a laissée par mégarde ; remettez-la-lui, je vous en charge ; assurez-le de mon estime ; et sachez que je n'ai besoin du secours de personne.

FABRICE, *prenant la bourse* – Ah ! monsieur Freeport, je vous reconnais bien à cette bonne action ; mais comptez que Mademoiselle vous trompe, et qu'elle en a très grand besoin.

LINDANE – Non, cela n'est pas vrai. Ah ! monsieur Fabrice ! est-ce vous qui me trahissez ?

FABRICE – Je vais vous obéir, puisque vous le voulez. *(Bas à Mr. Freeport.)* Je garderai cet argent, et il servira, sans qu'elle le sache, à lui procurer tout ce qu'elle se refuse. Le cœur me saigne ; son état et sa vertu me pénètrent l'âme.

FREEPORT – Elles me font aussi quelque sensation ; mais elle est trop fière. Dites-lui que cela n'est pas bien d'être fière. Adieu.

Scène VII

Lindane, Polly

POLLY – Vous avez là bien opéré, Madame ; le ciel daignait vous secourir ; vous voulez mourir dans l'indigence ; vous voulez que je sois la victime d'une vertu, dans laquelle il entre peut-être un peu de vanité ; et cette vanité nous perd l'une et l'autre.

LINDANE – C'est à moi de mourir, ma chère enfant ; milord ne m'aime plus ; il m'abandonne depuis trois jours ; il a aimé mon impitoyable et superbe rivale ; il l'aime encore sans doute ; c'en est fait ; j'étais trop coupable en l'aimant ; c'est une erreur qui doit finir.

Elle écrit.

POLLY – Elle paraît désespérée ; hélas ! elle a sujet de l'être ; son état est bien plus cruel que le mien ; une suivante a toujours des ressources ; mais une personne qui se respecte n'en a pas.

LINDANE, *ayant plié sa lettre* – Je ne fais pas un bien grand sacrifice. Tiens, quand je ne serai plus, porte cette lettre à celui…

POLLY – Que dites-vous ?

LINDANE – À celui qui est la cause de ma mort : je te recommande à lui, mes dernières volontés le toucheront. Va. *(Elle l'embrasse.)* Sois sûre que de tant d'amertumes, celle de n'avoir pu te récompenser moi-même, n'est pas la moins sensible à ce cœur infortuné.

POLLY – Ah ! mon adorable maîtresse ! que vous me faites verser de larmes, et que vous me glacez d'effroi ! Que voulez-vous faire ? quel dessein horrible ! quelle lettre ! Dieu me préserve de la lui rendre jamais ! *(Elle déchire la lettre.)* Hélas ! pourquoi ne vous êtes-vous pas expliquée avec milord ? Peut-être que votre réserve cruelle lui aura déplu.

LINDANE – Tu m'ouvres les yeux ; je lui aurai déplu sans doute ; mais comment me découvrir au fils de celui qui a perdu mon père et ma famille ?

POLLY – Quoi, Madame, ce fut donc le père de milord qui…

LINDANE – Oui, ce fut lui-même qui persécuta mon père, qui le fit condamner à la mort, qui nous a dégradés de noblesse, qui nous a ravi notre existence. Sans père, sans mère, sans bien, je n'ai que ma gloire et mon fatal amour. Je devais détester le fils de Murray ; la fortune qui me poursuit me l'a fait connaître ; je l'ai aimé, et je dois m'en punir.

POLLY – Que vois-je ! vous pâlissez, vos yeux s'obscurcissent…

LINDANE – Puisse ma douleur me tenir lieu du poison et du fer que j'implorais !

POLLY – À l'aide ! monsieur Fabrice, à l'aide ! ma maîtresse s'évanouit.

FABRICE – Au secours ! que tout le monde descende, ma femme, ma servante, Monsieur le gentilhomme de là-haut, tout le monde…

La femme et la servante de Fabrice et Polly emmènent Lindane dans sa chambre.

LINDANE, *en sortant* – Pourquoi me rendez-vous à la vie ?

Scène VIII

Monrose, Fabrice

MONROSE – Qu'y a-t-il donc, notre hôte ?

FABRICE – C'était cette belle demoiselle dont je vous ai parlé, qui s'évanouissait ; mais ce ne sera rien.

MONROSE – Ces petites fantaisies de filles passent vite, et ne sont pas dangereuses : que voulez-vous que je fasse à une fille qui se trouve mal ? est-ce pour cela que vous m'avez fait descendre ? Je croyais que le feu était à la maison.

FABRICE – J'aimerais mieux qu'il y fût, que de voir cette jeune personne en danger. Si l'Écosse a plusieurs filles comme elle, ce doit être un beau pays.

MONROSE – Quoi ! elle est d'Écosse ?

FABRICE – Oui, Monsieur, je ne le sais que d'aujourd'hui ; c'est notre faiseur de feuilles qui me l'a dit, car il sait tout, lui.

MONROSE – Et son nom, son nom ?

FABRICE – Elle s'appelle Lindane.

MONROSE – Je ne connais point ce nom-là. *(Il se promène.)* On ne prononce point le nom de ma patrie que mon cœur ne soit déchiré. Peut-on avoir été traité avec plus d'injustice et de barbarie ! Tu es mort, cruel Murray, indigne ennemi ! ton fils reste ; j'aurai justice ou vengeance. Ô ma femme ! ô mes chers enfants ! ma fille ! j'ai donc tout perdu sans ressource ! Que de coups de poignard auraient fini mes jours, si la juste fureur de me venger ne me forçait pas à porter dans l'affreux chemin du monde, ce fardeau détestable de la vie !

FABRICE, *revenant* – Tout va mieux, Dieu merci.

MONROSE – Comment ? quel changement y a-t-il dans les affaires ? quelle révolution ?

FABRICE – Monsieur, elle a repris ses sens ; elle se porte très bien ; encore un peu pâle, mais toujours belle.

MONROSE – Ah, ce n'est que cela. Il faut que je sorte, que j'aille, que je hasarde… Oui… je le veux.

Il sort.

FABRICE – Cet homme ne se soucie pas des filles qui s'évanouissent. S'il avait vu Lindane, il ne serait pas si indifférent.

ACTE III

Scène première

Lady Alton, André

LADY ALTON – Oui, puisque je ne peux voir le traître chez lui, je le verrai ici, il y viendra sans doute. Ce barbouilleur de feuilles avait raison ; une Écossaise ici dans ce temps de trouble ! Elle conspire contre l'État ; elle sera enlevée, l'ordre est donné : ah ! du moins, c'est contre moi qu'elle conspire ! c'est de quoi je ne suis que trop sûre. Voici André le laquais de milord ; je serai instruite de tout mon malheur. André ! vous apportez ici une lettre de milord, n'est-il pas vrai ?

ANDRÉ – Oui, Madame.

LADY ALTON – Elle est pour moi.

ANDRÉ – Non, Madame, je vous jure.

LADY ALTON – Comment ? ne m'en avez-vous pas apporté plusieurs de sa part ?

ANDRÉ – Oui, mais celle-ci n'est pas pour vous ; c'est pour une personne qu'il aime à la folie.

LADY ALTON – Eh bien, ne m'aimait-il pas à la folie quand il m'écrivait ?

ANDRÉ – Oh que non, Madame, il vous aimait si tranquillement ! mais ici ce n'est pas de même ; il ne dort ni ne mange ; il court jour et nuit ; il ne parle que de sa chère Lindane ; cela est tout différent, vous dis-je.

LADY ALTON – Le perfide ! le méchant homme ! N'importe, je vous dis que cette lettre est pour moi ; n'est-elle pas sans dessus ?

ANDRÉ – Oui, Madame.

LADY ALTON – Toutes les lettres que vous m'avez apportées n'étaient-elles pas sans dessus aussi ?

ANDRÉ – Oui, mais elle est pour Lindane.

LADY ALTON – Je vous dis qu'elle est pour moi, et pour vous le prouver, voici dix guinées de port que je vous donne.

ANDRÉ – Ah oui, Madame, vous m'y faites penser, vous avez raison, la lettre est pour vous, je l'avais oublié… Mais cependant, comme elle n'était pas pour vous, ne me décelez pas ; dites que vous l'avez trouvée chez Lindane.

LADY ALTON – Laisse-moi faire.

ANDRÉ – Quel mal, après tout, de donner à une femme une lettre écrite pour une autre ? Il n'y a rien de perdu, toutes ces lettres se ressemblent. Si Mlle Lindane ne reçoit pas sa lettre, elle en recevra d'autres. Ma commission est faite. Oh ! je fais bien mes commissions, moi !

Il sort.

LADY ALTON *ouvre la lettre, et lit* – Lisons : *Ma chère, ma respectable, ma vertueuse Lindane…* Il ne m'en a jamais tant écrit… *Il y a deux jours, il y a un siècle que je m'arrache au bonheur d'être à vos pieds, mais c'est pour vos seuls intérêts : je sais qui vous êtes, et ce que je vous dois : je périrai, ou les choses changeront. Mes amis agissent ; comptez sur moi comme sur l'amant le plus fidèle, et sur un homme digne peut-être de vous servir. (Après avoir lu.)* C'est une conspiration, il n'en faut point douter ; elle est d'Écosse ; sa famille est malintentionnée ; le père de Murray a commandé en Écosse ; ses amis agissent ; il court jour et nuit ; c'est une conspiration. Dieu merci, j'ai agi aussi, et si elle n'accepte pas mes offres, elle sera enlevée dans une heure, avant que son indigne amant la secoure.

Scène II

Lady Alton, Polly, Lindane

LADY ALTON *à Polly, qui passe de la chambre de sa maîtresse dans une chambre du café* – Mademoiselle, allez dire tout à l'heure à votre maîtresse qu'il faut que je lui parle, qu'elle ne craigne rien, que je n'ai que des choses très agréables à lui dire ; qu'il s'agit de son bonheur, *(avec emportement)* et qu'il faut qu'elle vienne tout à l'heure, tout à l'heure : entendez-vous ? qu'elle ne craigne point, vous dis-je.

POLLY – Oh Madame ! nous ne craignons rien ; mais votre physionomie me fait trembler.

LADY ALTON – Nous verrons, si je ne viens pas à bout de cette fille vertueuse, avec les propositions que je vais lui faire.

LINDANE, *arrivant toute tremblante, soutenue par Polly* – Que voulez-vous, Madame ? venez-vous insulter encore à ma douleur ?

LADY ALTON – Non, je viens vous rendre heureuse. Je sais que vous n'avez rien ; je suis riche, je suis grande dame ; je vous offre un de mes châteaux sur les frontières d'Écosse, avec les terres qui en dépendent ; allez-y vivre avec votre famille, si vous en avez ; mais il faut dans l'instant que vous abandonniez milord pour jamais, et qu'il ignore toute sa vie votre retraite.

LINDANE – Hélas, Madame, c'est lui qui m'abandonne ; ne soyez point jalouse d'une infortunée ; vous m'offrez en vain une retraite ; j'en trouverai sans vous une éternelle, dans laquelle je n'aurai pas au moins à rougir de vos bienfaits.

LADY ALTON – Comme vous me répondez, téméraire !

LINDANE – La témérité ne doit point être mon partage ; mais la fermeté doit l'être. Ma naissance vaut bien la vôtre ; mon cœur vaut peut-être mieux ; et quant à ma fortune, elle ne dépendra jamais de personne, encore moins de ma rivale.

Elle sort.

LADY ALTON, *seule* – Elle dépendra de moi. Je suis fâchée qu'elle me réduise à cette extrémité. J'ai honte de m'être servie de ce faquin de Frélon ; mais enfin, elle m'y a forcée. Infidèle amant ! passion funeste ! Je suffoque.

Scène III

Freeport, Monrose *paraissent dans le café avec* la femme de Fabrice, la servante, les Garçons du café, *qui mettent tout en ordre* ; Fabrice, lady Alton

LADY ALTON, *à Fabrice* – Monsieur Fabrice, vous me voyez ici souvent, c'est votre faute.

FABRICE – Au contraire, Madame, nous souhaiterions…

LADY ALTON – J'en suis fâchée plus que vous ; mais vous m'y reverrez encore, vous dis-je.

Elle sort.

FABRICE – Tant pis. À qui en a-t-elle donc ? Quelle différence d'elle à cette Lindane, si belle et si patiente !

FREEPORT – Oui, à propos, vous m'y faites songer ; elle est, comme vous dites, belle et honnête.

FABRICE – Je suis fâché que ce brave gentilhomme ne l'ait pas vue, il en aurait été touché.

MONROSE, *à part* – Ah ! j'ai d'autres affaires en tête… Malheureux que je suis !

FREEPORT – Je passe mon temps à la Bourse ou à la Jamaïque : cependant la vue d'une jeune personne ne laisse pas de réjouir les yeux d'un galant homme. Vous me faites songer, vous dis-je, à cette petite créature : beau maintien, conduite sage, belle tête, démarche noble. Il faut que je la voie un de ces jours encore une fois… C'est dommage qu'elle soit si fière.

MONROSE, *à Freeport* – Notre hôte m'a confié que vous en aviez agi avec elle d'une manière admirable.

FREEPORT – Moi ? non… n'en auriez-vous pas fait autant à ma place ?

MONROSE – Je le crois si j'étais riche, et si elle le méritait.

FREEPORT – Eh bien, que trouvez-vous donc là d'admirable ? *(Il prend les gazettes.)* Ah, ah, voyons ce que disent les nouveaux papiers d'aujourd'hui. Hom, hom, le lord Falbrige mort !

MONROSE, *s'avançant* – Falbrige mort ! le seul ami qui me restait sur la terre ! le seul dont j'attendais quelque appui ! Fortune, tu ne cesseras jamais de me persécuter !

FREEPORT – Il était votre ami ? j'en suis fâché… *D'Édimbourg le 14 avril… On cherche partout le lord Monrose, condamné depuis onze ans à perdre la tête.*

MONROSE – Juste ciel ! qu'entends-je ? Hem, que dites-vous ? milord Monrose condamné à…

FREEPORT – Oui parbleu, le lord Monrose… lisez vous-même, je ne me trompe pas.

MONROSE *lit. Froidement* – Oui, cela est vrai… *(À part.)* Il faut sortir d'ici, la maison est trop publique… Je ne crois pas que la terre et l'enfer conjurés ensemble aient jamais assemblé tant d'infortunes contre un seul homme. *(À son valet Jacq, qui est dans un coin de la salle.)* Eh ! va faire seller mes chevaux, et que je puisse partir, s'il est nécessaire, à l'entrée de la nuit… Comme les nouvelles courent ! comme le mal vole !

FREEPORT – Il n'y a point de mal à cela ; qu'importe que le lord Monrose soit décapité ou non ? Tout s'imprime, tout s'écrit, rien ne demeure : on coupe une tête aujourd'hui, le gazetier le dit le lendemain, et le surlendemain on n'en parle plus. Si cette demoiselle Lindane n'était pas si fière, j'irais savoir comme elle se porte : elle est fort jolie, et fort honnête.

Scène IV

Les acteurs précédents, un messager d'État

LE MESSAGER – Vous vous appelez Fabrice ?

FABRICE – Oui, Monsieur ; en quoi puis-je vous servir ?

LE MESSAGER – Vous tenez un café, et des appartements ?

FABRICE – Oui.

LE MESSAGER – Vous avez chez vous une jeune Écossaise nommée Lindane ?

FABRICE – Oui, assurément, et c'est notre bonheur de l'avoir chez nous.

FREEPORT – Oui, elle est jolie et honnête. Tout le monde m'y fait songer.

LE MESSAGER – Je viens pour m'assurer d'elle de la part du gouvernement ; voilà mon ordre.

FABRICE – Je n'ai pas une goutte de sang dans les veines.

MONROSE, *à part* – Une jeune Écossaise qu'on arrête ! et le jour même que j'arrive ! Toute ma fureur renaît. Ô patrie ! ô famille ! Hélas ! que deviendra ma fille infortunée ? elle est peut-être ainsi la victime de mes malheurs ; elle languit dans la pauvreté ou dans la prison. Ah pourquoi est-elle née ?

FREEPORT – On n'a jamais arrêté les filles par ordre du gouvernement ; fi ! que cela est vilain ! vous êtes un grand brutal, Monsieur le messager d'État.

FABRICE – Ouais ! mais si c'était une aventurière, comme le disait notre ami Frélon ; cela va perdre ma maison... ; me voilà ruiné. Cette dame de la Cour avait ses raisons, je le vois bien... Non, non, elle est très honnête.

Le messager – Point de raisonnement ; en prison, ou caution ; c'est la règle.

Fabrice – Je me fais caution, moi, ma maison, mon bien, ma personne.

Le messager – Votre personne et rien, c'est la même chose ; votre maison ne vous appartient peut-être pas ; votre bien, où est-il ? Il faut de l'argent.

Fabrice – Mon bon monsieur Freeport, donnerai-je les cinq cents guinées que je garde, et qu'elle a refusées aussi noblement que vous les avez offertes ?

Freeport – Belle demande ! Apparemment… Monsieur le messager, je dépose cinq cents guinées, mille, deux mille, s'il le faut ; voilà comme je suis fait. Je m'appelle Freeport. Je réponds de la vertu de la fille… autant que je peux… ; mais il ne faudrait pas qu'elle fût si fière.

Le messager – Venez, Monsieur, faire votre soumission.

Freeport – Très volontiers, très volontiers.

Fabrice – Tout le monde ne place pas ainsi son argent.

Freeport – En l'employant à faire du bien, c'est le placer au plus haut intérêt.

Freeport et le messager vont compter de l'argent, et écrire au fond du café.

Scène V

Monrose, Fabrice

Fabrice – Monsieur, vous êtes étonné peut-être du procédé de M. Freeport, mais c'est sa façon. Heureux ceux qu'il prend tout d'un coup en amitié ! Il n'est pas complimenteur ; mais il rend service en moins de temps que les autres ne font des protestations de services.

Monrose – Il y a de belles âmes… Que deviendrai-je ?

FABRICE – Gardons-nous au moins de dire à notre pauvre petite le danger qu'elle a couru.

MONROSE – Allons, partons cette nuit même.

FABRICE – Il ne faut avertir les gens de leur danger que quand il est passé.

MONROSE – Le seul ami que j'avais à Londres est mort !... Que fais-je ici ?

FABRICE – Nous la ferions évanouir encore une fois.

Scène VI

Monrose, *seul.*

On arrête une jeune Écossaise, une personne qui vit retirée, qui se cache, qui est suspecte au gouvernement ! Je ne sais..., mais cette aventure me jette dans de profondes réflexions... Tout réveille l'idée de mes malheurs, mes afflictions, mon attendrissement, mes fureurs.

Scène VII

Monrose, Polly

MONROSE, *apercevant Polly qui passe* – Mademoiselle, un petit mot, de grâce... Êtes-vous cette jeune et aimable personne, née en Écosse, qui...

POLLY – Oui, Monsieur, je suis assez jeune ; je suis écossaise, et pour aimable, bien des gens me disent que je le suis.

MONROSE – Ne savez-vous aucune nouvelle de votre pays ?

POLLY – Oh non, Monsieur, il y a si longtemps que je l'ai quitté !

MONROSE – Et qui sont vos parents, je vous prie ?

POLLY – Mon père était un excellent boulanger, à ce que j'ai ouï dire, et ma mère avait servi une dame de qualité.

MONROSE – Ah, j'entends, c'est vous apparemment qui servez cette jeune personne dont on m'a tant parlé ; je me méprenais.

POLLY – Vous me faites bien de l'honneur.

MONROSE – Vous savez sans doute qui est votre maîtresse ?

POLLY – Oui, monsieur, c'est la plus douce, la plus aimable fille, la plus courageuse dans le malheur.

MONROSE – Elle est donc malheureuse ?

POLLY – Oui, Monsieur, et moi aussi ; mais j'aime mieux la servir que d'être heureuse.

MONROSE – Mais je vous demande si vous ne connaissez pas sa famille ?

POLLY – Monsieur, ma maîtresse veut être inconnue ; elle n'a point de famille. Que me demandez-vous là ? pourquoi ces questions ?

MONROSE – Une inconnue ! Ô ciel, si longtemps impitoyable ! s'il était possible qu'à la fin je pusse… ! Mais quelles vaines chimères ! Dites-moi, je vous prie, quel est l'âge de votre maîtresse ?

POLLY – Oh pour son âge, on peut le dire ; car elle est bien au-dessus de son âge ; elle a dix-huit ans.

MONROSE – Dix-huit ans !… Hélas ce serait précisément l'âge qu'aurait ma malheureuse Monrose, ma chère fille, seul reste de ma maison, seul enfant que mes mains aient pu caresser dans son berceau : dix-huit ans ?…

POLLY – Oui, Monsieur, et moi je n'en ai que vingt-deux, il n'y a pas une si grande différence. Je ne sais pas pourquoi vous faites tout seul tant de réflexions sur son âge ?

MONROSE – Dix-huit ans, et née dans ma patrie ! et elle veut être inconnue ! Je ne me possède plus ; il faut avec votre permission que je la voie, que je lui parle tout à l'heure.

POLLY – Ces dix-huit ans tournent la tête à ce bon vieux gentilhomme. Monsieur, il est impossible que vous voyiez à présent ma maîtresse ; elle est dans l'affliction la plus cruelle.

MONROSE – Ah ! c'est pour cela même que je veux la voir.

POLLY – De nouveaux chagrins qui l'ont accablée, qui ont déchiré son cœur, lui ont fait perdre l'usage de ses sens. Hélas ! elle n'est pas de ces filles qui s'évanouissent pour peu de chose. Elle est à peine revenue à elle, et le peu de repos qu'elle goûte dans ce moment est un repos mêlé de trouble et d'amertume ; de grâce, Monsieur, ménagez sa faiblesse et ses douleurs.

MONROSE – Tout ce que vous me dites redouble mon empressement. Je suis son compatriote ; je partage toutes ses afflictions ; je les diminuerai peut-être ; souffrez qu'avant de quitter cette ville, je puisse entretenir votre maîtresse.

POLLY – Mon cher compatriote, vous m'attendrissez ; attendez encore quelques moments. Les filles qui se sont évanouies sont bien longtemps à se remettre, avant de recevoir une visite. Je vais à elle. Je reviendrai à vous.

Scène VIII

Monrose, Fabrice

FABRICE, *le tirant par la manche* – Monsieur, n'y a-t-il personne là ?

MONROSE – Que j'attends son retour avec des mouvements d'impatience et de trouble !

FABRICE – Ne nous écoute-t-on point ?

MONROSE – Mon cœur ne peut suffire à tout ce qu'il éprouve.

FABRICE – On vous cherche…

MONROSE, *se retournant* – Qui ? quoi ? comment ? pourquoi ? que voulez-vous dire ?

FABRICE – On vous cherche, Monsieur. Je m'intéresse à ceux qui logent chez moi. Je ne sais qui vous êtes : on rôde autour de la maison, on s'informe, on entre, on passe, on repasse, on guette, et je ne serai point surpris si dans peu on vous fait le même compliment qu'à cette jeune et chère demoiselle, qui est, dit-on, de votre pays.

MONROSE – Ah ! il faut absolument que je lui parle avant de partir.

FABRICE – Partez vite, croyez-moi ; notre ami Freeport ne serait peut-être pas d'humeur à faire pour vous ce qu'il a fait pour une belle personne de dix-huit ans.

MONROSE – Pardon… Je ne sais… où j'étais… je vous entendais à peine… Que faire ? où aller, mon cher hôte ? Je ne puis partir sans la voir… Venez, que je vous parle un moment dans quelque endroit plus solitaire, et surtout que je puisse ensuite entretenir cette jeune Écossaise.

FABRICE – Ah ! je vous avais bien dit que vous seriez enfin curieux de la voir. Soyez sûr que rien n'est plus beau et plus honnête.

ACTE IV

Scène première

Fabrice, Frélon, *dans le café, à une table*,
Freeport, *une pipe à la main au milieu d'eux.*

FABRICE – Je suis obligé de vous l'avouer, monsieur Frélon ; si tout ce qu'on dit est vrai, vous me feriez plaisir de ne plus fréquenter chez nous.

FRÉLON – Tout ce qu'on dit est toujours faux ; quelle mouche vous pique, monsieur Fabrice ?

FABRICE – Vous venez écrire ici vos feuilles. Mon café passera pour une boutique de poison.

FREEPORT, *se retournant vers Fabrice* – Ceci mérite qu'on y pense, voyez-vous ?

FABRICE – On prétend que vous dites du mal de tout le monde.

FREEPORT, *à Frélon* – De tout le monde, enten-dez-vous ? C'est trop.

FABRICE – On commence même à dire que vous êtes un délateur, un fripon ; mais je ne veux pas le croire.

FREEPORT, *à Frélon* – Un fripon…, entendez-vous ? cela passe la raillerie.

FRÉLON – Je suis un compilateur illustre, un homme de goût.

FABRICE – De goût ou de dégoût ; vous me faites tort, vous dis-je.

FRÉLON – Au contraire, c'est moi qui achalande votre café ; c'est moi qui l'ai mis à la mode ; c'est ma réputation qui vous attire du monde.

FABRICE – Plaisante réputation ! celle d'un espion, d'un malhonnête homme (pardonnez si je répète ce qu'on dit), et d'un mauvais auteur !

FRÉLON – Monsieur Fabrice, monsieur Fabrice, arrêtez, s'il vous plaît ; on peut attaquer mes mœurs ; mais pour ma réputation d'auteur, je ne le souffrirai jamais.

FABRICE – Laissez là vos écrits ; savez-vous bien, puisqu'il faut tout vous dire, que vous êtes soupçonné d'avoir voulu perdre Mlle Lindane ?

FREEPORT – Si je le croyais, je le noierais de mes mains, quoique je ne sois pas méchant.

FABRICE – On prétend que c'est vous qui l'avez accusée d'être écossaise, et qui avez aussi accusé ce brave gentilhomme de là-haut d'être écossais.

FRÉLON – Eh bien ! quel mal y a-t-il à être de son pays ?

FABRICE – On prétend que vous avez eu plusieurs conférences avec les gens de cette dame si colère qui est venue ici, et avec ceux de ce milord qui n'y vient plus ; que vous redites tout, que vous envenimez tout.

FREEPORT, *à Frélon* – Seriez-vous un fripon en effet ? je ne les aime pas, au moins.

FABRICE – Ah ! Dieu merci, je crois que j'aperçois enfin notre milord.

FREEPORT – Un milord ! Adieu. Je n'aime pas plus les grands seigneurs que les mauvais écrivains.

FABRICE – Celui-ci n'est pas un grand seigneur comme un autre.

FREEPORT – Ou comme un autre, ou différent d'un autre, n'importe. Je ne me gêne jamais, et je sors. Mon ami, je ne sais, il me revient toujours dans la tête une idée de notre jeune Écossaise ; je reviendrai incessamment ; oui, je reviendrai ; je veux lui parler sérieusement ; serviteur. Cette Écossaise est belle et honnête. Adieu. *(En revenant.)* Dites-lui de ma part que je pense beaucoup de bien d'elle.

Scène II

Lord Murray, *pensif et agité* ;
Frélon, *lui faisant la révérence, qu'il ne regarde pas* ;
Fabrice, *s'éloignant par respect.*

LORD MURRAY, *à Fabrice, d'un air distrait* – Je suis très aise de vous revoir, mon brave et honnête homme ; comment se porte cette belle et respectable personne que vous avez le bonheur de posséder chez vous ?

FABRICE – Milord, elle a été très malade depuis qu'elle ne vous a vu : mais je suis sûr qu'elle se portera mieux aujourd'hui.

LORD MURRAY – Grand Dieu, protecteur de l'innocence, je t'implore pour elle ; daigne te servir de moi pour rendre justice à la vertu, et pour tirer d'oppression les infortunés. Grâce à tes bontés et à mes soins, tout m'annonce un succès favorable. Ami *(à Fabrice)*, laisse-moi parler en particulier à cet homme.

En montrant Frélon.

FRÉLON, *à Fabrice* – Eh bien, tu vois qu'on t'avait bien trompé sur mon compte, et que j'ai du crédit à la Cour.

FABRICE, *en sortant* – Je ne vois point cela.

LORD MURRAY, *à Frélon* – Mon ami !

FRÉLON – Monseigneur, permettez-vous que je vous dédie un tome… ?

LORD MURRAY – Non ; il ne s'agit point de dédicace. C'est vous qui avez appris à mes gens l'arrivée de ce vieux gentilhomme venu d'Écosse ; c'est vous qui l'avez dépeint, qui êtes allé faire le même rapport aux gens du ministre d'État.

FRÉLON – Monseigneur, je n'ai fait que mon devoir.

LORD MURRAY, *lui donnant quelques guinées* – Vous m'avez rendu service sans le savoir : je ne regarde pas à l'intention. On prétend que vous vouliez nuire, et que vous avez fait du bien ; tenez, voilà pour le bien que vous avez fait : mais si vous vous avisez jamais de prononcer le nom de cet homme, et de Mlle Lindane, je vous ferai jeter par les fenêtres de votre grenier. Allez.

FRÉLON – Grand merci, Monseigneur. Tout le monde me dit des injures, et me donne de l'argent ; je suis bien plus habile que je ne croyais.

Scène III

Lord Murray, Polly

LORD MURRAY, *seul un moment* – Un vieux gentilhomme arrivé d'Écosse, Lindane née dans le même pays ! Hélas ! s'il était possible que je pusse réparer les torts de mon père ! si le ciel permettait !… Entrons. *(À Polly, qui sort de la chambre de Lindane.)* Chère Polly, n'es-tu pas bien étonnée que j'aie passé tant de temps sans venir ici ? Deux jours entiers !… Je ne me le pardonnerais jamais, si je ne les avais employés pour la respectable fille de milord Monrose ; les ministres étaient à Windsor, il a fallu y courir. Va, le ciel t'inspira bien quand tu te rendis à mes prières, et que tu m'appris le secret de sa naissance.

POLLY – J'en tremble encore, ma maîtresse me l'avait tant défendu ! Si je lui donnais le moindre chagrin, je mourrais de douleur. Hélas ! votre absence lui a causé aujourd'hui un assez long évanouissement, et je me serais évanouie aussi, si je n'avais pas eu besoin de mes forces pour la secourir.

LORD MURRAY – Tiens, voilà pour l'évanouissement où tu as eu envie de tomber.

POLLY – Milord, j'accepte vos dons ; je ne suis pas si fière que la belle Lindane, qui n'accepte rien, et qui feint d'être à son aise, quand elle est dans la plus extrême indigence.

LORD MURRAY – Juste ciel ! la fille de Monrose dans la pauvreté ! Malheureux que je suis ! que m'as-tu dit ? combien je suis coupable ! que je vais tout réparer ! que son sort changera ! Hélas ! pourquoi me l'a-t-elle caché ?

POLLY – Je crois que c'est la seule fois de sa vie qu'elle vous trompera.

LORD MURRAY – Entrons, entrons vite, jetons-nous à ses pieds, c'est trop tarder.

POLLY – Ah ! milord ! gardez-vous-en bien, elle est actuellement avec un gentilhomme, si vieux, si vieux, qui est de son pays, et ils se disent des choses si intéressantes !

LORD MURRAY – Quel est-il, ce vieux gentilhomme pour qui je m'intéresse déjà comme elle ?

POLLY – Je l'ignore.

LORD MURRAY – Ô destinée ! Juste ciel ! pourrais-tu faire que cet homme fût ce que je désire qu'il soit ? Et que se disaient-ils, Polly ?

POLLY – Milord, ils commençaient à s'attendrir ; et comme ils s'attendrissaient, ce bonhomme n'a pas voulu que je fusse présente, et je suis sortie.

Scène IV

Lady Alton, lord Murray, Polly

LADY ALTON – Ah ! je vous y prends enfin, perfide ! me voilà sûre de votre inconstance, de mon opprobre, et de votre intrigue.

LORD MURRAY – Oui, Madame, vous êtes sûre de tout. *(À part.)* Quel contretemps effroyable !

LADY ALTON – Monstre, perfide !

LORD MURRAY – Je peux être un monstre à vos yeux, et je n'en suis pas fâché ; mais pour perfide, je suis très loin de l'être, ce n'est pas mon caractère. Avant d'en aimer une autre, je vous ai déclaré que je ne vous aimais plus.

LADY ALTON – Après une promesse de mariage ! scélérat, après m'avoir juré tant d'amour !

LORD MURRAY – Quand je vous ai juré de l'amour, j'en avais ; quand je vous ai promis de vous épouser, je voulais tenir ma parole.

LADY ALTON – Eh qui t'a empêché de tenir ta parole, parjure ?

LORD MURRAY – Votre caractère, vos emportements ; je me mariais pour être heureux, et j'ai vu que nous ne l'aurions été ni l'un ni l'autre.

LADY ALTON – Tu me quittes pour une vagabonde, pour une aventurière.

LORD MURRAY – Je vous quitte pour la vertu, pour la douceur, et pour les grâces.

LADY ALTON – Traître, tu n'es pas où tu crois en être ; je me vengerai plus tôt que tu ne penses.

LORD MURRAY – Je sais que vous êtes vindicative, envieuse plutôt que jalouse, emportée plutôt que tendre ; mais vous serez forcée à respecter celle que j'aime.

LADY ALTON – Allez, lâche, je connais l'objet de vos amours mieux que vous ; je sais qui elle est ; je sais qui est l'étranger arrivé aujourd'hui pour elle ; je sais tout. Des hommes plus puissants que vous sont instruits de tout ; et bientôt on vous enlèvera l'indigne objet pour qui vous m'avez méprisée.

LORD MURRAY – Que veut-elle dire, Polly ? Elle me fait mourir d'inquiétude.

POLLY – Et moi de peur. Nous sommes perdus.

LORD MURRAY – Ah ! Madame, arrêtez-vous, un mot, expliquez-vous, écoutez…

LADY ALTON – Je n'écoute point, je ne réponds rien, je ne m'explique point. Vous êtes, comme je vous l'ai déjà dit, un inconstant, un volage, un cœur faux, un traître, un perfide, un homme abominable.

Elle sort.

Scène V

Lord Murray, Polly

LORD MURRAY – Que prétend cette furie ? Que la jalousie est affreuse ! Ô ciel ! fais que je sois toujours amoureux, et jamais jaloux. Que veut-elle ? elle parle de faire enlever ma chère Lindane, et cet étranger ; que veut-elle dire ? sait-elle quelque chose ?

POLLY – Hélas ! il faut vous l'avouer, ma maîtresse est arrêtée par l'ordre du gouvernement ; je crois que je le suis aussi, et sans un gros homme, qui est la bonté même, et qui a bien voulu être notre caution, nous serions en prison à l'heure que je vous parle : on m'avait fait jurer de n'en rien dire, mais le moyen de se taire avec vous ?

LORD MURRAY – Qu'ai-je entendu ? quelle aventure ! et que de revers accumulés en foule ! Je vois que le nom de ta maîtresse est toujours suspect. Hélas ! ma famille a fait tous les malheurs de la sienne ; le ciel, la fortune, mon amour, l'équité, la raison, allaient tout réparer ; la vertu m'inspirait ; le crime s'oppose à tout ce que je tente, il ne triomphera pas. N'alarme point ta maîtresse ; je cours chez le ministre ; je vais tout presser, tout faire. Je m'arrache au bonheur de la voir pour celui de la servir. Je cours, et je revole. Dis-lui bien que je m'éloigne parce que je l'adore.

Il sort.

POLLY, *seule* – Voilà d'étranges aventures ! Je vois que ce monde-ci n'est qu'un combat perpétuel des méchants contre les bons, et qu'on en veut toujours aux pauvres filles [11].

Scène VI

Monrose, Lindane (Polly *reste un moment, et sort à un signe que lui fait sa maîtresse*).

MONROSE – Chaque mot que vous m'avez dit me perce l'âme. Vous, née dans le Locaber ! et témoin de tant d'horreurs, persécutée, errante, et si malheureuse avec des sentiments si nobles !

LINDANE – Peut-être je dois ces sentiments mêmes à mes malheurs ; peut-être si j'avais été élevée dans le luxe et la mollesse, cette âme qui s'est fortifiée par l'infortune, n'eût été que faible.

MONROSE – Ô vous ! digne du plus beau sort du monde, cœur magnanime, âme élevée, vous m'avouez que vous êtes d'une de ces familles proscrites, dont le sang a coulé sur les échafauds dans nos guerres civiles, et vous vous obstinez à me cacher votre nom et votre naissance !

LINDANE – Ce que je dois à mon père, me force au silence ; il est proscrit lui-même ; on le cherche, je l'exposerais peut-être si je me nommais ; vous m'inspirez du respect et de l'attendrissement ; mais je ne vous connais pas ; je dois tout craindre. Vous voyez que je suis suspecte moi-même, que je suis arrêtée et prisonnière ; un mot peut me perdre.

MONROSE – Hélas ! un mot ferait peut-être la première consolation de ma vie. Dites-moi du moins quel âge vous aviez quand la destinée cruelle vous sépara de votre père, qui fut depuis si malheureux ?

LINDANE – Je n'avais que cinq ans.

MONROSE – Grand Dieu ! qui avez pitié de moi, toutes ces époques rassemblées, toutes les choses qu'elle m'a dites, sont autant de traits de lumière qui m'éclairent dans les ténèbres où je marche. Ô Providence ! ne t'arrête point dans tes bontés.

LINDANE – Quoi ! vous versez des larmes ! Hélas ! tout ce que je vous ai dit m'en fait bien répandre.

MONROSE, *s'essuyant les yeux* – Achevez, je vous en conjure. Quand votre père eut quitté sa famille pour ne plus la revoir, combien restâtes-vous auprès de votre mère ?

LINDANE – J'avais dix ans quand elle mourut dans mes bras de douleur et de misère, et que mon frère fut tué dans une bataille.

MONROSE – Ah ! je succombe ! Quel moment, et quel souvenir ! Chère et malheureuse épouse !... fils heureux d'être mort, et de n'avoir pas vu tant de désastres ! Reconnaîtriez-vous ce portrait ?

Il tire un portrait de sa poche.

LINDANE – Que vois-je ? est-ce un songe ? c'est le portrait même de ma mère ; mes larmes l'arrosent, et mon cœur qui se fend, s'échappe vers vous.

MONROSE – Oui, c'est là votre mère, et je suis ce père infortuné dont la tête est proscrite, et dont les mains tremblantes vous embrassent.

LINDANE – Je respire à peine ! Où suis-je ? Je tombe à vos genoux ! Voici le premier instant heureux de ma vie... Ô mon père !... Hélas ! comment osez-vous venir dans cette ville ? Je tremble pour vous au moment que je goûte le bonheur de vous voir.

MONROSE – Ma chère fille, vous connaissez toutes les infortunes de notre maison ; vous savez que la maison des Murray, toujours jalouse de la nôtre, nous plongea dans ce précipice : toute ma famille a été condamnée ; j'ai tout perdu. Il me restait un ami, qui pouvait par son crédit me tirer de l'abîme où je suis, qui me l'avait promis ; j'apprends, en arrivant, que la mort me l'a enlevé, qu'on me cherche en Écosse, que ma tête y est à prix ; c'est sans doute le fils de mon ennemi qui me persécute encore ; il faut que je meure de sa main, ou que je lui arrache la vie.

LINDANE – Vous venez, dites-vous, pour tuer milord Murray ?

MONROSE – Oui, je vous vengerai, je vengerai ma famille, ou je périrai ; je ne hasarde qu'un reste de jours déjà proscrits.

LINDANE – Ô fortune ! dans quelle nouvelle horreur tu me rejettes ! que faire ? quel parti prendre ? Ah mon père !

MONROSE – Ma fille, je vous plains d'être née d'un père si malheureux.

LINDANE – Je suis plus à plaindre que vous ne pensez... Êtes-vous bien résolu à cette entreprise funeste ?

MONROSE – Résolu comme à la mort.

LINDANE – Mon père, je vous conjure, par cette vie fatale que vous m'avez donnée, par vos malheurs, par les miens qui sont peut-être plus grands que les vôtres, de ne me pas exposer à l'horreur de vous perdre lorsque je vous retrouve... Ayez pitié de moi, épargnez votre vie et la mienne.

MONROSE – Vous m'attendrissez, votre voix pénètre mon cœur, je crois entendre celle de votre mère. Hélas ! que voulez-vous ?

LINDANE – Que vous cessiez de vous exposer, que vous quittiez cette ville si dangereuse pour vous... et pour moi... Oui, c'en est fait, mon parti est pris. Mon père, je renoncerai à tout pour vous... oui, à tout... Je suis prête à vous suivre : je vous accompagnerai, s'il le faut, dans quelque île affreuse des Orcades [12] ; je vous y servirai de mes mains ; c'est mon devoir, je le remplirai... C'en est fait, partons.

MONROSE – Vous voulez que je renonce à vous venger ?

LINDANE – Cette vengeance me ferait mourir ; partons, vous dis-je.

MONROSE – Eh bien, l'amour paternel l'emporte, puisque vous avez le courage de vous attacher à ma funeste destinée ; je vais tout préparer pour que nous quittions Londres avant qu'une heure se passe ; soyez prête, et recevez encore mes embrassements et mes larmes.

Scène VII

Lindane, Polly

LINDANE – C'en est fait, ma chère Polly, je ne reverrai plus milord Murray, je suis morte pour lui.

POLLY – Vous rêvez, Mademoiselle, vous le reverrez dans quelques minutes. Il était ici tout à l'heure.

LINDANE – Il était ici ! et il ne m'a point vue ! c'est là le comble. Ô mon malheureux père ! que ne suis-je partie plus tôt ?

POLLY – S'il n'avait pas été interrompu par cette détestable milady Alton…

LINDANE – Quoi ! c'est ici même qu'il l'a vue pour me braver, après avoir été trois jours sans me voir, sans m'écrire ! Peut-on plus indignement se voir outrager ? Va, sois sûre que je m'arracherais la vie dans ce moment, si ma vie n'était pas nécessaire à mon père.

POLLY – Mais, Mademoiselle, écoutez-moi donc ; je vous jure que milord…

LINDANE – Lui perfide ! C'est ainsi que sont faits les hommes ! Père infortuné, je ne penserai désormais qu'à vous.

POLLY – Je vous jure que vous avez tort, que milord n'est point perfide, que c'est le plus aimable homme du monde, qu'il vous aime de tout son cœur, qu'il m'en a donné des marques.

LINDANE – La nature doit l'emporter sur l'amour ; je ne sais où je vais, je ne sais ce que je deviendrai ; mais sans doute je ne serai jamais si malheureuse que je le suis.

POLLY – Vous n'écoutez rien : reprenez vos esprits, ma chère maîtresse : on vous aime.

LINDANE – Ah Polly ! es-tu capable de me suivre ?

POLLY – Je vous suivrai jusqu'au bout du monde ; mais on vous aime, vous dis-je.

LINDANE – Laisse-moi, ne me parle point de milord : hélas ! quand il m'aimerait, il faudrait partir encore. Ce gentilhomme que tu as vu avec moi…

POLLY – Eh bien ?

LINDANE – Viens, tu apprendras tout : les larmes, les soupirs me suffoquent. Suis-moi, et sois prête à partir.

ACTE V

Scène première

Lindane, Freeport, Fabrice

FABRICE – Cela perce le cœur, Mademoiselle ; Polly fait votre paquet ; vous nous quittez.

LINDANE – Mon cher hôte, et vous, Monsieur, à qui je dois tant, vous qui avez déployé un caractère si généreux, vous qui ne me laissez que la douleur de ne pouvoir reconnaître vos bienfaits, je ne vous oublierai de ma vie.

FREEPORT – Qu'est-ce donc que tout cela ? qu'est-ce que c'est que ça ? qu'est-ce que ça ? Si vous êtes contente de nous, il ne faut point vous en aller ; est-ce que vous craignez quelque chose ? vous avez tort, une fille n'a rien à craindre.

FABRICE – Monsieur Freeport, ce vieux gentilhomme qui est de son pays fait aussi son paquet. Mademoiselle pleurait, et ce monsieur pleurait aussi, et ils partent ensemble : je pleure aussi en vous parlant.

FREEPORT – Je n'ai pleuré de ma vie ; fi ! que cela est sot de pleurer ! les yeux n'ont point été donnés à l'homme pour cette besogne. Je suis affligé, je ne le cache pas ; et quoiqu'elle soit fière, comme je le lui ai dit, elle est si honnête, qu'on est fâché de la perdre. Je veux que vous m'écriviez, si vous vous en allez, Mademoiselle. Je vous ferai toujours du bien… Nous nous retrouverons peut-être un jour, que sait-on ? Ne manquez pas de m'écrire…, n'y manquez pas.

LINDANE – Je vous le jure avec la plus vive reconnaissance ; et si jamais la fortune…

FREEPORT – Ah ! mon ami Fabrice, cette personne-là est très bien née. Je serais très aise de recevoir de vos lettres. N'allez pas y mettre de l'esprit, au moins.

FABRICE – Mademoiselle, pardonnez, mais je songe que vous ne pouvez partir, que vous êtes ici sous la caution de M. Freeport, et qu'il perd cinq cents guinées si vous nous quittez.

LINDANE – Ô ciel ! autre infortune ! autre humiliation ! quoi ! il faudrait que je fusse enchaînée ici, et que milord…, et mon père…

FREEPORT, *à Fabrice* – Oh ! qu'à cela ne tienne. Quoiqu'elle ait je ne sais quoi qui me touche, qu'elle parte si elle en a envie ; il ne faut point gêner les filles ; je me soucie de cinq cents guinées comme de rien. *(Bas à Fabrice.)* Fourre-lui encore les cinq cents autres guinées dans sa valise. Allez, Mademoiselle, partez quand il vous plaira ; écrivez-moi ; revoyez-moi quand vous reviendrez…, car j'ai conçu pour vous beaucoup d'estime et d'affection.

Scène II

Lord Murray, et ses gens, *dans l'enfoncement* ;
Lindane, et les acteurs précédents, *sur le devant.*

LORD MURRAY, *à ses gens* – Restez ici, vous : vous, courez à la chancellerie, et rapportez-moi le parchemin qu'on expédie dès qu'il sera scellé. Vous, qu'on aille préparer tout dans la nouvelle maison que je viens de louer. *(Il tire un papier de sa poche et le lit.)* Quel bonheur d'assurer le bonheur de Lindane !

LINDANE, *à Polly* – Hélas ! en le voyant je me sens déchirer le cœur.

FREEPORT – Ce milord-là vient toujours mal à propos ; il est si beau et si bien mis qu'il me déplaît souverainement ; mais, après tout, que cela me fait-il ?

j'ai quelque affection…, mais je n'aime point, moi. Adieu, Mademoiselle.

LINDANE – Je ne partirai point sans vous témoigner encore ma reconnaissance et mes regrets.

FREEPORT – Non, non, point de ces cérémonies-là, vous m'attendririez peut-être. Je vous dis que je n'aime point… je vous verrai pourtant encore une fois : je resterai dans la maison, je veux vous voir partir. Allons, Fabrice, aider ce bon gentilhomme de là-haut. Je me sens, vous dis-je, de la bonne volonté pour cette demoiselle.

Scène III

Lord Murray, Lindane, Polly

LORD MURRAY – Enfin donc, je goûte en liberté le charme de votre vue. Dans quelle maison vous êtes ! elle ne vous convient pas ; une plus digne de vous vous attend. Quoi ! belle Lindane, vous baissez les yeux, et vous pleurez ! quel est ce gros homme qui vous parlait ? vous aurait-il causé quelque chagrin ? il en porterait la peine sur l'heure.

LINDANE, *en essuyant ses larmes* – Hélas ! c'est un bon homme, un homme grossièrement vertueux, qui a eu pitié de moi dans mon cruel malheur, qui ne m'a point abandonnée, qui n'a pas insulté à mes disgrâces, qui n'a point parlé ici longtemps à ma rivale en dédaignant de me voir, qui, s'il m'avait aimée, n'aurait point passé trois jours sans m'écrire.

LORD MURRAY – Ah ! croyez que j'aimerais mieux mourir que de mériter le moindre de vos reproches. Je n'ai été absent que pour vous, je n'ai songé qu'à vous, je vous ai servie malgré vous. Si en revenant ici j'ai trouvé cette femme vindicative et cruelle qui voulait vous perdre, je ne me suis échappé un moment que pour prévenir ses desseins funestes. Grand Dieu ! moi ne vous avoir pas écrit !

LINDANE – Non.

LORD MURRAY – Elle a, je le vois bien, intercepté mes lettres ; sa méchanceté augmente encore, s'il se peut, ma tendresse : qu'elle rappelle la vôtre. Ah ! cruelle, pourquoi m'avez-vous caché votre nom illustre, et l'état malheureux où vous êtes, si peu fait pour ce grand nom ?

LINDANE – Qui vous l'a dit ?

LORD MURRAY, *montrant Polly* – Elle-même, votre confidente.

LINDANE – Quoi ! tu m'as trahie ?

POLLY – Vous vous trahissiez vous-même ; je vous ai servie.

LINDANE – Eh bien, vous me connaissez ; vous savez quelle haine a toujours divisé nos deux maisons ; votre père a fait condamner le mien à la mort ; il m'a réduite à cet état que j'ai voulu vous cacher ; et vous son fils ! vous ! vous osez m'aimer.

LORD MURRAY – Je vous adore, et je le dois. C'est à mon amour à réparer les cruautés de mon père : c'est une justice de la Providence ; mon cœur, ma fortune, mon sang est à vous. Confondons ensemble deux noms ennemis. J'apporte à vos pieds le contrat de notre mariage ; daignez l'honorer de ce nom qui m'est si cher. Puissent les remords et l'amour du fils réparer les fautes du père !

LINDANE – Hélas ! et il faut que je parte, et que je vous quitte pour jamais.

LORD MURRAY – Que vous partiez ! que vous me quittiez ! vous me verrez plutôt expirer à vos pieds. Hélas ! daignez-vous m'aimer ?

POLLY – Vous ne partirez point, Mademoiselle, j'y mettrai bon ordre ; vous prenez toujours des résolutions désespérées. Milord, secondez-moi bien.

LORD MURRAY – Eh ! qui a pu vous inspirer le dessein de me fuir, de rendre tous mes soins inutiles ?

LINDANE – Mon père.

LORD MURRAY – Votre père ? Et où est-il ? que veut-il ? que ne me parlez-vous ?

LINDANE – Il est ici ; il m'emmène, c'en est fait.

LORD MURRAY – Non, je jure par vous, qu'il ne vous enlèvera pas. Il est ici ? Conduisez-moi à ses pieds.

LINDANE – Ah ! cher amant, gardez qu'il ne vous voie ; il n'est venu ici que pour finir ses malheurs en vous arrachant la vie, et je ne fuyais avec lui que pour détourner cette horrible résolution.

LORD MURRAY – La vôtre est plus cruelle ; croyez que je ne le crains pas, et que je le ferai rentrer en lui-même. *(En se retournant.)* Quoi ! on n'est pas encore revenu ? Ciel, que le mal se fait rapidement, et le bien avec lenteur !

LINDANE – Le voici qui vient me chercher ; si vous m'aimez, ne vous montrez pas à lui, privez-vous de ma vue, épargnez-lui l'horreur de la vôtre, écartez-vous du moins pour quelque temps.

LORD MURRAY – Ah ! que c'est avec regret ! Mais vous m'y forcez ; je vais rentrer ; je vais prendre des armes qui pourront faire tomber les siennes de ses mains.

Scène IV

Monrose, Lindane

MONROSE – Allons, ma chère fille, seul soutien, unique consolation de ma déplorable vie ! partons.

LINDANE – Malheureux père d'une infortunée ! je ne vous abandonnerai jamais. Cependant daignez souffrir que je reste encore.

MONROSE – Quoi ! après m'avoir pressé vous-même de partir, après m'avoir offert de me suivre dans les déserts où nous allons cacher nos disgrâces ! avez-vous changé de dessein ? avez-vous retrouvé et perdu en si peu de temps le sentiment de la nature ?

LINDANE – Je n'ai point changé, j'en suis incapable… je vous suivrai… ; mais, encore une fois, attendez quelque temps ; accordez cette grâce à celle qui vous doit des jours si remplis d'orages ; ne me refusez pas des instants précieux.

MONROSE – Ils sont précieux, en effet, et vous les perdez ; songez-vous que nous sommes à chaque moment en danger d'être découverts, que vous avez été arrêtée, qu'on me cherche, que vous pouvez voir demain votre père périr par le dernier supplice ?

LINDANE – Ces mots sont un coup de foudre pour moi ; je n'y résiste plus. J'ai honte d'avoir tardé... cependant j'avais quelque espoir... ; n'importe, vous êtes mon père, je vous suis. Ah malheureuse !

Scène V

Freeport et Fabrice *paraissent d'un côté, tandis que* Monrose et sa fille *partent de l'autre.*

FREEPORT, *à Fabrice* – Sa suivante a pourtant remis son paquet dans sa chambre ; elles ne partiront point, j'en suis bien aise : je m'accoutumais à elle : je ne l'aime point, mais elle est si bien née, que je la voyais partir avec une espèce d'inquiétude, que je n'ai jamais sentie, une espèce de trouble..., je ne sais quoi de fort extraordinaire.

MONROSE, *à Freeport* – Adieu, Monsieur, nous partons le cœur plein de vos bontés ; je n'ai jamais connu de ma vie un plus digne homme que vous. Vous me faites pardonner au genre humain.

FREEPORT – Vous partez donc avec cette dame : je n'approuve point cela : vous devriez rester : il me vient des idées qui vous conviendront peut-être : demeurez.

Scène VI

Les acteurs précédents ; le lord Murray
dans le fond, recevant un rouleau de parchemin de la main de ses gens.

LORD MURRAY – Ah ! je le tiens enfin ce gage de mon bonheur. Soyez béni, ô ciel ! qui m'avez secondé.

FREEPORT – Quoi ! verrai-je toujours ce maudit milord ? que cet homme me choque avec ses grâces !

MONROSE, *à sa fille, tandis que milord Murray parle à son domestique* – Quel est cet homme, ma fille ?

LINDANE – Mon père, c'est… ô ciel ! ayez pitié de nous.

FABRICE – Monsieur, c'est milord Murray, le plus galant homme de la Cour, le plus généreux.

MONROSE – Murray ! grand Dieu ! mon fatal ennemi, qui vient encore insulter à tant de malheurs ! *(Il tire son épée.)* Il aura le reste de ma vie, ou moi la sienne.

LINDANE – Que faites-vous, mon père ? Arrêtez.

MONROSE – Cruelle fille, est-ce ainsi que vous me trahissez ?

FABRICE, *se jetant au-devant de Monrose* – Monsieur, point de violence dans ma maison, je vous en conjure, vous me perdriez.

FREEPORT – Pourquoi empêcher les gens de se battre quand ils en ont envie ? Les volontés sont libres, laissez-les faire.

LORD MURRAY, *toujours au fond du théâtre, à Monrose* – Vous êtes le père de cette respectable personne, n'est-il pas vrai ?

LINDANE – Je me meurs !

MONROSE – Oui, puisque tu le sais, je ne le désavoue pas. Viens, fils cruel d'un père cruel, achève de te baigner dans mon sang.

FABRICE – Monsieur, encore une fois…

LORD MURRAY – Ne l'arrêtez pas, j'ai de quoi le désarmer.

Il tire son épée.

LINDANE, *entre les bras de Polly* – Cruel !... vous oseriez !...

LORD MURRAY – Oui, j'ose... Père de la vertueuse Lindane, je suis le fils de votre ennemi : *(Il jette son épée.)* c'est ainsi que je me bats contre vous.

FREEPORT – En voici bien d'une autre !

LORD MURRAY – Percez mon cœur d'une main, mais de l'autre, prenez cet écrit, lisez, et connaissez-moi.

Il lui donne le rouleau.

MONROSE – Que vois-je ? ma grâce ! le rétablissement de ma maison ! Ô ciel ! et c'est à vous, Murray, que je dois tout ? Ah mon bienfaiteur !... *(Il veut se jeter à ses pieds.)* vous triomphez de moi plus que si j'étais tombé sous vos coups.

LINDANE – Ah que je suis heureuse ! mon amant est digne de moi.

LORD MURRAY – Embrassez-moi, mon père.

MONROSE – Hélas ! et comment reconnaître tant de générosité ?

LORD MURRAY, *en montrant Lindane* – Voilà ma récompense.

MONROSE – Le père et la fille sont à vos genoux pour jamais.

FREEPORT, *à Fabrice* – Mon ami, je me doutais bien que cette demoiselle n'était pas faite pour moi ; mais après tout, elle est tombée en bonnes mains, et cela fait plaisir.

NOTES

Notes de Zaïre

Avertissement

1. La Comédie-Française jouait traditionnellement *Polyeucte* le dernier jour avant les vacances d'été. Il est de fait que *Zaïre* remplaça *Polyeucte* en 1734, 1735, 1744, 1751. « Fort souvent » est donc un peu emphatique, d'autant que d'autres pièces se substituèrent également à la pièce de Corneille.

Épître dédicatoire

1. Cette Épître fut publiée en 1733. L'Avertissement n'apparut qu'en 1738. En 1733, Falkener n'était pas encore ambassadeur d'Angleterre. Voltaire ajouta en 1736 une seconde Épître à Falkener.
2. La « république des Lettres », formée de tous les hommes lettrés européens.
3. Voltaire développe ces thèmes « philosophiques » et la comparaison entre France et Angleterre dans les fameuses *Lettres philosophiques* (1734). La censure l'obligea à amender la première version de cette Épître à un Anglais.

4. La pièce date de 1713.
5. Melpomène est la muse de la Tragédie.
6. Converti au christianisme, Polyeucte brise les statues des dieux païens, avant d'être imité par son épouse, touchée elle aussi par la grâce.
7. Avant de devoir épouser Polyeucte, Pauline aimait le Romain Sévère, toujours amoureux d'elle.
8. Touché, ému.
9. Tracé, dessiné.
10. Tragédie de Voltaire (1730), traduite en anglais en 1732, jouée à Londres en 1734.
11. Illustré par Voltaire lui-même et d'autres, ce « genre de tragédie » s'appellera la « tragédie nationale » (M.-J. Chénier, *Charles IX*, 1789, GF).
12. Fabricant hollandais de textiles, que Colbert attira en France (1630-1685).
13. Savants invités par Louis XIV. Voltaire développe le thème de ces vers dans *Le Siècle de Louis XIV* (1751), auquel il travaille en 1732. Les *lis* sont évidemment la fleur qui symbolise la monarchie française.
14. Les ennemis de Louis XIV l'accusaient de viser la « monarchie universelle », c'est-à-dire la suprématie sur tous les États.
15. Voltaire songe notamment aux diverses Académies. Thème développé dans les *Lettres philosophiques*.
16. Van Brouk (sir John Vanbrugh) ne fut jamais élu au parlement.
17. Dignité du primat de l'Église anglicane, culte officiel de l'Angleterre depuis le XVIe siècle.
18. Adrienne Lecouvreur, célèbre actrice de la Comédie-Française, très chère à Voltaire, mourut subitement en 1730. Faute de confession et de repentir, sa profession lui interdit une sépulture en terre chrétienne.
19. Allusion à Mlle Gaussin.
20. Terme familier : « répondre et tenir tête à un supérieur ». On dit plus couramment *se rébéquer*.

Zaïre

1. L'édition de 1775 écrit « Zayre ». Nous préférons maintenir l'orthographe devenue courante du nom.
2. Nom poétique de Jérusalem (du latin *Solyma*).

3. Traduction d'Ovide (*Art d'aimer*, III, 397 : « *Ignoti nulla cupido* »). J. Truchet, *Théâtre du* XVIII*e siècle*, Gallimard, « Bibliothèque de la Pléiade », t. I, p. 1414.
4. Siège de 1148, que les croisés durent abandonner. La ville ne tomba jamais entre leurs mains.
5. Godefroi de Bouillon, chef de la première croisade, conquit Jérusalem en 1099.
6. Saladin, mort en 1193, reprit Jérusalem en 1187, et fit prisonnier le roi Guy de Lusignan, qui mourut en 1194.
7. Ce père supposé s'appellerait Noradin et aurait réduit Zaïre et Nérestan en esclavage. Le véritable Noradin est mort en 1173, soit avant la reconquête de Jérusalem. Rappelons que l'action est censée se situer en 1249, au début de la septième croisade, celle de Saint Louis. Les événements évoqués dans cette tirade se situent au siècle précédent.
8. Il s'agit évidemment des eunuques.
9. Le sérail. L'unité de lieu implique cette autorisation inusitée.
10. Voltaire décide de traduire royaume *franc* de Palestine en royaume *français*. Inexactitude historique au service de l'efficacité théâtrale.
11. La cité de Césarée en Palestine resta chrétienne de 1101 à 1265. Césarée en Syrie, prise par les chrétiens en 1140, fut reconquise par Noradin en 1165. Mais l'Histoire compte moins ici que l'aura poétique du nom et l'écho de Racine (*Bérénice*). Car Lusignan ne fut pas capturé à Césarée.
12. Saint Louis, qui lança la septième croisade.
13. Voltaire sait fort bien que, contrairement aux terribles violences des chrétiens en 1099, la reprise de Jérusalem par les musulmans, en 1187, ne s'accompagna d'aucun massacre. Mais la logique poétique fait loi.
14. Jérusalem.
15. Allusion à une victoire de Saint Louis sur Henri III d'Angleterre, en 1242.
16. Victoire de Philippe-Auguste sur les Anglais, à Bouvines, en 1214.
17. Montmorency, Melun et d'Estaing participèrent effectivement à la bataille de Bouvines. Nesle et Coucy étaient des familiers de Saint Louis.
18. Il semble que les comédiens du XVIIIe hésitaient à prononcer ces mots, remplacés par : « Et de ces étrangers ».
19. Il s'agit en fait de la Syrie.

20. Les fameux Mamelouks, élite de l'armée égyptienne.
21. En fait, Mélédin était mort à cette date.
22. La Crimée. Voltaire donne à Orosmane des origines scythes, censées justifier son peu d'attachement au sérail et aux mœurs des califes arabes.
23. L'eau du baptême, dispensée par un prêtre.
24. Voltaire prête ici à Zaïre une supputation sans fondement historique.
25. Cet hémistiche fut longtemps célèbre.
26. J'aurais pu.
27. Hémistiche emprunté à Corneille (*Polyeucte*, IV, 2).
28. Jaffa.
29. Aurait dû.
30. Cette tirade est en fait la seule imitation nette de Shakespeare, dans *Othello.*

Notes du Fanatisme ou Mahomet le prophète

Avis de l'éditeur

1. Cet éditeur est en fait Voltaire, dans l'édition de 1743 (Amsterdam).
2. Non autorisées par l'auteur, parues clandestinement en 1742, selon une pratique courante au XVIIIe siècle.
3. Selon toute probabilité en 1739.
4. Frédéric II, qui composait en français.
5. Troupe dirigée par Lanoue, premier interprète de Mahomet, et auteur par ailleurs d'un *Mahomet II*, joué à Paris en 1739.
6. Car l'Église catholique, du moins en France, condamnait les représentations théâtrales comme propices à exciter les passions (voir Bossuet, *Maximes et réflexions sur la comédie*, 1694).
7. Le cardinal de Tencin.
8. Deux régicides par fanatisme religieux.
9. Il s'agit, dans l'ordre, d'Hermione dans *Andomaque* (Racine), d'Électre dans l'histoire d'Agamemnon et Clytemnestre, de Cléopâtre dans *Rodogune* (Corneille), de Médée dans la mythologie grecque, d'Harpagon

dans *L'Avare* (Molière), du *Joueur* (Regnard), de *Tartuffe* (Molière).
10. Épopée en vers de Voltaire sur Henri IV et les guerres de Religion.
11. Les trois notes de Voltaire datent de 1752.
12. La pièce fut bel et bien interdite après la troisième représentation parisienne, en 1742.
13. L'édition de 1775 ajoute à l'*Avis* une longue lettre à Frédéric II et un échange épistolaire avec le pape [*sic*] sur *Mahomet*, publiés respectivement en 1746 et 1748. Mais elle retranche *De l'Alcoran et de Mahomet*, texte publié en 1748 à la suite de la pièce.

Le Fanatisme ou Mahomet le prophète

1. Le manuscrit de l'acteur Lekain, disciple de Voltaire, évoque le décor : « Le théâtre doit représenter un lieu vaste décoré de différents portiques, sous celui du fond, l'on découvre un autel antique éclairé par deux lampadaires suspendus à la coupole. Les parties latérales de l'avant-scène sont également décorées de portiques auxquels on parvient par trois degrés. La droite du théâtre, en deçà du petit temple domestique de Zopire, conduit à la résidence de Zopire et de Palmire, la gauche mène au palais de Mahomet. »
2. Fils, dans la Bible, d'Abraham et d'Hagar, dont prétendent descendre des tribus d'Arabie.
3. Omar aida Mahomet après l'avoir combattu. Séïde est une invention de Voltaire, devenue nom commun.
4. Aurait dû.
5. Qui n'est pas senti, perçu.
6. « Voudront-ils que leur temple enseveli sous l'herbe » (Racine, *Athalie*, III, 3).
7. Fatime fut la fille, non la veuve de Mahomet.
8. La foule, la multitude des hommes ordinaires.
9. Mot arabe, et titre que portèrent des descendants de Mahomet et les gouverneurs de Médine et de La Mecque (voir les vers 378-323).
10. Celui qui égare et mène hors du droit chemin.
11. Nom d'une rivière.
12. En garantie.
13. Ali, gendre de Mahomet, et quatrième calife. Morad, Hercide et Hammon, dans la pièce, sont des personnages fictifs.

14. Cet hémistiche fut la devise de Beaumarchais.
15. La périphrase, typique du style poético-tragique, désigne évidemment l'alcool.
16. Dans la *Lettre à d'Alembert sur les spectacles*, J.-J. Rousseau fait un vibrant éloge de cette scène, où la « vertu » (Zopire) affronte le « génie » (Mahomet).
17. Tous ces noms sont attestés dans l'histoire antique.
18. Hébété, inerte, sans nerf ni vigueur.
19. Artifice, illusion.
20. Voltaire estime ce mot digne du vocabulaire poétique, et donc nullement « bas ».
21. Sans aucun doute.
22. Imaginaires.
23. Hyperbole poétique : La Mecque ne devint patrie des peuples de l'Orient musulman qu'après la mort de Mahomet.
24. Malgré la note de Voltaire, la tradition situe à La Mecque le tombeau non pas d'Abraham, mais de sa concubine Hagar.
25. Isaac.
26. « … mais enfin je suis homme » (Corneille, *Horace*, II, 3).
27. On supprima les vers 923 et 924 sous la Terreur !
28. Plus il me touche, m'émeut.
29. Personnage fictif.
30. Lekain faisait sortir ici les suivants de Mahomet, sur un ordre muet d'Omar.

Notes de Nanine ou l'Homme sans préjugé

Préface

1. L'académicien Chassiron, dans ses « Réflexions sur le comique larmoyant », 1749.
2. En 1749, donc, Voltaire refuse énergiquement l'idée d'une tragédie entre roturiers, « hommes du commun » tout juste bons comme confidents des héros tragiques, ou comme objets ridicules. C'est Diderot qui établira fermement, en 1757-1758, par la théorie du « genre sérieux », le projet d'une « tragédie domestique ». Voltaire le suivra

partiellement sur cette voie en 1759, dans *Socrate*. Partiellement, car cette pièce non destinée à la représentation mêle du comique à la mort tragique du philosophe.

3. Le cothurne chaussait dans l'Antiquité les acteurs tragiques, et s'oppose au brodequin comique. Métonymiquement, le cothurne désigne donc la tragédie.
4. Voltaire réitère ici une de ses idées favorites : l'amour n'a place en tragédie que s'il est violent, criminel, tourmenté. Comédie et tragédie appellent deux genres d'amours contrastés.
5. Melpomène et Thalie sont respectivement les muses de la Tragédie et de la Comédie.
6. *Sophonisbe* date de 1634 ; *Mariamne*, par Tristan, de 1636 ; *L'Amour tyrannique*, par Scudéry, de 1638 ; *Alcyonée*, par Du Ryer, de 1637.
7. Comme tous ses contemporains, Voltaire méprise les comédies de Corneille. Dans ses *Commentaires sur Corneille* (1765), il ne commente que *Le Menteur* et *La Suite du Menteur*.
8. Acte IV, scène 1. Au vers 2 de la citation, il faudrait : « … *pour* un cœur ».
9. Corneille, *Polyeucte*, I, 3. Voltaire juge cette expression « burlesque », indigne du style tragique.
10. *Polyeucte*, II, 2. Ces vers, selon Voltaire, relèvent de l'églogue plutôt que de la tragédie.
11. Corneille, *La Mort de Pompée*, I, 1. Voltaire mêle l'édition originale (« Quand elle avoue aimer, s'assure d'être aimée ») et l'édition définitive (« Quand elle dit qu'elle aime, est sûre d'être aimée »).
12. *Ibid.* Voltaire a transformé « mon captif » en « son ».
13. *Ibid.*
14. Corneille, *Rodogune*, I, 5. Le texte exact propose : « ces je ne sais quoi ».
15. Il s'agit évidemment de Racine, et de *L'Art poétique* de Boileau. Euripide est un tragique grec ; Térence un comique latin, souvent invoqué par les partisans de la comédie attendrissante, et également par Diderot. Mais Boileau n'a semble-t-il jamais comparé Racine et Térence.
16. Racine, *Andromaque*, II, 2. Voltaire a changé, au vers 4, *puis* en *peux*, et opéré une coupure entre les vers 4 et 5.
17. Molière, *Le Misanthrope*, IV, 3. Voltaire a changé « Oui, oui, redoutez tout » en « Redoutez tout, madame », et fait quelques coupures.
18. Dans la préface de *L'Enfant prodigue*, comédie de 1736.

19. Victoire française en terre germanique, 1703. Voltaire s'apprêtait à publier son fameux *Siècle de Louis XIV*, 1751.
20. Personnages de la mythologie grecque, dans Molière, *Amphitryon*.
21. Jeune bergère des pastorales, genre fort en vogue au xviie siècle.
22. Poète français (1639-1720).

Nanine ou l'Homme sans préjugé

1. Étonner : abasourdir, frapper de stupeur.
2. La *qualité* désigne ici la condition nobiliaire.
3. Maître d'école villageoise.
4. Mesure d'une terre labourable en un jour.
5. Oublier quelle est sa condition, son statut social (pauvre, orpheline, roturière).
6. On songe évidemment au très célèbre roman anglais de Richardson, *Paméla ou la Vertu récompensée*, 1740, dont *Nanine* est l'adaptation française la plus réussie.
7. J. Truchet (*Théâtre du xviiie siècle*, Gallimard, « Bibliothèque de la Pléiade », t. I, p. 1449) rapproche ce vers du *Ruy Blas* de V. Hugo : « Ruy Blas, fermez la porte, – ouvrez cette fenêtre » (v. 1).
8. Injure : injustice.
9. Libertins : débauchés.
10. Ce portrait satirique vise les « petits-maîtres », successeurs des *petits marquis* de Molière – jeunes effrontés à la mode (voir *Le Petit-maître corrigé* de Marivaux).
11. Le verjus est un suc acide tiré du raisin encore aigre.
12. Allusion aux frères Martin, propriétaires d'une manufacture où l'on imitait les célèbres laques de Chine.
13. Ces vers dénoncent les fournisseurs des armées (armes, vêtements, nourriture). Voltaire y avait investi de l'argent, qui rapportait gros.
14. Nanine remet à Blaise 300 louis (déposés par Germon, I, 9, v. 467), à charge de les donner à Ph. Hombert. Au IIIe acte, le comte donne 100 louis d'or à Germon pour payer l'entrée de Nanine au couvent (III, 2, v. 1009).
15. Ce vers qui joue avec les assonances du nom de l'héroïne aurait été sifflé. Voltaire l'a pourtant maintenu.
16. Clabauder : criailler, protester hors de propos.
17. Allusion aux mariages conclus par la noblesse avec de riches roturières pour « fumer les terres ».

Notes du Café ou l'Écossaise

Dédicace

1. Voltaire s'amuse à lier un nom réel (Hume) et un de ces nombreux noms fictifs qui lui servaient de masque généralement transparent (Carré).
2. L'épigraphe fait allusion à un ennemi des philosophes, Le Franc de Pompignan, à qui Voltaire, dans le poème *La Vanité* (1761), prête ce cri : « L'Univers doit venger mes injures ! »
3. Fréron. Voltaire se plaignit que l'éditeur n'ait pas imprimé le nom complet.
4. Voltaire souligne par des italiques ironiques des expressions de Fréron, qu'il juge incorrectes.
5. Souvenir de *Tartuffe* (I, 6) : « Font de la dévotion métier et marchandise ».
6. Voltaire s'amuse à forger une référence au célèbre texte de Cicéron, où le mot ne figure pas.
7. Le Franc de Pompignan, natif de Montauban, où il avait fondé une académie dont Fréron était membre.
8. Fréron avait consacré 44 pages de sa revue au compte rendu de *L'Écossaise.* Il avait bien entendu raison de croire la pièce imprimée à Genève, et non pas à Londres.
9. Article de l'abbé Prévost, qui parle d'une pièce du « ministre Hume, parent du fameux David Hume », philosophe écossais.
10. Deux pièces du pasteur Hume, jouées à Londres avec succès.
11. L'attribution et la lettre sont évidemment de pure fantaisie.
12. *Déjà dit* dans la Préface (voir plus loin).
13. C'est ce qu'affirme en effet Fréron dans son compte rendu de *L'Écossaise.*
14. Nouvelle allusion à l'homosexualité prêtée aux Jésuites.

Avertissement

1. En réalité, le 26 juillet.
2. *L'homme d'esprit* semble être d'Alembert, qui raconte sa plaisanterie à Voltaire dans une lettre du 3 août 1760. C'est qu'on conduisait à l'Hôtel de Ville les condamnés

qui, sur le point d'être exécutés, prétendaient vouloir faire une révélation, retardant ainsi l'exécution.

3. Fréron avait en réalité écrit que, sans l'appui puissant du parti des philosophes, *L'Écossaise* n'aurait pas dépassé trois ou quatre représentations.
4. J. Carré ne peut rien *faire*, puisque Voltaire, installé à Ferney, n'a pas l'autorisation de venir à Paris.
5. Intéresser : toucher, émouvoir.
6. Personnage fictif. Faut-il entendre *hardi penseur* ?
7. Pope et Swift sont des écrivains anglais que Voltaire évoque aussi dans ses *Lettres philosophiques* (1734).
8. Zoïle désigne depuis l'Antiquité un critique partial et hargneux.
9. Pantolabus et Nomentanus sont des personnages des *Satires* d'Horace ; Anytus et Mélitus des accusateurs de Socrate. Voltaire venait de publier *Socrate* (1759).

Préface

1. Voltaire emprunte à Goldoni son titre et son cadre, le café.
2. L'Arétin (1492-1556), écrivain satirique italien, à la verve très libre.
3. Diderot et d'Alembert.
4. La publication de l'*Encyclopédie* avait été suspendue par le gouvernement en 1759, à la grande rage de Voltaire.
5. Claire allusion aux deux « essais » de Diderot, *Entretiens sur le Fils naturel* (1757) et *De la poésie dramatique* (1758). La fin du 2e paragraphe de la Préface reprend également des idées de Diderot.
6. On prélevait une taxe sur le périodique de Fréron, *L'Année littéraire*, au profit du *Journal des savants*, ce qui, à la grande indignation de Voltaire, revenait selon lui à légitimer les « feuilles scandaleuses d'un homme couvert d'opprobre » (lettre du 15 février 1761).
7. Voltaire évoque une des règles de la dramaturgie classique, qui oblige à lier toutes les scènes d'un acte en justifiant entrées et sorties des personnages.
8. Tâcher : faire effort, en laborieux tâcheron plutôt qu'en artiste inspiré.
9. J.-J. Rousseau venait de publier, en 1758, dans sa *Lettre à d'Alembert sur les spectacles*, une violente condamnation du théâtre, qui s'ajoutait aux classiques critiques dévotes.

10. Citation non strictement littérale de Montaigne, *Essais*, I, XXVI, *De l'institution des enfants*. La citation latine déclare : « Il [un certain Andranédore conspirant contre les Romains] découvre son projet à l'acteur tragique Ariston. C'était un homme honorable par sa naissance et par sa fortune ; et son métier ne lui faisait aucun tort, car il n'a rien de honteux chez les Grecs » (Tite-Live, XXIV, 24), voir Montaigne, *Essais*, Livre I, GF-Flammarion, p. 416, note 155.

Le Café ou l'Écossaise

1. Les malheurs de Monrose sont liés à la tentative du prétendant Charles-Édouard, soutenu par la France, de soulever l'Écosse contre l'Angleterre en 1745-1746, écrasée à la bataille de Culloden.
2. Cette allusion à la perte de Minorque au profit des Français (1756) place l'action au début de la guerre de Sept Ans (1756-1763), plutôt qu'à la sortie des troubles de 1745-1746. Ce que confirme la scène 3 de l'acte III : Monrose est recherché depuis onze ans.
3. L'ambassadeur anglais à Constantinople, sir James Porter, était de mère française, et donc suspect aux patriotes anglais exaltés. En revanche, l'attaque contre les philosophes renvoie à l'actualité française
4. La Jamaïque était un important centre pour le trafic des esclaves.
5. Autrement dit, le rhum.
6. Le suicide par spleen passait pour une coutume anglaise.
7. Un esprit mal tourné.
8. Voir la note 1.
9. Voltaire place dans la bouche de Frélon un bon mot de Piron, auteur français contemporain et homme fort spirituel, mais hostile à Voltaire.
10. Collège de jésuites anglais, fréquenté par les fils de catholiques anglais brimés dans leur pays. Les jésuites seront chassés de France en 1762.
11. Comme dans les romans anglais dont parle la Préface.
12. Archipel au nord de l'Écosse.

10. Citation assez fortement inspirée de Montaigne, [illegible] et [illegible] de [illegible] [illegible] [illegible] [illegible] [illegible] [illegible] [illegible] [illegible] [illegible] [illegible] [illegible] [illegible] [illegible] [illegible] de Montaigne [illegible] [illegible], p. [illegible]

Le Café ou *L'Écossaise*

1. [illegible] Charles-Édouard, soutenu par la France, de [illegible] [illegible] [illegible] 1745-1746 [illegible] à la bataille de Culloden.
2. [illegible] d'Amérique [illegible] au début de la guerre de Sept Ans (1756-1763) [illegible]
3. [illegible]
4. La [illegible]
5. [illegible]
6. [illegible]
7. [illegible]
8. [illegible]
9. [illegible] Voltaire.
10. [illegible]
11. [illegible]

CHRONOLOGIE

1694 : Baptême, le 22 novembre, de François Marie Arouet, fils cadet d'un riche bourgeois parisien. Mais Voltaire se prétendra né le 20 février, et fruit d'un adultère.
1701 : Mort de sa mère.
1704-1711 : Brillantes études au collège jésuite Louis-le-Grand. Vers précoces.
1711-1715 : Étudiant en droit, mais surtout poète (contes, épigrammes, satires).
1716-1718 : Des vers contre le Régent l'envoient de mai à octobre 1716 à Sully-sur-Loire, puis à la Bastille de mai 1717 à avril 1718. Sa tragédie *Œdipe* triomphe le 18 novembre 1718. Il prend le nom de Voltaire.
1720 : Échec d'une autre tragédie, *Artémire.*
1722 : Mort de son père, qui ne le laisse pas disposer librement de sa part d'héritage. Précocement initié au libertinage philosophique par son parrain, il compose l'*Épître à Uranie*, poème déiste.
1723 : On lui interdit de publier *La Ligue ou Henri le Grand*, première version de son épopée *La Henriade* (1728), à la gloire d'Henri IV.
1724 : Nouvel insuccès d'une tragédie, *Mariamne.*
1725 : *Hérode et Mariamne* (remaniement de *Mariamne*) obtient un succès honorable. 18 août : *L'Indiscret*, sa première comédie. Pension de la reine. Envisage un voyage en Angleterre.
1726-1727 : Bâtonné par les gens du chevalier de Rohan-Chabot et avide de se venger, il est embastillé le 17 avril et part en Angleterre le 2 ou 3 mai. Il y séjourne de mai 1726

à novembre 1728. Il publie en décembre 1727 son premier essai en anglais, sur la poésie épique.

1728-1729 : 343 souscripteurs permettent une riche édition de *La Henriade* en Angleterre. Il passe l'hiver 1728-1729 à Dieppe et s'installe en mars-avril à Paris. Il y séjourne jusqu'en 1733. D'habiles spéculations lui assurent l'aisance et le rendent indépendant des éditeurs : Voltaire n'écrira pas pour vivre.

1730 : *Ode sur la mort de Mlle Lecouvreur*, comédienne dont le corps est jeté à la voirie. Beau succès de *Brutus*, publié avec un *Discours sur la tragédie.*

1731 : Premier récit historique, *Histoire de Charles XII*, interdit de publication officielle.

1732 : Échec d'*Ériphyle* (trag.). Triomphe de *Zaïre*, à partir du 13 août.

1733 : *Le Temple du goût* (critique en prose et vers) déchaîne la polémique. Avril-mai : début de sa longue liaison avec Mme du Châtelet (1733-1749). Édition en anglais, à Londres, des futures *Lettres philosophiques*, sous le titre *Letters Concerning The English Nation* (sans la lettre XXV sur Pascal).

1734 : *Adélaïde du Guesclin* (trag.). Édition clandestine, à Rouen, des vingt-cinq *Lettres philosophiques*, condamnées et brûlées par le parlement de Paris. Voltaire se réfugie chez Mme du Châtelet, à Cirey, en Champagne.

1735 : *La Mort de César*, tragédie sans amour.

1736 : *Alzire ou les Américains* (trag.). *Le Mondain*, poème antichrétien, déclenche un scandale. 8 août : première lettre à Frédéric, futur roi de Prusse. *L'Enfant prodigue*, comédie en vers, son plus grand succès comique.

1738 : *Éléments de la philosophie de Newton*. Premier des *Discours en vers sur l'homme* (1738-1739).

1740 : Première rencontre avec Frédéric II. *Zulime* (trag.).

1741 : *Mahomet* (trag.), à Lille.

1742 : *Mahomet* est interdit à Paris après trois représentations.

1743 : *Mérope* (trag.), un de ses grands succès. Publication de *Mahomet*. Voltaire est en faveur à la Cour, mais refusé à l'Académie française, qui élit Marivaux.

1745 : Mort de son frère aîné, janséniste. *La Princesse de Navarre*, comédie-ballet, musique de Rameau. *La Bataille de Fontenoy*, poème héroïque.

1746 : Élection à l'Académie française. Devient gentilhomme ordinaire de la Chambre.

1747 : Première publication d'un conte philosophique en prose, *Memnon*. Comédie en vers, *La Prude*.

1748 : *Sémiramis* (trag.). *Zadig*, un de ses récits les plus connus.

1749 : *Catilina* (trag.). *Nanine*, comédie en vers. Mort de Mme du Châtelet.

1750 : Mme Denis, sa nièce et maîtresse, s'installe chez Voltaire. *Oreste* (trag.). 25 juin : départ pour Berlin, où il devient chambellan du roi de Prusse et son conseiller littéraire.

1751 : *Le Siècle de Louis XIV*, interdit de publication à Paris.

1752 : *Micromégas*, conte philosophique. *Rome sauvée* (trag.). *Amélie ou le Duc de Foix* (trag.). En publiant des pamphlets contre Maupertuis, président de l'Académie de Berlin, Voltaire gâte ses relations avec Frédéric II, qui fait brûler la *Diatribe du docteur Akakia* sur les places publiques de Berlin (24 décembre).

1753 : Voltaire quitte Berlin le 26 mars. Il est détenu avec Mme Denis à Francfort (ville libre), sur ordre de Frédéric, du 1er juin au 6 juillet. Interdit de séjour à Paris, il séjourne à Colmar jusqu'à octobre 1754. *Scarmentado*, conte.

1755 : Il s'installe en Suisse avec Mme Denis (*Les Délices*). *L'Orphelin de la Chine* (trag.).

1756 : Le *Poème sur le désastre de Lisbonne* (tremblement de terre survenu le 1er novembre 1755) déclenche un débat européen. *Essai sur les mœurs* (histoire universelle depuis Charlemagne).

1758 : Rédaction de *Candide*, son plus célèbre récit (janvier-octobre). Derniers articles pour l'*Encyclopédie* (45 au total). *La femme qui a raison* (com.). Il achète le château et le domaine de Ferney, près de Genève mais en France. *Mémoires pour servir à la vie de M. de Voltaire* (autobiographie, publiée en 1784).

1759 : Publication à Paris, Londres, Amsterdam, de *Candide ou l'Optimisme* (janvier). *Socrate*, drame en prose, écrit en pleine offensive contre les « philosophes » et l'*Encyclopédie*.

1760 : Il s'installe à Ferney. Rupture définitive avec J.-J. Rousseau. *Le Café ou L'Écossaise*, pièce en prose, s'en prend violemment à Fréron, journaliste hostile aux

« philosophes », qui subit en outre les *Anecdotes sur Fréron* (1760-1761).

1761 : Lance contre Rousseau de virulentes *Lettres sur « La Nouvelle Héloïse »*. Entreprend près de son château la construction d'une église qui porte au fronton : *Deo erexit Voltaire* (*Voltaire l'a édifiée pour Dieu*) !

1762 : *Le Droit du seigneur*, comédie en vers. 10 mars : exécution à Toulouse de Jean Calas, un protestant accusé du meurtre de son fils. Grâce à Voltaire, l'affaire Calas commence.

1763 : Louis XV autorise la révision du procès Calas. *Traité sur la tolérance. Saül*, tragédie en prose, etc.

1764 : *Commentaires sur Corneille*, au bénéfice de Mlle Corneille. *Dictionnaire philosophique portatif* (73 articles, 118 dans l'édition de 1769). *Octave* (trag.).

1765 : Réhabilitation des Calas.

1766 : Le jeune chevalier de La Barre, qui avait mutilé un crucifix, est exécuté à Amiens. *Le Philosophe ignorant*, synthèse des convictions voltairiennes, *De l'horrible danger de la lecture*, etc.

1767 : *Les Scythes* (trag.). *L'Ingénu* (récit), et de nombreux autres textes.

1768 : *L'Homme aux quarantes écus* ; *La Princesse de Babylone* (récits). *Précis du siècle de Louis XV* ; *Profession de foi des théistes*, etc.

1769 : *Les Lettres d'Amabed, etc.* (conte épistolaire). *Les Guèbres* (trag.).

1770 : Voltaire commence la rédaction des *Questions sur l'Encyclopédie* (1770-1772, 9 vol., 423 articles prévus). Des gens de lettres souscrivent pour une statue en nu de Voltaire par Pigalle.

1772 : *Les Pélopides* (trag.).

1773 : *Les Lois de Minos* (trag.). *Fragments historiques sur l'Inde*, etc.

1774 : *Sophonisbe* (trag.). *Le Taureau blanc* (récit).

1775 : *Le Cri du sang*, en faveur de la réhabilitation de La Barre, refusée. *Histoire de Jenni ou Le Sage et l'Athée* ; *Les Oreilles du comte de Chesterfield* (récits). Édition des *Œuvres complètes*, dite « encadrée », qui sert actuellement de référence.

1776 : *Lettres chinoises, indiennes et tartares* ; *La Bible enfin expliquée* ; *Commentaire historique sur les œuvres de l'auteur de La Henriade* (autobiographie à la troisième personne) ;

Lettre de M. de Voltaire à l'Académie française (contre la vogue de Shakespeare en France).

1777 : *Un chrétien contre six juifs* ; *Commentaires sur « L'Esprit des lois »*.

1778 : Il quitte Ferney le 5 février et arrive le 10 à Paris, qu'il n'a pas revu depuis 1750. Il assiste le 30 mars à une représentation triomphale d'*Irène* (trag.), où on le couronne dans sa loge, puis en buste sur scène. Il meurt le 30 mai, interdit de sépulture en terre catholique. Son neveu, l'abbé Mignot, le fait enterrer dans les règles en Champagne. Catherine II de Russie achète sa bibliothèque, conservée à Saint-Pétersbourg.

1779 : Publication d'*Ériphyle* (trag.).

1785-1789 : *Œuvres de Voltaire*, éd. dite de Kehl, animée par Beaumarchais, en 70 vol. Elle contient quelques milliers de lettres.

1791 : Transfert des cendres au Panthéon, le 11 juillet.

BIBLIOGRAPHIE

Éditions des pièces

Les Œuvres complètes de Voltaire, Voltaire Foundation, Oxford, ont déjà publié des éditions critiques des quatre pièces de ce volume. On s'y reportera pour l'établissement des circonstances factuelles et des variantes. En revanche, la perspective critique est le plus souvent décevante.

Théâtre du XVIIIe *siècle*, Gallimard, « Bibliothèque de la Pléiade », éd. J. Truchet, 2 vol., 1974. Cet excellent panorama vaut tous les discours, et contient nos quatre pièces.

Études critiques

Esthétique

Becq Annie, *Genèse de l'esthétique française moderne, 1680-1814*, Albin Michel, 1994 (rééd. de 1984).

Menant Sylvain, *L'Esthétique de Voltaire*, CDU-Sedes, 1995.

Naves Raymond, *Le Goût de Voltaire*, Genève, Slatkine, 1967 (rééd. de 1938).

Dramaturgie

Biet Christian, *La Tragédie*, Armand Colin, « Cursus », 1997.

Goldzink Jean, *Comique et comédie au siècle des Lumières*, L'Harmattan, 2000.

Truchet Jacques, *La Tragédie classique en France*, PUF, 1975.

Théâtre de Voltaire

Badir Magdy G., *Voltaire et l'Islam*, SVEC, 125, 1974.
Frantz Pierre (dir.), « Jouer Voltaire aujourd'hui », *Cahiers Voltaire*, n° 2, 2003, p. 126-206.
Lion Henri, *Les Tragédies et les théories dramatiques de Voltaire*, Genève, Slatkine, 1970 (rééd. de 1895). À lire.
Ridgway Ronald S., *La Propagande philosophique dans les tragédies de Voltaire*, SVEC, 15, 1961.
Sclippa Norbert, *La Loi du père et les droits du cœur, essai sur les tragédies de Voltaire*, Genève, Droz, 1993.
Vrooman Jack R., *Voltaire's Theater : The Cycle from « Œdipe » to « Mérope »*, SVEC, 75, 1970.
Willens Liliane, *Voltaire's Comic Theater*, SVEC, 136, 1975.

TABLE DES MATIÈRES

DERNIÈRES PARUTIONS

L'AMOUR COURTOIS. UNE ANTHOLOGIE (1589)

APOLLINAIRE
Alcools (1524)
Calligrammes (1525)

ARISTOTE
Éthique à Eudème (bilingue) (1509)
Histoire des animaux (1590)
Le Mouvement des animaux. La Locomotion des animaux (1508)
Premiers analytiques (1230)
Topiques. Réfutations sophistiques (1545)

BALZAC
Balzac journaliste (1277)
La Cousine Bette (1556)
Ursule Mirouët (1517)

BARBEY D'AUREVILLY
Barbey d'Aurevilly journaliste (1562)

BARBUSSE
Le Feu (1541)

BAUDELAIRE
Le Spleen de Paris (1588)

BERGSON
Essai sur les données immédiates de la conscience (1522)
Essai sur les données immédiates de la conscience (chap. II) (1521)
La Pensée et le Mouvant (1539)
Le Rire (1526)

BERNANOS
Journal d'un curé de campagne (1605)
Sous le soleil de Satan (1604)

BLASONS ANATOMIQUES DU CORPS FÉMININ (1575)

CICÉRON
Fins des biens et des maux (1568)

CLAUSEWITZ
De la guerre, livre I (1542)

CONRAD
Au cœur des ténèbres (1583)

CORBIÈRE
Les Amours jaunes (1592)

DESCARTES
L'Homme (1600)

DUMAS
Pauline (1566)
La Tour de Nesle. Henri III et sa cour (1565)

DURKHEIM
Le Suicide, livre II (1540)

ÉCRITS ATTRIBUÉS À PLATON (1543)

FEYDEAU
La Dame de chez Maxim (1577)

FICHTE
Introductions berlinoises à la philosophie (1538)

FITZGERALD
Tendre est la nuit (1561)

FLAUBERT
Madame Bovary (1593)

FREUD
Propos d'actualité sur la guerre et sur la mort (1586)
Totem et tabou (1559)

GAUTIER
Les Jeunes France et autres récits humoristiques (1518)

GENEVOIX
Ceux de 14 (1601)

GIRAUDOUX
Électre (1548)
La guerre de Troie n'aura pas lieu (1549)
Ondine. Intermezzo (1571)

GONCOURT
La Fille Élisa (1553)

HOBBES
Léviathan (chap. X-XVIII et XXI) (1579)

HOMÈRE
Odyssée (1584)

HOUELLEBECQ
La Carte et le Territoire (1572)

HUGO
Hugo journaliste (1530)
Lucrèce Borgia (1574)
Quatrevingt-treize (1160)
Ruy Blas (1570)

JANKÉLÉVITCH
L'Aventure, l'Ennui, le Sérieux (chap. I) (1582)

KANT
Critique de la raison pure (Introduction) (1581)
Les Progrès de la métaphysique (1527)

DERNIÈRES PARUTIONS

N° d'édition : L.01EHPN000938.N001
Dépôt légal : avril 2019
Imprimé en Espagne par Novoprint (Barcelone)